W9-BQX-892

NICOLE DURAND-LUTZY

LES ENJEUX du PRÉSENT

Collection Emmaüs

Enseignement moral et religieux catholique

4ᵉ secondaire

Manuel de l'élève

CENTRE ÉDUCATIF ET CULTUREL INC.
8101, boul. Métropolitain Est, Anjou, Qc, Canada. H1J 1J9
Téléphone: (514) 351-6010   Télécopie: (514) 351-3534

106 513 75

Chargée de projet et réviseure linguistique
ALICE BERGERON

Conception graphique
LES PRODUCTIONS FRÉCHETTE ET PARADIS

Illustration de la page couverture
ZAPP

Dans cet ouvrage, la féminisation des titres de fonctions et des textes est conforme aux règles d'écriture proposées par l'Office de la langue française dans le guide *Au féminin*, produit par les Publications du Québec, 1991.

Un grand merci
Comme vous le constaterez au fil des chapitres, ce livre porte plusieurs signatures. Je tiens à remercier de façon particulière les jeunes qui ont bien voulu raconter leurs expériences avec tellement de simplicité et de vérité. Sachez que vos confidences nous permettent de mieux saisir les défis propres à votre âge et les enjeux qui sont les vôtres.
Un grand merci aux adultes qui ont accepté de partager leurs secrets et leurs passions. Vos récits sont précieux, ils nous permettent d'apprécier les multiples manières de conquérir la liberté, de construire l'amour et de choisir la vie.

Je tiens à remercier :
madame Andrée Pilon-Quiviger pour sa précieuse collaboration à la conception et à la rédaction du premier chapitre de ce manuel;
madame Alice Bergeron qui a lu, corrigé et relu les manuscrits avec patience et sens critique. Sa sensibilité et son intérêt pour la réflexion en ont fait une partenaire de choix;
sœur Jeannine Serres, directrice du collège Sainte-Anne de Lachine, qui a accepté de prêter mes services pour la rédaction de ce matériel pédagogique.
père Jacques Langlais, c.s.c., qui a rédiger tous les textes des rubriques «Avec d'autres yeux».

© 1993, Centre Éducatif et Culturel inc.
8101, boul. Métropolitain Est
Anjou (Québec) H1J 1J9
Tous droits réservés.

Dépôt légal : 2ᵉ trimestre 1993
Bibliothèque Nationale du Québec
Bibliothèque Nationale du Canada

ISBN 2-7617-1046-0
Imprimé au Canada

TABLE DES MATIÈRES

QUELQUES MOTS...

La liberté, l'amour et la vie sont des sujets qui font beaucoup parler et discuter. Il suffit de vous souvenir de vos conversations téléphoniques, de vos confidences du «lundi matin», d'un échange, d'une prise de bec ou tout simplement de vos projets d'avenir. Le goût du bonheur est sur toutes les lèvres et sa réalisation dépend en grande partie de notre capacité de gérer l'espace ou les *liens* de notre liberté, de prendre le *risque* d'aimer et d'être aimé et d'accepter le *cri* de la vie. À toutes les époques et à tous les âges, des questions reliées à ces thèmes surgissent. L'angle sous lequel nous les abordons et les réponses que nous trouvons varient selon les valeurs auxquelles nous nous référons. Le mot «morale» est rarement utilisé, mais ce qu'il signifie revient constamment en termes de *points de repère* capables de guider notre façon de vivre ensemble.

Dans ce manuel, nous aborderons chacun de ces thèmes sous quatre aspects complémentaires : l'expérience des jeunes et des adultes, le point de vue du droit et des sciences humaines, celui de la foi chrétienne et la vision de quelques autres traditions religieuses. Cette exploration vous permettra de dégager les choix que vous pouvez faire quant à votre manière de vivre la liberté, l'amour et la recherche d'un sens à la vie. À la lumière des conséquences que ces choix entraînent, vous pourrez évaluer les conduites qui favorisent votre épanouissement et vos relations avec les autres.

Tout au long des quatre chapitres, des rubriques guideront votre analyse : les unes font un «Zoom» sur le contenu présenté, d'autres, d'un type plus «Confidentiel...» sont des invitations à la réflexion. La rubrique «Sur le bonheur» fait sans cesse ressurgir une interrogation fondamentale : le projet de vie proposé par Jésus permet-il l'épanouissement de la personne?

Nicole Durand-Lutzy

Chapitre 1

Points de repère

«Arrête de me faire la morale!» Associée à un discours ou à des remontrances, la morale peut paraître sans intérêt pour la conduite de la vie quotidienne et sans lien avec l'épanouissement personnel. Pourtant, chacun et chacune de nous fait des expériences morales. Placés devant ces dilemmes, on doit prendre des décisions qui sont parfois lourdes de conséquences : dois-je dénoncer une injustice quand des personnes peuvent en être blessées? Puis-je prendre le risque de conduire après avoir pris quelques verres de bière? Ai-je le droit de tricher sous prétexte que je ne risque pas de me faire prendre? En se référant à quelques points de repère, on se met à délibérer, à peser le pour et le contre, à analyser les conséquences à court et à long terme. Et la décision qu'on prend révèle nos valeurs, c'est-à-dire ce à quoi nous attachons le plus d'importance.

Dans notre société, les valeurs sont protégées et promues par des règles, fruit d'un long travail de réflexion. Mais les chartes auraient beau être les plus belles du monde et les lois les plus justes, cela ne servirait à rien si l'être humain était une marionnette, c'est-à-dire un être «déterminé», dépendant, incapable d'autocritique et d'ouverture aux autres. Partout et de tout temps, des gens ont cherché à établir les conditions favorables à l'épanouissement personnel et à l'harmonie sociale. Les religions ont fait de même. Dans l'Évangile, on trouve des textes qui traduisent l'esprit dans lequel les chrétiens et chrétiennes devraient travailler pour bâtir un monde plus humain et plus fraternel. La morale serait-elle un chemin menant au bonheur?

Au cœur de la morale

La morale, c'est «l'ensemble des points de repère, la carte des valeurs que chaque personne et chaque société doivent suivre pour survivre et afin de s'humaniser davantage. Pour un moraliste, l'éthique évoque la quête universelle du vrai bonheur et en trace le chemin[1].»

L'expérience morale

À la suite d'un message publicitaire de l'Association des Amputés de guerre, j'ai enfin pris la décision d'aider les enfants handicapés physiquement ou mentalement. J'ai toujours voulu le faire. J'aimerais travailler dans un camp, faire du bénévolat dans un hôpital, visiter des enfants à leur domicile, etc. Je veux qu'ils sachent qu'il y a des gens qui sont capables de dépasser les apparences pour les rejoindre en profondeur. Je veux qu'ils sachent qu'ils sont comme nous, qu'ils ont besoin d'être aimés. C'est pourtant simple! Nous sommes tous nés égaux et aucune personne n'est plus importante qu'une autre. Faire de la discrimination envers quelqu'un qui est handicapé, quelqu'un d'un autre sexe, d'une autre ethnie ou religion, d'un autre milieu social, est impardonnable. Nous avons tellement peur de ce qui est différent que nous oublions l'essentiel : nous pouvons toujours apprendre quelque chose d'une autre personne et nous avons besoin des autres pour vivre.

Judith

Jean avait étudié comme jamais pour bien réussir l'examen final d'histoire. Il se sentait de taille à répondre aux questions les plus difficiles. Avant de nous mettre au travail, les surveillants et surveillantes nous ont rappelé la règle du silence absolu. L'examen était à peine commencé qu'un élève, récemment inscrit à l'école et très nerveux, attire l'attention de Jean et cherche à obtenir des renseignements. Avec des gestes, Jean essaie de lui dire qu'il ne peut rien faire pour lui. Malheureusement, il est pris sur le fait et, comme prévu, on déchire sa feuille et on lui colle un gros zéro. Aussitôt, «le petit nouveau» s'objecte et reconnaît sa culpabilité. Les responsables refusent sa version des faits et font fi de nos protestations. Ce n'est pas correct! Qu'est-ce que je pourrais faire?

Danielle

Des voisins et des parents nous ont donné une somme de 20 $ pour participer au «marchethon» annuel au profit du centre communautaire de notre région. En retour, on s'engageait à marcher cinq kilomètres. En route, Alex et Catherine se sont sentis fatigués et m'ont proposé de lâcher sans le dire à personne. J'ai refusé, mais je n'ai pas réussi à les convaincre de continuer la marche après un bon moment de repos. Ils riaient de moi d'ailleurs. Je ne trouve pas ça honnête.

Vincent

Danielle, Vincent et Judith racontent une expérience morale. Face à un événement et à des personnes, ils ont éprouvé des sentiments et ont porté des jugements : «ce n'est pas correct», «ce n'est pas honnête», «c'est impardonnable». Face à des enfants maltraités, des malades bien soignés, des manifestations en faveur de la justice, nous portons nous aussi des jugements. Par ces jugements, nous exprimons les sentiments que nous ressentons à l'égard des personnes responsables : fierté, colère, confiance, compassion, indignation, reconnaissance, joie, tristesse. À travers certains jugements, nous posons, directement ou indirectement, des questions : «Qu'est-ce que je pourrais faire?», «Comment combattre l'injustice?», «Comment rester honnête et vrai?»

Nos jugements, nos sentiments et nos questions révèlent notre façon de voir la vie et ce à quoi nous attachons le plus d'importance. En d'autres mots, nous traduisons nos valeurs, c'est-à-dire ce qui a du prix à nos yeux, ce pour quoi il vaut la peine d'aller jusqu'au bout. Certaines personnes condamnent ou approuvent au nom de la justice, de la liberté, de la vérité ou de l'amour et de la qualité de vie; d'autres le font au nom du succès, de la richesse, de la gloire, de la reconnaissance. Les valeurs que nous choisissons de mettre en pratique traduisent l'orientation fondamentale de notre vie, le sens que nous voulons lui donner.

Confidentiel...

- Rappelle-toi une expérience morale que tu as déjà vécue. Quel jugement moral as-tu porté?
- Quelle valeur se cache derrière les jugements que tu as portés?

Le chemin des valeurs

Des valeurs sont exprimées dans les billets précédents. Chez Judith, c'est l'amour; chez Danielle, la justice; chez Vincent, l'honnêteté. Mais comment naissent ces valeurs, comment les reconnaître et les choisir? Dans son ouvrage intitulé *La morale change*[2], Albert Donval explique comment les valeurs peuvent naître. Les textes qui suivent s'en inspirent. Vous apprendrez peut-être comment votre passion pour la justice, la vérité, la beauté, etc., est née.

Une attirance, un désir

Judith a éprouvé le désir de s'engager :

> À la suite d'un message publicitaire de l'Association des Amputés de guerre, j'ai enfin pris la décision d'aider les enfants handicapés. J'ai toujours voulu le faire.

Si nous ressentons comme intolérable et injuste l'expérience vécue par Jean, le désir d'établir plus de justice peut nous pousser à chercher quoi faire concrètement.

Le désir de protéger l'environnement amène des gens à militer au sein du mouvement Les Amis et Amies de la Terre; le désir de bâtir la paix en pousse d'autres à se joindre au mouvement ACAT qui réclame l'abolition de la torture; le désir de réussir conduit des jeunes à poursuivre leurs études, et le désir d'autonomie, à économiser en prévision de la location d'un appartement. L'expérience inverse est aussi possible. On peut se dire : «Il faudrait que je fasse quelque chose!», mais le désir n'est pas là, endormi sous trop de préoccupations peut-être. Il est important de savoir quel désir nous pousse, nous fait avancer et agir : est-ce la réussite matérielle, l'exercice du pouvoir, la libération de soi, le partage, la gloire, la renommée...?

L'expérience intérieure que nous vivons (jugements, questions, sentiments) en lisant un article de journal, en écoutant un reportage, en passant près d'un enfant qui pleure, en visitant une amie à l'hôpital ou en aidant l'étranger qui cherche son chemin est un indice qui montre que notre vie a une dimension morale.

Une réflexion

Le désir qui surgit de l'intérieur ne suffit pas. Les désirs humains sont fragiles : l'amour peut se changer en haine ou en indifférence, la compréhension de l'autre peut se limiter à des paroles et se fermer à toute action concrète. Une réflexion s'impose pour critiquer nos désirs, c'est-à-dire questionner nos motivations. C'est ce que Judith a fait.

> Je veux qu'ils sachent qu'ils sont comme nous, qu'ils ont besoin d'être aimés. C'est pourtant simple! Nous sommes tous nés égaux et aucune personne n'est plus importante qu'une autre.

Cette réflexion est importante. Judith est touchée par le sort des enfants handicapés, elle veut leur venir en aide. Avant de se lancer dans l'action, elle prend le temps de bien connaître ses motivations et de préciser ses buts. Ce temps d'arrêt ou cette critique lui permet de réfléchir au sens de l'aide qu'elle veut apporter et en même temps de s'ouvrir au besoin de tous les enfants d'être aimés et protégés. L'enfant maltraité dont on voit la photo dans le journal lance un appel et sa situation particulière ouvre la conscience à toutes les personnes qui vivent les mêmes souffrances. En nous, un précepte moral universel fait tranquillement son chemin : «Fais aux autres ce que tu désirerais que les autres te fassent».

Une action,
des comportements

Après la réflexion, c'est le temps de passer aux actes.

J'ai enfin pris la décision d'aider les enfants handicapés physiquement ou mentalement. J'aimerais travailler dans un camp, faire du bénévolat dans un hôpital, visiter des enfants à leur domicile.

Il y a parfois une grande distance entre les principes et les actes, entre les paroles et les gestes. La cohérence n'est pas facile et le passage des intentions aux actes n'est pas automatique. Adhérer à une valeur entraîne nécessairement des changements dans les comportements. Sinon, on reste «grand parleur, petit faiseur». Mais rien n'est facile dans ce domaine et des conflits de valeurs surgissent parfois : rendre visite à des personnes âgées peut amener quelqu'un à négliger son travail; dénoncer le mensonge peut mettre une amitié en péril. Des choix responsables s'imposent.

En quoi consiste
une valeur?

Une valeur se distingue d'un objet qu'on valorise. Par exemple, le «nounours» préféré d'un enfant et la guitare d'une guitariste revêtent pour eux une grande valeur.

Martin Luther King

Action des chrétiens pour l'abolition de la torture

Rigoberta Menchu

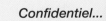

Gandhi

Amnistie Internationale

Mère Teresa

Cependant, on ne mise pas sa vie sur ces objets même s'ils sont importants. Le mot valeur peut désigner des réalités (et non des choses) considérées comme importantes à une époque et dans un milieu donné. Par exemple, la famille est au centre des valeurs traditionnelles et l'environnement est une priorité grandissante, tandis que le succès et l'argent sont partout valorisés. Finalement, il y a les valeurs qui sont héritées de la sagesse humaine et qu'on appelle valeurs fondamentales. Elles résistent au temps et rallient à peu près tout le monde : le beau (l'harmonie, l'ordre), le bien (l'amour, la liberté, la justice), le vrai (la vérité, la fidélité, la sincérité), la vie (la santé, le souci de la planète). Respecter ces valeurs, c'est agir pour le mieux-être de la personne.

Martin Luther King a été témoin de la justice, mais l'injustice sévit encore. La justice est plus grande que lui. Il en est de même de Gandhi vis-à-vis de la vérité, de Mozart face à la beauté, de Mère Teresa pour l'amour, de Rigoberta Menchu pour la paix. Malgré tous leurs efforts, il reste encore des choses à faire pour promouvoir et protéger les valeurs qui leur étaient chères.

L'Évangile propose-t-il certaines valeurs? À regarder la manière de vivre de Jésus, on reconnaît entre autres la liberté, l'amour, la vie, la recherche de la vérité et la prière. Tous ses choix s'appuient sur ces valeurs et certains passages évangéliques le disent clairement.

Confidentiel...

- Selon ton expérience, est-ce difficile d'agir en conformité avec ses valeurs? Pourquoi?
- À l'exemple de Judith, essaie de faire la réflexion critique d'un engagement que tu as déjà pris ou que tu as l'intention de prendre.

Précisions sur la morale

Des règles et des lois donnent des indications sur ce que nous pouvons faire : «Ne tue pas» est une loi morale qui, négativement, nous incite à ne pas orienter notre vie vers la violence et, positivement, nous rappelle les droits fondamentaux que sont la vie, l'amour, la justice, la liberté.

La morale, avec ses règles ou ses lois, vient protéger des droits et promouvoir des valeurs. Par exemple, c'est au nom de la valeur vie que les ouvriers et ouvrières de la construction doivent porter un casque réglementaire ou que les passagers et passagères d'une voiture doivent boucler leur ceinture. C'est au nom du respect des autres que le silence est exigé dans les bibliothèques. Quand une loi indispose, il importe de chercher quelle valeur elle protège pour en comprendre la raison d'être.

Faire des lois... Serait-ce le seul but de la morale, son seul travail? Comment définir la morale? S'intéresse-t-elle à la personne comme individu seulement ou comme membre de la société? À l'aide des réflexions qui suivent, dites quels sont la définition, le but et les dimensions de la morale.

Définition de la morale

Le mot morale vient du latin *moralis* qui signifie «relatif aux mœurs». Quand on veut donner une définition de la morale, il faut distinguer deux volets.

Premier volet

La morale est l'ensemble des règles qui s'imposent à la conduite de chaque personne dans la société où elle vit. Selon cette définition, les membres d'une société sont soumis aux mêmes règles de conduite. Ces règles ont été édictées en fonction de ce qui est bien pour chacun et chacune des membres et pour l'ensemble de la société. Et ce qui est perçu à un moment donné comme bien ou mal peut changer. Par exemple, l'esclavage est interdit, l'usage de la cigarette dans les lieux publics est maintenant restreint. Sans être des absolus, ces règles sont des points de repère essentiels qui indiquent la conduite à adopter à une époque et dans une culture données.

Deuxième volet

Les changements apportés aux lois ne sont pas le fruit du hasard, mais le résultat d'une réflexion. En effet, on ne peut pas changer une loi n'importe comment et pour n'importe quelle raison. Il faut réfléchir sur les façons d'agir des humains. La morale est donc une réflexion sur les problèmes que pose la conduite des humains dans leur vie personnelle et dans leur vie sociale. Cette réflexion n'a pas cessé d'évoluer en même temps que l'avancement des sciences et de la technologie, l'approfondissement des connaissances sur la personne humaine, l'évolution des moyens de communication et des relations entre les peuples et les changements sociopolitiques des sociétés.

On peut utiliser le mot éthique pour désigner le deuxième volet de la morale.

L'année 1948 reste une date marquante dans l'histoire de l'éthique. Après la Seconde Guerre mondiale (durant laquelle six millions de Juifs et Juives furent massacrés et assassinés par les forces du régime nazi), la communauté humaine mondiale signait la *Déclaration universelle des droits de l'homme*. Bien que ces droits ne soient pas toujours ni partout respectés, il n'en demeure pas moins que des valeurs de base ont été adoptées d'un bout à l'autre de la planète. Les nations peuvent dorénavant se servir de la *Déclaration* comme d'un point de départ pour se remettre en question les unes les autres.

ZOOM

- Donnez une définition de la morale et dites en quoi elle consiste.

- Dans votre milieu ou dans la société actuelle, y a-t-il des actions qui sont jugées inacceptables et qui ne l'étaient pas autrefois?

Le double but de la morale

Toute notre vie, nous voulons être heureux et heureuses dans notre travail comme dans nos relations affectives. **Le premier but** de la réflexion morale est de chercher à favoriser l'épanouissement de chaque personne et de toutes les personnes et rendre ainsi le monde plus humain. «C'est cette recherche du bonheur qui confère un sens, une valeur morale – ou non – aux multiples petits "sens" que nous donnons aux choses de la vie : le travail, la famille, les relations [3].» **Le deuxième but** de la réflexion morale est de chercher les meilleures conditions de l'harmonie sociale.

1. Pour l'épanouissement de la personne

Pour qu'une personne s'épanouisse, il faut tenir compte de ses capacités et de ses besoins. Ceux-ci ont été regroupés ici sous quatre volets.

1. La personne humaine est appelée à se développer, à devenir de plus en plus elle-même :

> Cher Éric,
> Tu as raison de vouloir te connaître, c'est une chose tout à fait naturelle et importante, toi qui as le désir de donner un sens à ta vie. [...] Il arrive aussi que l'on éprouve le désir d'imiter un tel ou une telle, désir bien compréhensible quand on est en quête de sa propre identité. Tu le sais, l'autre, même si tu le trouves super, ne sera jamais toi. Chacun de nous est unique et rien ne peut faire disparaître cette originalité, cette singularité, cette nécessaire différence. Un robot peut ressembler à un autre robot; un être humain n'est jamais un autre être humain [4].

L'expérience montre que nous sommes différents les uns des autres et chacun et chacune peut faire sien ce petit mot écrit à Éric.

Dans une famille, l'une est douée pour la mécanique et l'autre rêve de poésie, l'un est plus audacieux et l'autre plus patiente. On reconnaît déjà au petit bébé une volonté propre, une personnalité distincte. Au fil des années, et grâce à diverses expériences, la personne se transforme, parfois considérablement. De craintive, elle devient confiante; d'inquiète, elle devient sereine. Il suffit de lire certains témoignages pour nous en convaincre. Des personnes alcooliques deviennent sobres, des personnes agressives deviennent tolérantes grâce à une vie affective qui les comble.

2. La personne humaine est appelée à faire des choix :

> À l'adolescence, l'enfant que nous étions meurt pour se transformer [...] on se remet au monde soi-même, on devient responsable de soi, que l'on ait été un bébé bien accueilli ou pas [5].

Impossible de décider à la place d'une autre personne ou de diriger la vie d'autrui! Certes, nous sommes tous et toutes nés avec un bagage héréditaire qui a profondément marqué notre caractère, notre physionomie, nos capacités physiques et mentales. Nous avons été accueillis dans un certain climat, puis éduqués d'une certaine manière. Bien sûr, tout ce passé aura une influence réelle sur notre existence. Mais nous disposons d'une marge de manœuvre. L'expérience montre que nous faisons des choix et que certaines décisions nous appartiennent : on choisit telle ou tel partenaire de vie, un métier plutôt qu'un autre; on choisit d'aller jusqu'au bout d'un projet malgré les difficultés ou le goût d'abandonner. La personne ne peut pas être considérée comme une marionnette ou un éternel petit enfant. Il lui revient de se remettre elle-même au monde, c'est-à-dire de prendre sa vie en mains en faisant les choix qui lui conviennent.

3. La personne humaine est à la fois cœur, corps et esprit :

> *Mon corps, c'est le moyen de m'exprimer, de communiquer. Mais je ne puis pour autant dire que je ne suis qu'un corps, j'ai un cœur, un esprit. Je suis un être vivant, organisé, autonome, capable de mouvement, de sensibilité, mais aussi d'émotion, de réflexion, d'imagination, de mémoire... et de vie spirituelle; car je ne suis pas seulement capable de raisonner, je peux aussi prier, aimer, adorer, avoir des sentiments qui échappent au rationnel. Tout cela est si étroitement lié en moi qu'il m'est impossible de faire quelque chose, de penser quelque chose en dissociant le charnel du spirituel. Mon corps est moi, je suis lui. Impossible de le séparer de toute cette vie spirituelle que je sens vibrer en moi. Tout cela fait un, me fait.*
>
> *Catherine* [6]

Comme le dit Catherine, les dimensions corporelle, affective et spirituelle sont intimement liées. Négliger les besoins de l'une, c'est nuire aux autres. L'expérience montre qu'un simple manque de sommeil peut nuire à la concentration intellectuelle et rendre la tolérance plus difficile. Une vie affective heureuse peut rendre l'esprit plus dispos et diminuer le risque de voir apparaître certains troubles physiques. Le corps, le cœur et l'esprit forment un tout qui fait de chacun et de chacune un être absolument unique, rempli de mystère, enraciné dans le monde et, en même temps, rempli de désirs.

4. La personne se développe en relation avec les autres, ce qui entraîne une responsabilité sociale. L'interdépendance est une caractéristique fondamentale de l'être humain comme le souligne ce mot d'un jeune :

> *Écoute-moi,*
> *j'ai quelque chose à te dire*
> *une confidence à te faire*
> *un secret à te dévoiler...*
> *Écoute-moi,*
> *j'ai besoin de parler*
> *avec les mots*
> *de mon cœur*
> *les balbutiements*
> *de mon esprit...*
> *Écoute-moi,*
> *ne serait-ce qu'un instant*
> *l'espace d'un vol d'oiseau*
> *un peu du temps qui court...*
> *Écoute-moi,*
> *s'il te plaît simplement* [7].

Il est illusoire de chercher à se construire tout seul! On ne se construit qu'en relation avec les autres : mère et père, frères et sœurs, copains et copines, gang, amoureux et amoureuses, patrons et patronnes, collègues, adversaires, modèles, sages, voisinage, gouvernement, société, humanité, sont tour à tour impliqués dans notre devenir, et nous dans le leur.
Il n'y a pas d'évolution humaine sans communication, sans relations interpersonnelles. Nul n'est une île, même si chacun et chacune a droit à son intimité.

Le but de certaines règles morales est d'assurer à tous et à toutes la possibilité de se développer pleinement. Par exemple, la loi qui garantit l'accès aux soins de santé, la *Loi sur la* *protection de la jeunesse*, la *Loi sur les normes du travail* et la *Loi assurant l'exercice des droits des personnes handicapées*.

ZOOM

- Êtes-vous d'accord pour attribuer à la personne humaine les quatre capacités présentées?

- Au regard de l'épanouissement de la personne, dites quel est le but de la morale.

Confidentiel...

Selon toi, laquelle des caractéristiques de la personne est-il le plus nécessaire de favoriser à l'adolescence?

2. Pour l'harmonie sociale

Il faut bien dire que le bonheur de l'être humain dépend pour une bonne part de la qualité de ses relations avec les autres ainsi que du milieu dans lequel il ou elle vit. Et aujourd'hui, l'inquiétude face à l'environnement prend de l'ampleur et soulève des interrogations quant aux dangers qui menacent la planète. Comment s'assurer que les conditions de vie permettront à l'humanité de poursuivre son développement? C'est au regard de telles questions et de la recherche du bonheur de tous les habitants et habitantes de la Terre qu'on peut résumer le deuxième but de la réflexion morale qui est de chercher les meilleures conditions de l'harmonie sociale.

Le fait de vivre en relation avec les autres entraîne l'obligation de chercher des moyens pour établir et faire respecter les conditions favorables à la vie en société. Par exemple, des municipalités ont adopté une loi interdisant l'utilisation des tondeuses ou autres appareils bruyants avant sept heures, respectant ainsi le droit au repos tel que reconnu dans la *Déclaration universelle des droits de l'homme*. Cette loi contribue à diminuer les risques de mauvaise entente entre voisins et favorise ainsi l'harmonie sociale. À la suite de la mort de sa sœur, Virginie Larivière réclame l'abolition de la violence à la télévision. Elle apporte ainsi sa contribution à l'harmonie sociale.

Dans une société comme la nôtre, il est impossible de s'enfermer chez soi à l'abri des défis contemporains.

Nous voici, en effet, depuis la première fois dans l'histoire de l'humanité, placés dans une situation telle que nous pouvons détruire la Terre. [...] Déjà le rythme d'exploitation des ressources naturelles qui ne sont pas inépuisables, sans souci de les reconstituer, met en péril la biosphère. Au terme, ce peut être un accroissement indéfini de la misère, une détérioration irréversible de la qualité de vie. N'en sommes-nous pas collectivement responsables [8]?

On ne peut plus s'isoler du reste du monde : ce qui arrive en Amérique latine ou en Afrique a des répercussions ici-même.

ZOOM

Après avoir observé votre milieu de vie (école, famille, etc.), donnez l'exemple d'une loi qui favorise la vie en société et d'une loi qui encourage la responsabilité planétaire.

Les dimensions de la morale

La morale comporte trois dimensions : normative, personnelle et universelle. En quoi consistent-elles? Le récit qui suit pose une question morale et on peut être d'accord ou non avec le geste du personnage principal.

Les arguments qu'on peut évoquer pour justifier son opinion renvoient à l'une ou l'autre des dimensions de la morale.

Le cas Gonzalo

Poursuivi par la junte militaire de son pays à cause de ses convictions politiques, Gonzalo vient d'émigrer dans une grande ville du Québec. Très vite, l'appartement qu'il occupe avec sa famille dans un quartier populaire devient le havre de plusieurs exilés qui, comme lui, ont fui à la hâte un régime sanguinaire. C'est l'hiver et ils ont froid, alors que, chez eux, l'été brille de tous ses feux.

Avec trois ou quatre mots de français, Gonzalo, dont la langue maternelle est l'espagnol, fait le tour des organismes du quartier pour trouver des manteaux, des tuques, des mitaines. Mais l'hiver est particulièrement rigoureux, le taux de chômage bat des records : partout, les réserves sont vides.

Un homme dans la soixantaine frappe à la porte de Gonzalo. Il porte encore vives les marques de la torture subie dans sa ville natale et il n'a pratiquement rien à se mettre sur le dos. Gonzalo supporte mal la vue de ce courageux compatriote complètement démuni qui, dans son propre pays, luttait pour les droits des autres. Il retourne au comptoir du quartier qui n'a vraiment rien à lui remettre. Il consulte les services sociaux qui, débordés, lui fixent un rendez-vous lointain.

En désespoir de cause, il se rend dans un grand magasin et vole un manteau chaudement doublé qu'il a pris soin de choisir parmi les moins chers. Il n'a pas aussitôt franchi le seuil qu'il est pris.

1. Si on se plaçait au niveau de la dimension normative, on pourrait dire :

Gonzalo n'avait pas le droit de voler. Dans notre pays, le vol est interdit par la loi. Respecter le bien d'autrui est une norme fondamentale dans une société comme la nôtre.

Cette dimension est celle des normes (lois, règles, coutumes) qui dictent les manières de nous conduire en société, qui indiquent ce qu'il faut faire pour se maintenir dans la ligne du bien. Les lois peuvent favoriser l'épanouissement des personnes puisqu'elles sont des moyens concrets pour harmoniser la conduite des citoyens et citoyennes, protéger les droits, respecter les valeurs de la société et même faciliter les choix des comportements individuels. Par exemple : le code de la route est indispensable pour protéger concrètement la valeur vie; les lois du travail sont des moyens concrets pour garantir les droits des travailleurs et des travailleuses (santé, salaire décent) et pour faire la promotion de la justice.

Comme on l'a vu, les normes, fruit de l'expérience de l'humanité et liées à des contextes sociaux et culturels, peuvent changer.

Lors d'un procès, les juges s'inspirent du Code civil adopté par notre société. Et il peut arriver que la manière de faire chez nous présente d'importantes différences par rapport à la morale qui prévaut dans d'autres régions du monde ou même par rapport à notre morale d'il y a quelques années.

2. Si on se plaçait au niveau de la dimension personnelle, on pourrait dire :

Avec le peu de moyens dont il disposait, Gonzalo a tout de même fait des démarches pour trouver une solution honnête à son problème. C'est en désespoir de cause qu'il a opté pour le vol à l'étalage. D'ailleurs, il n'a même pas volé pour lui, mais pour secourir une personne âgée.

Cette dimension est celle du contexte particulier de l'acte et des motifs personnels de celui ou celle qui l'accomplit. C'est la dimension de la conscience qui, avec le temps, choisit les valeurs qui orienteront la vie et la conduite concrète de chaque individu. La conscience cherche à découvrir ce qu'il faut faire ou éviter de faire, dans une circonstance particulière, pour se maintenir dans la ligne du bien : «C'est en désespoir de cause qu'il a opté pour le vol» ou encore : «D'ailleurs, il n'a même pas volé pour lui». Le cas étudié indique clairement que Gonzalo, ayant épuisé tous les moyens à sa disposition pour secourir son compatriote, prend le risque de transgresser la loi au nom d'une valeur plus élevée : la solidarité avec une personne démunie. Il est clair également que Gonzalo a vécu un conflit intérieur, partagé entre le respect de la norme et le secours à apporter à quelqu'un de démuni.

3. Si on se plaçait au niveau de la dimension universelle, on pourrait dire :

C'est un droit fondamental d'être protégé du froid. Comme c'était d'ailleurs un droit fondamental, pour Gonzalo et ses compatriotes, de penser et de s'exprimer librement dans leur pays. Ce sont eux et elles les premiers brimés par rapport à des valeurs de base.

Cette dimension a quatre composantes :

a) Des valeurs humaines fondamentales qui se rattachent aux grandes aspirations ou aux besoins fondamentaux de la personne :

- au besoin de vivre correspondent les valeurs de la vie, de la santé et de la sécurité ou de la protection;

- au besoin de connaître et de comprendre correspondent les valeurs de la liberté, de la vérité, de la dignité et du respect;

- au besoin d'aimer et d'être aimé correspondent les valeurs de l'amour, de l'amitié, de la vie conjugale et de la vie familiale;

- au besoin de produire et de créer correspondent les valeurs du travail, des arts et des loisirs;

- au besoin de vivre en société correspondent les valeurs de l'égalité, de la paix, de la justice;

- au besoin de se reproduire correspond la valeur de la sexualité.

b) Des droits humains fondamentaux auxquels se rattachent les valeurs de la société. En 1948, l'Organisation des Nations unies proclame comme universels et reconnus à chaque personne les droits suivants : le droit à la vie, à l'éducation, à l'intégrité physique, au recours judiciaire devant un tribunal impartial, à la possibilité de se marier, de s'exprimer, de recevoir un juste salaire, etc.

c) Des principes moraux qui sont considérés comme essentiels à un désir d'agir vraiment orienté vers le bien : aimer son prochain comme soi-même ou traiter l'autre comme soi-même; respecter la vie; dire la vérité; protéger l'enfant; prendre soin de sa santé. Ce sont des règles qui s'appliquent partout et en tout temps.

d) Des responsabilités universelles envers la Terre et l'humanité : il devient pressant que les nations les plus riches partagent avec les nations les plus pauvres, que la consommation d'énergie soit limitée, que le taux de croissance de la population soit régularisé en fonction du territoire disponible, etc.

ZOOM

À partir du cas Gonzalo, dites en quoi consiste chacune des dimensions de la morale.

19

Points d'appui de la morale

Les règles morales édictées pour promouvoir et protéger les valeurs ne serviraient à rien si elles ne trouvaient pas des points d'appui à l'intérieur même de la personne humaine. Quels sont ces points d'appui? Ce sont la conscience, la liberté et la responsabilité. Sans ces points d'appui, la vie humaine pourrait-elle avoir une dimension morale?

La conscience

Chacun ou chacune de nous est très souvent placé devant l'obligation de faire des choix. Par exemple, puis-je accepter une autre consommation avant de conduire? Dois-je dire qu'on m'a rendu trop de monnaie? Puis-je sortir du magasin sans avouer que j'ai brisé un objet? Suis-je assez malade pour retarder la remise d'un travail ou est-ce que je fais une crise de paresse? Pour qui voter? D'autres situations sont plus dramatiques : dois-je dénoncer un ou une collègue? Que faire si une personne que j'aime me demande de mettre fin à ses souffrances en débranchant l'appareil qui la maintient en vie? Qu'est-ce qui est bien et qu'est-ce qui est mal?

Pour prendre une décision, nous pouvons nous appuyer sur trois éléments : les normes, la situation et la conscience. Il est impossible de négliger l'un ou l'autre de ces éléments.

Prenons un exemple concret : une personne vient d'arriver au pays. Son cœur est gravement malade et elle doit continuellement prendre des médicaments. Elle est sans travail, sans le sou et sans recours familial et social. Elle se rend à la pharmacie, renouvelle sa prescription médicale et quitte les lieux sans payer.

Pour prendre sa décision, elle s'est appuyée sur les trois éléments. Que dit la loi? Il est interdit de voler. Quelle est la situation de la personne? Elle n'a pas d'argent, pas de ressources familiales et sociales et, sans médicaments, sa vie est en danger. Que faire?

En toute conscience, elle voit qu'elle ne peut pas respecter la loi et sauver sa vie en même temps. Dans la hiérarchie des valeurs, elle considère qu'il est plus grave de mettre sa vie en danger que de voler. Grâce au travail de la conscience, elle discerne ce qui est bien et ce qui est mal dans les circonstances qui sont les siennes. Elle pose un jugement moral.

Toute cette réflexion est possible grâce au travail de la conscience. Comment pourrait-on décrire son rôle?

La conscience favorise un retour sur soi

Grâce à sa conscience, l'être humain a la capacité de penser, de porter un jugement de valeur sur ses actes et de choisir librement ce qu'il faut faire. Ce jugement de valeur s'appelle le jugement moral. Sans conscience, l'être humain ne pourrait revenir sur lui-même et, conséquemment, n'aurait qu'à suivre ce qui a été décidé à sa place. La conscience n'est pas toute donnée d'avance, il faut constamment l'éveiller et l'éclairer :

Sur tous les points de la vie pratique, comme sur les grands principes, la conscience éclaire et tranche : elle permet ou interdit, elle conseille ou ordonne souverainement. Nous ne l'avons pas créée; nous ne pouvons pas lui fermer la bouche. Elle promet ou menace, blâme ou encourage [9].

La conscience est une ouverture

Si la conscience est une capacité de revenir sur soi, elle est également une ouverture que la personne développe à l'égard de sa vie intérieure, à l'égard du réel et des autres.

Dernièrement, j'ai appris qu'il y avait une famille où l'on n'avait rien mangé depuis quelques jours : c'était une famille hindoue. J'allai voir la famille en apportant un peu de riz. Je l'avais à peine remis que la mère de famille partageait le tas en deux et allait en déposer une moitié chez les voisins, qui se trouvaient être des musulmans. Je lui dis : «Qu'est-ce qu'il va vous rester à partager, vous tous? Vous êtes dix pour ce petit tas de riz!» La mère répondit : «Mais eux n'avaient pas à manger non plus.» C'est cela la grandeur.

Mère Teresa de Calcutta [10]

Comme on le voit, cette femme a une vision large alors que d'autres personnes ne l'ont pas; certaines se sentent concernées par des problèmes qui affligent leurs voisins ou une autre partie du monde et d'autres, non; certaines s'impliquent, dans la mesure de leurs moyens, à trouver des solutions aux problèmes mondiaux et d'autres continuent leur chemin comme si la responsabilité incombait à d'autres.

L'ouverture au monde a une histoire

Pendant les premières semaines qui suivent sa naissance, le nourrisson ne perçoit pratiquement rien du monde extérieur. Il ou elle est tout entier habité par ses propres sensations. Tranquillement, le bébé s'éveille à l'univers qui l'entoure : visages des personnes qui en prennent soin, biberon, jouets, etc., puis, avec le temps, l'enfant, l'adolescent ou l'adolescente, puis l'adulte développent un degré d'ouverture de plus en plus grand à l'égard de ce qui se passe au dedans d'eux-mêmes, à l'égard des autres et de la réalité qui les entoure. La maturité consiste entre autres dans cette capacité de percevoir la réalité et les autres tels qu'ils et elles sont, plutôt qu'à travers ses propres émotions, désirs ou conflits personnels.

Chaque personne développe son propre degré d'ouverture à partir de son bagage héréditaire, de l'éducation qu'elle reçoit, des événements de sa vie et des décisions qu'elle prend librement au cours de son existence. Malgré cette ouverture, nous gardons tous et toutes une tendance à nous replier sur nous-mêmes et à nous renfermer. En effet, il n'est pas toujours facile d'accueillir la réalité, de comprendre les autres, d'accepter la vérité ou de reconnaître ses propres limites.

La conscience est quelque chose de très précieux : l'harmonie sociale et le bonheur personnel reposent sur le travail de la conscience qui cherche le meilleur chemin à suivre pour s'épanouir et vivre avec les autres.

ZOOM

En vos mots et à partir d'un exemple, dites pourquoi la conscience joue un rôle important dans la vie morale. Expliquez votre point de vue.

Confidentiel...

Reconnais-tu chez les jeunes et les adultes l'ouverture de la conscience dont parle Mère Teresa de Calcutta?

La liberté

Sommes-nous vraiment libres? Les humains, tout comme les animaux d'ailleurs, naissent avec un instinct de conservation qui les porte à se nourrir, à protéger leur espace, à se reproduire. Pour s'assurer que ces devoirs seront remplis, la nature a lié le plaisir aux conditions de la survie. Cependant, l'humanité en est venue à élaborer deux interdits que la plupart des individus reconnaissent comme infranchissables : le meurtre et l'inceste. Cela ne signifie pas que le meurtre ou l'inceste ne sont jamais commis. Cela signifie qu'ils sont intolérables pour la conscience humaine et que les sociétés les proscrivent ou les condamnent radicalement.

Avec le développement social, économique, culturel et politique des sociétés, les interdits se sont multipliés. Par exemple, des conventions internationales interdisent la torture des prisonniers et prisonnières politiques, si bien qu'un gouvernement qui la tolère ou la pratique peut subir des sanctions de la part d'autres pays dont dépend sa subsistance.

Nous sommes tous héritiers et héritières d'un bagage de talents et de limites, de traits de caractère et de données physiologiques, nous vivons dans une culture qui nous marque, et l'éducation reçue de nos parents nous a profondément marqués.

C'est avec tout cela que nous sommes appelés à créer notre propre vie car il nous reste encore pas mal de champ libre. Nous avons la liberté de choix. L'animal en est dépourvu : il est déterminé par l'instinct dominant du moment. Par exemple, si la peur domine sur la faim, l'animal se sauve à jeun. Si c'est la faim qui domine, l'animal peut faire fi de sa peur pour manger. Personne ne veut rester un bébé sur le plan social, ou garder une intelligence d'enfant, ou dépendre durant toute sa vie de ses parents sur le plan économique. La plupart d'entre nous aspirons à organiser notre vie. Sur le plan moral, c'est un peu la même chose : il nous appartient de décider des valeurs qui orienteront notre existence, de la qualité que nous donnons à notre vie et à nos relations avec autrui.

Sans pouvoir de décision, la personne humaine ne peut être responsable de ses actes ou des valeurs qu'elle privilégie.

ZOOM

À partir de décisions que vous avez pu prendre, expliquez que la liberté est essentielle dans la vie morale.

La responsabilité

– Dis-moi, combien pèse un flocon de neige?
demanda la mésange charbonnière à la colombe.

– Rien d'autre que rien, fut la réponse.

Alors, la mésange raconta à la colombe une histoire :

– J'étais sur la branche d'un sapin quand il se mit à neiger, doucement, sans violence.
Comme je n'avais rien de mieux à faire, je commençai à compter les flocons
qui tombaient sur la branche où je me tenais. Il en tomba 3 751 952.
Lorsque le 3 751 953e tomba sur la branche, celle-ci cassa.

Sur ce, la mésange s'envola.

La colombe, une autorité en matière de paix depuis l'époque de Noé,
réfléchit un moment et se dit finalement :

– Peut-être ne manque-t-il qu'une personne pour que tout bascule
et que le monde vive en paix [11].

Un petit geste peut faire toute la différence! Une personne responsable est capable de répondre aux exigences de la vie courante et de la loi, de répondre aux appels des autres, surtout de ceux ou celles envers qui elle est engagée. Un être responsable est aussi capable de répondre des personnes qu'il ou elle a accepté de prendre en charge. Par exemple, les parents sont responsables de leurs enfants, un enseignant ou une enseignante peut vouloir être véritablement responsable des apprentissages de ses élèves, des responsables de camp peuvent se soucier du bonheur de leurs campeurs et campeuses, etc.

Comme il y a plusieurs degrés dans la liberté, il y a aussi plusieurs degrés dans la responsabilité. Le chien gardien de la maison n'est pas responsable au sens moral du terme : c'est par le réflexe de survie qu'il exerce son rôle de gardien. Et s'il y avait un cambriolage malgré sa présence, il ne viendrait à l'idée de personne d'intenter un procès au pauvre chien. On attend néanmoins des adultes qu'ils et elles soient moralement responsables d'eux-mêmes devant la loi, de leurs engagements, de leur travail.

Comme la conscience se développe avec la maturité, il en est de même de la responsabilité. Il y a différents niveaux de développement moral.

Le premier niveau est dit **préconventionnel**. L'enfant de trois ans qui ramasse ses jouets avant d'aller dormir peut le faire pour plusieurs raisons. Habituellement, il ou elle le fait parce que ses parents le veulent. L'enfant sait d'expérience que, si les jouets ne sont pas ramassés, il ou elle risque d'être réprimandé ou puni, de déplaire à ceux et celles qui lui prodiguent l'amour dont il a tant besoin, ou encore de mettre ses parents en colère et cela lui fait parfois très peur. En revanche, l'enfant sait qu'il est plus gratifiant de ramasser ses jouets : ses parents sont contents et l'expérience lui a appris que cela engendre un climat plus agréable. La morale du petit enfant est une morale de l'extériorité, parce qu'elle est basée sur des demandes extérieures pouvant être accompagnées de punition ou de gratification. Ce niveau est dit préconventionnel parce que l'enfant n'est pas encore capable de comprendre le pourquoi des lois (ou des conventions) du milieu.

Le deuxième niveau est dit **conventionnel**. L'enfant de huit ans qui joue au hockey respecte habituellement les règles du jeu parce qu'il ou elle désire bien faire et respecter la loi établie, se conformer aux normes du milieu, contribuer aux bons coups de son équipe, obéir aux adultes qui l'inspirent. La morale de l'enfant d'âge scolaire est dite légaliste parce qu'elle relève du souci d'être conforme aux règles du milieu. Ce niveau est dit conventionnel parce qu'il est basé sur le souci de se conformer aux conventions ou lois du milieu.

Le troisième niveau est dit **postconventionnel**. À partir d'un certain âge (qu'il est difficile de déterminer), on peut agir non plus par simple soumission à ce qui est généralement attendu (loi, conventions du milieu, attentes de l'entourage), mais parce qu'on a soi-même décidé d'agir en fonction de certaines valeurs qu'on a choisies. C'est une morale de l'intériorité qui dépend de l'ouverture de la conscience aux valeurs et aux autres.

On peut véritablement parler de vie morale responsable dans le cas de comportements postconventionnels. Cela ne veut pas dire que

ZOOM

- En observant des jeunes de votre âge, donnez un exemple :
  – de comportement préconventionnel;
  – de comportement conventionnel;
  – de comportement postconventionnel.
- Dites pourquoi la responsabilité est essentielle pour la vie morale.

Confidentiel...

En te basant sur des exemples de ta vie, dis à quel niveau de comportement responsable tu te situes.

plus une personne cumule de responsabilités, plus elle est morale. Tout dépend des valeurs impliquées dans les responsabilités que l'on prend. Un jeune peut avoir mille activités très engageantes, mais s'il néglige ses études, il manque à son engagement actuellement prioritaire, et son sens des responsabilités peut, à bon droit, être remis en question. De même, une femme d'affaires peut diriger une importante industrie, animer trois ou quatre conférences; si, dans toutes ces activités, elle ne tient pas compte de l'environnement, ni de la qualité de la vie des travailleurs et des travailleuses, ni de l'impact de ses affaires sur le tiers monde, sa vie morale est bien pauvre. En somme, la qualité d'une vie morale ne tient pas au nombre de responsabilités que prend une personne, mais plutôt au souci qu'elle développe envers la vie et envers les conditions qui rendent celle-ci plus humaine.

François Morrissette raconte son cheminement. En lisant le récit de la page suivante, cherchez les signes du travail de la conscience, de la liberté et de la responsabilité.

Des traces, des signes

J'ai grandi dans un environnement qui favorisait le milieu militaire comme lieu de dépassement et d'apprentissage de la discipline. À seize ans, je suis donc parti pour le Collège militaire royal de Saint-Jean. Les valeurs qui m'inspiraient alors étaient l'honneur et la gloire. Bien que j'ai appris de bonnes choses au Collège militaire, entre autres la valeur de l'effort pour arriver à un but qu'on s'est fixé.

Ces deux ans à Saint-Jean m'ont permis d'acquérir de l'autonomie et de choisir certaines idées ou comportements que je voulais conserver dans ma vie. Loin de ma famille, j'ai appris à épargner, plutôt que de dépenser toute ma paie. J'ai découvert également que les valeurs spirituelles, si elles n'étaient pas présentées de façon «quétaine» ou ennuyeuse, pouvaient m'apporter beaucoup. Après deux ans au Collège, j'ai su que ce n'était pas ma place et que je voulais d'abord aider les personnes en difficulté.

Après avoir quitté l'armée et après plusieurs mois de réflexion et de recherche, j'ai finalement décidé que je vivrais ma vie au service des autres. Je voulais devenir un homme de Dieu. C'est ainsi que j'ai joint les Jésuites. Je n'avais pas beaucoup d'idée de ce que cela voulait dire être religieux, le célibat, la pauvreté et l'obéissance n'étant pour moi que des moyens pour être plus disponible. La spiritualité des Jésuites m'a appris à mettre l'accent sur la promotion de la justice sociale et le service des pauvres. Tout le côté «curé et Église» de cet engagement était bien beau, mais souvent déconnecté de la réalité. On peut suivre Jésus enfermé dans un grand discours théologique ou ancré dans la réalité, parmi les gens. Je me sentais plus à l'aise dans la seconde voie.

À vingt-et-un ans, je suis allé poursuivre des études en philosophie. J'ai simplement appris à poser une question, à développer mon sens critique et surtout je me suis fait plein d'amis et d'amies qui ne pensaient pas comme moi. Avec la philosophie, j'ai découvert les valeurs de la tolérance et de la liberté. En même temps, je suis allé travailler auprès des jeunes délinquants à La Cité, auprès de personnes mentalement handicapées à l'Arche, dans un centre pour réfugiés des Caraïbes à Brooklyn (New York), et je suis allé en Haïti partager la vie des paysans. Toutes ces expériences m'ont appris à aimer les gens tels qu'ils sont, avec leurs limites et leurs beautés. J'ai découvert mes propres préjugés et j'ai appris à accepter l'autre tel qu'il est et non pas tel que je voudrais qu'il soit.

Après mon baccalauréat, j'ai eu besoin de toucher le vrai monde. Je suis donc allé travailler auprès des prostitués et prostituées mineurs du Projet d'intervention auprès des mineurs et mineures prostitués (PIaMP). Ils et elles m'ont appris que l'authenticité est une valeur fondamentale.

Depuis, j'ai quitté les Jésuites, j'ai fait une maîtrise en philosophie et j'ai la chance d'enseigner au niveau collégial. Je vis en couple depuis trois ans, avec la tendresse et la complicité que cela apporte et je me sens profondément heureux. Quel est le sens de la vie? Pour moi, c'est essentiellement d'être capable de donner gratuitement. Et cela, dans les situations ou rencontres de la vie de tous les jours. Je pense qu'on a besoin d'un bon mélange de connaissances et de croyances pour donner un sens à sa vie. Je me sens en paix avec ce que je suis devenu, avec moi-même.

François Morrissette

La reconnaissance des droits de la personne

Depuis la Déclaration universelle, quelque chose est changé dans le monde. Le cri des victimes ne peut être étouffé par les bourreaux et sous les paperasses. Raison de plus pour que le tribunal de la conscience humaine, assailli par trop de plaintes, ne devienne pas sourd et qu'il s'organise de mieux en mieux. Nous avons maintenant un levier pour soulever et alléger le poids des oppressions et des iniquités. Sachons nous en servir. Rappelons que la Déclaration universelle *engage notre responsabilité à tous, et à chacun de nous.*

René Cassin [12]

Déclaration universelle des droits de l'homme
écrite en vocabulaire fondamental par le professeur Léonard Massarenti [13]

«Des personnes, représentant de nombreux pays, se sont réunies pour écrire un certain nombre d'idées afin de défendre la paix et d'améliorer la vie des hommes, des femmes et des enfants de tous les pays du monde.» [...] «On aimerait que, toi aussi, tu aides les autres et que tu travailles pour que le monde soit libre, vive en paix et que l'on ait, sur toute la Terre, les droits et libertés qui te sont maintenant proposés.»

[Ont été indiqués, pour chaque article, les domaines concernés : TOI (l'individu), la FAMILLE, le PAYS, la SOCIÉTÉ, la TERRE (l'univers)].

Article 1 : TERRE. Quand les êtres humains naissent, ils sont libres et doivent être traités pour tout de la même manière.

Article 2 : TERRE. Quelles que soient les lois ou les idées de son pays, chacun, homme ou femme, a donc droit d'utiliser ou de profiter de tout ce qui va être dit même si, comme toi :
– il ne parle pas ta langue,
– il n'a pas ta couleur de peau,
– il ne pense pas comme toi,
– il n'a pas ta religion,
– il est plus pauvre ou plus riche que toi,
– il n'est pas de ton pays.

Article 3 : TOI. Tu as droit à la vie. On doit donc te donner les moyens de vivre en sécurité et libre.

Article 4 : SOCIÉTÉ. Personne n'a le droit de te prendre comme esclave et tu ne peux prendre personne comme esclave.

Article 5 : SOCIÉTÉ. Personne n'a le droit de te torturer, c'est-à-dire de te faire mal, et tu ne peux torturer personne.

Article 6 : TOI. Tu dois être protégé de la même manière, partout et comme tout le monde.

Article 7 : PAYS. La loi est la même pour tout le monde : elle doit être appliquée de la même manière pour tous; on ne peut pas protéger les uns et laisser mourir les autres.

Article 8 : PAYS. Tu peux demander la protection de la justice lorsque la loi de ton pays n'est pas respectée.

Article 9 : TOI. On n'a pas le droit de te mettre en prison, de t'y garder, de te renvoyer de ton pays, injustement ou sans raison.

Article 10 : SOCIÉTÉ. Si tu dois être jugé, ce doit être publiquement. Ceux qui te jugeront devront être libres de toute influence et devront, quoi qu'il arrive, faire respecter la loi.

Article 11 : TOI. **1.** On doit admettre que tu es innocent jusqu'à ce qu'on puisse prouver que tu es coupable. Si tu es accusé, tu as toujours le droit de te défendre publiquement. **2.** On ne pourra te condamner et te punir pour quelque chose que tu n'as pas fait. Ta punition sera toujours, si tu as mal agi, en rapport avec la loi qui existait au moment où tu as mal agi.

Article 12 : FAMILLE. Tu as le droit de demander à être protégé si quelqu'un veut se mêler de ta manière de vivre ou de celle de ta famille, de ta manière d'être, de ce que toi et ta famille pensez ou écrivez. Personne ne peut donc pénétrer chez toi sans raison car la loi l'interdit.

Article 13 : TOI. **1.** Tu peux circuler comme tu le désires dans ton pays et tu peux habiter où tu veux. **2.** Tu as le droit de sortir de ton pays pour aller dans un autre et tu peux revenir dans ta patrie quand tu le désires.

Article 14 : TOI. **1.** Si on te fait du mal, tu as le droit d'aller dans un autre pays et lui demander de te protéger. **2.** Tu perds ce droit si tu as tué quelqu'un ou si tu ne respectes pas toi-même ce qui est écrit dans les trente articles écrits ici.

Article 15 : TOI. **1.** Tu as le droit d'appartenir à une nation. **2.** Personne ne peut te priver de ce droit. Mais tu peux, si tu le veux, changer de nationalité.

Article 16 : FAMILLE. **1.** Dès qu'on a l'âge d'avoir des enfants, on a le droit de se marier et de former une famille. Pour cela, ni la couleur de ta peau, ni le pays d'où tu viens n'a d'importance. L'homme et la femme ont les mêmes droits quand ils sont mariés et aussi lorsqu'ils se séparent. **2.** On ne peut forcer personne à se marier. **3.** PAYS. Le gouvernement de ton pays doit protéger ta famille et ses membres.

Article 17 : TOI. **1.** Tu as le droit de posséder quelque chose, soit tout seul, soit avec quelqu'un. **2.** Personne n'a le droit de te prendre ce qui t'appartient.

Article 18 : TOI. Tu as le droit de choisir librement ta religion, d'en changer, de la pratiquer comme tu le désires, seul ou avec d'autres personnes.

Article 19 : TOI. Tu as le droit de penser et de dire ce que tu crois juste, sans que quelqu'un puisse te l'interdire ou t'inquiéter à ce sujet. SOCIÉTÉ. Tu dois pouvoir échanger des idées et des informations avec les femmes et les hommes des autres pays sans que ton gouvernement t'en empêche.

Article 20 : PAYS. **1.** Toute personne a droit à la liberté de réunion et peut faire partie d'un groupe travaillant pour la paix. **2.** Personne ne peut t'obliger à faire partie d'un groupe.

Article 21 : TOI. **1.** Tu as le droit de participer activement aux affaires de ton pays : – en choisissant des hommes politiques qui ont les mêmes idées que toi; – en allant voter librement pour indiquer ton choix. **2.** Tu peux faire partie du gouvernement si les gens de ton pays te choisissent pour le faire. **3.** PAYS. Ces actions doivent exprimer la volonté de tout le peuple par un vote secret. Les votes des femmes et des hommes étant égaux, ils peuvent donc tous voter librement.

Article 22 : SOCIÉTÉ. La société dans laquelle tu vis doit t'aider pour que tu puisses te développer et profiter de tous les avantages (culture, argent, protection de ta personne) qui te sont offerts, grâce à l'effort de tous.

Article 23 : TOI. **1.** On ne peut t'empêcher de travailler et on doit te protéger quand tu ne peux plus travailler. **2.** Tu dois recevoir le même salaire qu'un ou qu'une autre qui fait le même travail que toi. **3.** Tu dois recevoir un salaire qui te permette de vivre et de faire vivre ta famille. **4.** SOCIÉTÉ. Toutes les personnes qui travaillent ont le droit de se grouper pour défendre leurs intérêts.

Article 24 : SOCIÉTÉ. La durée du travail de chaque jour ne doit pas être trop longue car chacun a le droit de se reposer et doit pouvoir régulièrement prendre des vacances qui lui seront payées.

Article 25 : SOCIÉTÉ. **1.** Toute personne a droit de gagner suffisamment pour pouvoir se soigner, se nourrir, s'habiller, se loger elle et sa famille. Elle doit être aidée quand il n'y a pas de travail, qu'elle est malade, trop vieille, que sa femme ou son mari est mort, qu'elle ne peut plus manger parce que des choses qu'elle n'a pas voulues lui arrivent. **2.** Les enfants doivent être spécialement aidés et protégés ainsi que leur maman, que cette dernière soit ou ne soit pas mariée.

Article 26 : TOI. **1.** Tu as le droit : – d'aller à l'école; – de profiter de l'école obligatoire sans rien devoir payer; – de pouvoir te former dans n'importe quel métier si tu en es capable; – tu dois pouvoir, si tu as les connaissances nécessaires, faire des études supérieures. **2.** L'école doit pouvoir développer tous tes talents et t'apprendre à t'entendre avec les autres, sans t'occuper de leur religion ou du pays d'où ils viennent. Elle doit également t'apprendre ce que contient cette *Déclaration* afin de conserver la paix entre les peuples. **3.** FAMILLE. Tes parents ont le droit de choisir comment et dans quelle école tu seras enseigné.

Article 27 : SOCIÉTÉ. **1.** Toute personne doit pouvoir profiter de la production des artistes, des écrivains ou des savants de ton pays. **2.** Les œuvres de ces gens doivent être protégées et ils doivent pouvoir retirer le bénéfice de leur travail.

Article 28 : TERRE. Pour que tes droits et ta liberté soient respectés, dans ton pays et dans tous les autres pays de la Terre, il faut qu'il existe un ordre qui protège très bien ces droits et cette liberté.

Article 29 : TOI. **1.** Tu as donc aussi des devoirs envers les gens parmi lesquels tu vis et qui te permettent ainsi de te développer. **2.** Personne ne peut avoir toutes les libertés et les droits. La loi ne donne que ceux qui permettent de protéger les libertés des autres, leur bien-être et une société où tous sont égaux. **3.** Ces droits et libertés ne pourront jamais être utilisés contre ce qui est fait par les divers pays pour maintenir l'égalité et la paix de tous.

Article 30 : TERRE. Sur toute la Terre, aucun pays, aucune société, aucun être humain ne peut se permettre de détruire les droits et les libertés qui sont inscrits dans cette *Déclaration* par des actions contraires à ce que tu viens de lire.

ZOOM

- En vous référant aux articles de la *Déclaration universelle des droits de l'homme*, énumérez des valeurs qui y sont protégées.

- En vous référant aux articles de la *Déclaration*, montrez que les droits qui sont revendiqués peuvent favoriser l'épanouissement de la personne et l'harmonie sociale.

Une longue histoire

L'idée d'un texte proclamant les droits de la personne, ou une partie de ceux-ci, ne date pas de la *Déclaration universelle* de 1948. Les grandes déclarations qui marquèrent l'histoire occidentale furent l'œuvre de ceux et celles qui étaient convaincus de la valeur de la personne.

Les premiers essais

Dès l'Antiquité, certains textes ont recours à la notion de droits supérieurs de l'individu pour protéger celui-ci ou celle-ci contre les excès des pouvoirs en place.

1. Le *Code d'Hammourabi*[14], vers 1730 avant Jésus Christ. Ce prestigieux souverain de Mésopotamie défend les étrangers et se propose de faire éclater la justice pour empêcher le puissant de faire tort au faible. Son code comprend environ deux cent quatre-vingts articles. En voici un exemple :

   3- Si quelqu'un a paru dans un procès pour porter un faux témoignage et s'il n'a pas pu prouver la parole qu'il a dite, si ce procès est un procès capital, cet homme sera tué.

   229- Si un maçon a construit une maison pour quelqu'un, mais s'il n'a pas renforcé son ouvrage et si la maison qu'il a construite s'est effondrée et s'il a fait mourir le propriétaire de la maison, ce maçon sera tué.

2. La *Torah*, vers 1250 avant Jésus Christ. C'est un ensemble de récits et de lois d'époques différentes qui racontent les origines du peuple d'Israël. On peut lire ces récits dans l'Ancien Testament. Voici un exemple tiré du Deutéronome :

   Les juges feront une bonne enquête, et, s'il appert que c'est un témoin mensonger, qui a accusé son frère en mentant, vous le traiterez comme il méditait de traiter son frère.
   (Dt 19, 18-19)

3. Le *Décret de Gratien*[15], au 12e siècle. Reprenant la tradition de l'Église, Gratien rassemble les décisions des conciles sur le droit d'asile : certains lieux considérés comme sacrés, les églises par exemple, peuvent assurer une protection au coupable.

4. La *Magna Carta* («grande charte»), en 1215. Des barons anglais imposent au roi Jean sans Terre des règles pour limiter son pouvoir : «Aucun homme libre ne sera arrêté, emprisonné ou privé de ses biens, ou mis hors la loi, ou esclave, ou lésé de quelque façon que ce soit. Nous n'irons pas à son encontre, nous n'enverrons personne contre lui, sauf en vertu d'un jugement légal de ses pairs, conformément à la loi du pays.» Ainsi prend forme la première affirmation officielle des droits de la personne.

5. Les *Leyres Nuevas* («nouvelles lois»), en 1542. Sous l'influence du théologien espagnol Vitoria et du dominicain Bartolomeo de Las Casas, le roi Charles Quint édicte des lois destinées à la protection des sujets espagnols du Nouveau Monde et particulièrement des Amérindiens.

6. La *Pétition des Droits*, en 1628. Le Parlement anglais, argumentant sur les droits inaliénables qui défendent les citoyens contre les arrestations abusives et les tribunaux d'exception, contraint le roi Charles 1er à accueillir leur pétition.

7. L'*Habeas Corpus*, voté par le Parlement anglais en 1679, permet de limiter les arrestations et les détentions arbitraires et laisse à la personne accusée la possibilité de prouver son innocence.

Le temps des déclarations

1. La *Déclaration d'indépendance*, votée en 1776 aux États-Unis. La déclaration proclamée par les premiers États américains constitue le premier projet aussi complet dans l'affirmation des droits de la personne. «Nous tenons pour évidentes par elles-mêmes, ces vérités que tous les hommes ont été créés égaux, qu'ils sont dotés par le Créateur de certains droits inaliénables.»

2. La *Déclaration des droits de l'homme et du citoyen*, en 1789. La déclaration française est inspirée par les écrits des philosophes des 17e et 18e siècles. Elle se distingue de la déclaration américaine en ce qu'elle se base sur le droit naturel et non pas sur des convictions religieuses. Cette déclaration affirme les droits des individus face à l'absolutisme monarchique qui arrive en fin de règne en France. Elle proclame que «les hommes naissent et demeurent libres et égaux en droit».

3. La *Déclaration soviétique des droits du peuple travailleur et exploité*, en 1919. Cette déclaration et les constitutions soviétiques subséquentes rappellent que : «Les libertés de parole, de la presse, de réunion, de meeting, de défilé et de manifestation de rue sont garanties aux citoyens de l'URSS».

4. La *Déclaration universelle des droits de l'homme*, en 1948. Sa portée est universelle : pour la première fois, une déclaration affirme tous les droits de la personne. Cependant elle n'a pas la forme d'une convention internationale conclue sous les auspices des Nations unies. Il s'agit simplement d'une résolution adoptée par l'Assemblée générale de cette organisation. Juridiquement, elle n'a donc qu'une force morale. Mais dans les faits, et surtout dans les domaines politique et juridique, son influence a été considérable et ne cesse de s'accroître.

L'Église et les droits de la personne [16]

Dans l'Église, on s'oriente de plus en plus vers un engagement décisif en faveur de la promotion des droits de la personne. Voici quelques prises de positions officielles.

Le pape Léon XIII dans ses encycliques et, plus particulièrement, dans *Rerum novarum* (15 mai 1891), défend les droits des travailleurs et des travailleuses et dénonce l'exploitation dont ils étaient victimes dans la société d'alors. Il réclame leur droit à un juste salaire, à de justes conditions de travail, leur droit d'association.

Le pape Pie XI, dans l'encyclique *Divini Redemptoris* (19 mars 1937), expose la pensée de l'Église sur les droits de la personne humaine. Il défend les libertés de conscience, les droits naturels de l'être humain et de la famille face aux différents régimes totalitaires. Il condamne le régime nazi. Il défend la nécessité d'un juste salaire et reconnaît l'utilité des associations professionnelles.

Le pape Pie XII, dans son encyclique *Summi Pontificatus* (20 octobre 1939) et ses messages de Noël du temps de guerre, dénonce les violations des droits fondamentaux de la personne.

Le pape Jean XXIII présente, dans la première partie de son encyclique *Pacem in terris* (11 avril 1963), la «Charte des droits de l'homme».

Le *Concile Vatican II* produit des textes qui consacrent les droits de la personne. Entre autres, la *Déclaration «Dignitatis Humanæ» sur la liberté religieuse* (1965) et la *Constitution pastorale «Gaudium et spes» sur L'Église dans le monde de ce temps* (1965) montrent que la foi peut être une motivation pour s'engager dans la défense des droits de la personne.

Le pape Jean-Paul II se porte à la défense des droits de la personne comme le montrent ses encycliques *Redemptor hominis* (4 mars 1979) et *Laborem exercens* (14 décembre 1981) dans lesquelles il proclame la dignité de la personne et dénonce tout ce qui menace ses droits fondamentaux.

Le *Conseil œcuménique des Églises*, une association mondiale constituée de près de trois cent vingt Églises, catholiques, protestantes, anglicanes, orthodoxes, réparties dans plus de quatre-vingts pays, s'engage pour la cause des droits humains.

Prière interreligieuse pour la paix. Monastère des Franciscains, Montréal, le 24 octobre 1992
(sur cette photo : personnes chrétiennes, bouddhistes, musulmanes, hindoues, sikhes, amérindiennes).

La morale dans la pensée judéo-chrétienne

Les valeurs sont au cœur de la morale. Celles-ci ne sont pas le monopole des chrétiens et des chrétiennes pas plus que des personnes musulmanes, juives ou hindoues. Les valeurs font partie de la sagesse humaine et elles interpellent tout le monde. Les chrétiens et chrétiennes ne sont pas les seuls à s'ouvrir à Dieu ni les seuls qui cherchent à entretenir des rapports fraternels avec les autres. C'est avec les autres qu'ils et elles travaillent à transformer la société. En quoi la morale chrétienne est-elle particulière? Dans quel esprit les chrétiens et les chrétiennes sont-ils invités à collaborer au mieux-être de l'humanité?

Selon l'Ancien Testament

À travers tout l'Ancien Testament, on apprend que la personne humaine est appelée à vivre en alliance avec Dieu.

> Je te fiancerai à moi pour toujours; je te fiancerai dans la justice et dans le droit, dans la tendresse et la miséricorde; je te fiancerai à moi dans la fidélité, et tu connaîtras Yahvé.
> (Os 2, 21-22)

Au contact de Dieu, Moïse apprend tout tranquillement quelle conduite adopter pour rendre le monde plus fraternel et plus humain et il transmet son savoir au peuple. La morale d'Israël ne peut se comprendre en dehors de l'Alliance.

Les «Dix Paroles» présentent la charte de l'Alliance qui montre clairement que l'amour de Dieu n'est pas indépendant de l'amour des autres. Aimer Dieu entraîne des devoirs envers les autres.

À travers cette loi, on apprend que la personne humaine est appelée à s'ouvrir à Dieu et aux autres.

> Tu n'auras pas d'autres dieux devant moi.
>
> Tu ne te feras aucune image sculptée, rien qui ressemble à ce qui est dans les cieux, là-haut, ou sur la terre, ici-bas, ou dans les eaux, au-dessous de la terre.
>
> Tu ne prononceras pas le nom de Yahvé ton Dieu à faux.
>
> Tu te souviendras du jour du sabbat pour le sanctifier.
>
> Honore ton père et ta mère.
>
> Tu ne tueras pas.
>
> Tu ne commettras pas d'adultère.
>
> Tu ne voleras pas.
>
> Tu ne porteras pas de témoignage mensonger contre ton prochain.
>
> Tu ne convoiteras pas la maison de ton prochain.
> (Ex 20, 3-4. 7-8. 12-17)

Les lois de Moïse ressemblent souvent à celles qu'on peut lire dans les codes de l'ancien Orient. Les lois comprennent des prescriptions dont le contenu peut être regroupé en trois catégories.

1. Le droit civil et pénal

a) Les lois civiles règlent d'avance les conditions d'association et les diverses formes de partage, donc les mariages, les héritages, les achats et les ventes, etc.

> *Si un feu prend et rencontre des buissons épineux et qu'il consume meules, moissons ou champs, l'auteur de l'incendie restituera ce qui a brûlé.*
> *(Ex 22, 5)*

b) Les lois pénales répriment les crimes, qu'il s'agisse de coups ou blessures, de dommages causés avec la volonté de nuire. La loi du Talion («Œil pour œil, dent pour dent»), héritée de l'ancien Orient, a pour but de limiter le désir de vengeance.

> *Quiconque frappe quelqu'un et cause sa mort sera mis à mort.*
> *Qui frappe son père ou sa mère sera mis à mort.*
> *Si un homme frappe l'œil de son esclave ou l'œil de sa servante et l'éborgne, il lui rendra la liberté en compensation de son œil.*
> *(Ex 21, 12. 15. 26)*

2. Les règles du culte

Les lois indiquent comment accomplir les rites avec dignité et exactitude.

Le calendrier des fêtes donné dans le livre de l'Exode est le plus ancien calendrier conservé dans la Bible. On y apprend que trois fêtes sont prescrites : la fête des Azymes, la fête de la moisson des blés, la fête de la récolte (ou des vendanges).

> *Pendant six jours tu travailleras, mais le septième jour, tu chômeras [...].*
> *Tu célébreras la fête des Semaines, prémices de la moisson des blés, et la fête de la récolte au retour de l'année.*
> *(Ex 34, 21-22)*

3. Les règles de morale sociale

Les lois protègent les pauvres et les faibles. Les prophètes rappelleront sans cesse l'obligation de respecter les lois qui indiquent concrètement comment vivre ensemble dans la justice et la paix.

> *Tu ne molesteras pas l'étranger ni ne l'opprimeras, car vous-mêmes avez été étrangers dans le pays d'Égypte.*
> *Vous ne maltraiterez pas une veuve ni un orphelin. Si tu le maltraites et qu'il crie vers moi, j'écouterai son cri [...].*
> *Si tu prêtes de l'argent à un compatriote, à l'indigent qui est chez toi, tu ne te comporteras pas envers lui comme un prêteur à gages, vous ne lui imposerez pas d'intérêts.*
> *(Ex 22, 20-24)*

- Quelle conception de la personne humaine peut-on dégager de l'Ancien Testament?

- Quels sont les points de repère moraux donnés par l'Ancien Testament?

Selon le Nouveau Testament

Les évangélistes n'ont pas fait une chronique précise des activités de Jésus comme le feraient des journalistes dépêchés sur les lieux. C'est plutôt à force de travailler sur les textes grecs du Nouveau Testament que les exégètes en viennent à relier tel ou tel fragment à tel autre de manière à en découvrir la cohérence. C'est ainsi qu'ils ont rassemblé certains textes qui sont tous rattachés à un même objectif : expliciter les attentes de Dieu à l'égard de l'humanité telles que Jésus les a comprises et lui-même vécues. On a appelé ce regroupement le Sermon sur la montagne.

Il ne s'agit pas d'un long discours que Jésus aurait prononcé tout d'un trait du haut d'une montagne. D'ailleurs saint Luc en situe carrément une bonne partie dans la plaine! Il s'agit de plusieurs interventions faites ici et là par celui que les Juifs appelaient affectueusement Rabbi et qui sont parfois adressées à des foules, parfois retransmises à de petits groupes ou aux disciples. Voici ce que comprend ce sermon : les Béatitudes (Mt 5, 3-12); la vocation du disciple (Mt 5, 13-19); la justice nouvelle (Mt 5, 20-48); des conseils particuliers (Mt 6, 7).

Les Béatitudes

Jésus présente l'esprit qui doit animer ceux et celles qui cherchent le bonheur. «Par ses paroles, Jésus se décrit lui-même : pauvre, doux, fraternel, affamé de justice, artisan de paix. Il nous donne ainsi une idée de ce qu'est Dieu. Il est Amour, il est du côté des pauvres, et n'a qu'un seul désir : que chacun et chacune construise sa propre vie, comme Jésus lui-même a construit la sienne, en dehors des sentiers battus.

Voyant les foules, il gravit la montagne, et quand il fut assis, ses disciples s'approchèrent de lui. Et prenant la parole, il les enseignait en disant :

Heureux ceux qui ont une âme de pauvre, car le Royaume des Cieux est à eux.

Heureux les doux, car ils posséderont la terre.

Heureux les affligés, car ils seront consolés.

Heureux les affamés et assoiffés de la justice, car ils seront rassasiés.

Heureux les miséricordieux, car ils obtiendront miséricorde.

Heureux les cœurs purs, car ils verront Dieu.

Heureux les artisans de paix, car ils seront appelés fils de Dieu.

Heureux les persécutés pour la justice, car le Royaume des Cieux est à eux.

Heureux êtes-vous quand on vous insultera, qu'on vous persécutera, et qu'on dira faussement contre vous toute sorte d'infamie à cause de moi.

Soyez dans la joie et l'allégresse, car votre récompense sera grande dans les cieux : c'est bien ainsi qu'on a persécuté les prophètes, vos devanciers.

(Mt 5, 1-12)

Heureux

Une déclaration de bonheur : "Soyez heureux". En latin, bonheur se dit : *beatitudo*. D'où le mot "Béatitudes". Par les Béatitudes, Dieu nous incite à vivre heureux aujourd'hui. Jésus dit à ceux et celles qui l'écoutent que le malheur n'est jamais complètement vainqueur, que l'espérance est toujours plus forte que la souffrance.

Pauvres en esprit

Les pauvres en esprit sont ceux et celles qui ne se satisfont pas de leur maison, de leur télévision, de leur voiture, de leurs diplômes. Ces personnes savent que le vrai bonheur n'est pas là. Ces masques de richesse cachent l'essentiel, le durable. Être pauvre en esprit aujourd'hui, c'est accepter le risque d'être vrai, et faire confiance à l'autre. Il ne s'agit pas de glorifier la pauvreté matérielle, source de souffrances inacceptables. Les chrétiens et chrétiennes doivent la combattre.

Faim et soif de la justice

Il ne s'agit pas d'être affamé uniquement de justice sociale. Il s'agit aussi de justesse. Une note de musique est juste. Elle est vraie. Une personne "juste" est un être vrai. Il ou elle sait "ajuster" sa vie à la volonté de Dieu, dans la vérité.

Purs dans leur cœur

Vieilles rancunes dans les familles, racontars au travail, spéculation dans les affaires... Non. Les "cœurs purs", eux, font ce qu'ils disent, disent ce qu'ils font. Ils ou elles ont converti leur regard et leur écoute des autres, pour ne voir que ce qui est vu et entendu par Dieu : l'essentiel.

Artisans de paix

Pas seulement dire la paix, mais la faire, comme un artisan ou une artisane n'en finit jamais de mettre au point son travail. L'amour entre êtres ou peuples différents, c'est un combat quotidien pour la paix. Pour le mener, il faut accepter de reconnaître que la vie elle-même est un conflit... et accepter de perdre sa tranquillité pour gagner la paix [17].»

Heureux les affligés

Jésus ne propose pas de nous complaire dans la tristesse, mais de garder précieusement l'aptitude à nous attendrir, à nous laisser affecter par le malheur des autres, à nous laisser toucher par les événements du monde. Les affligés dont il est question ici s'opposent à ceux et celles qui nient les problèmes, qui font comme si la misère et le mal n'existaient pas.

Heureux les doux

Être doux, c'est le contraire d'être dur, exigeant, sans pitié. Les doux, hommes et femmes, sentent bien monter en eux et elles la violence quand ils sont victimes d'injustice ou d'oppression, mais ils ne lui obéissent pas. Ils ne rendent pas le mal pour le mal; ils refusent de juger. Ils ne s'imposent pas par la force, même quand cela leur serait possible. Ils dépassent les apparences et voient dans l'autre ce qu'il y a de meilleur. Ce sont des personnes non violentes au sens plein du terme.

Jésus reprend ici ce que les psaumes exprimaient déjà :

> *Trève à la colère, renonce au courroux, ne t'échauffe pas, [...] les humbles posséderont la terre, réjouis-toi d'une grande paix.*
> *(Ps 37, 8-11)*

Heureux les miséricordieux

Dans la prédication de Jésus, la miséricorde va jusqu'à l'amour des ennemis. La miséricorde est une attitude que nous sommes appelés à cultiver et qui conduit à aimer ceux et celles qui nous font du tort jusqu'à leur pardonner, jusqu'à leur vouloir du bien malgré tout.

L'ouverture aux autres se révèle sans limites puisqu'elle concerne non seulement l'étranger ou l'étrangère comme c'était le cas dans l'Ancien Testament, mais encore les adversaires, ceux et celles qui nous veulent du mal.

La justice nouvelle

On retrouve également dans l'Évangile des passages qui montrent que l'amour des autres est au cœur des critères de la justice nouvelle. Jésus va plus loin que les prescriptions de la Loi de Moïse.

Vous avez entendu qu'il a été dit : Tu aimeras ton prochain et tu haïras ton ennemi. Eh bien! moi je vous dis : Aimez vos ennemis, et priez pour vos persécuteurs, afin de devenir fils de votre Père qui est aux cieux, car il fait lever son soleil sur les méchants et sur les bons, et tomber la pluie sur les justes et les injustes. Car si vous aimez ceux qui vous aiment, quelle récompense aurez-vous? Les publicains eux-mêmes n'en font-ils pas autant? Et si vous réservez vos saluts à vos frères, que faites-vous d'extraordinaire? Les païens eux-mêmes n'en font-ils pas autant? Vous donc, vous serez parfaits comme votre Père céleste est parfait.
(Mt 5, 43-48)

Le père Wresinski serrant une fillette et un garçon sur son cœur.

Le Jugement dernier

La destinée de toute personne se joue dans les gestes les plus ordinaires de la vie quotidienne. L'exercice de la charité fraternelle décide du sort des justes et des mauvais, la charité étant le signe de quelqu'un qui aime Dieu. Ces deux réalités sont inséparables.

Quand le Fils de l'homme viendra dans sa gloire, escorté de tous les anges, alors il prendra place sur son trône de gloire. Devant lui seront rassemblées toutes les nations, et il séparera les gens les uns des autres, tout comme le berger sépare les brebis des boucs. Il placera les brebis à sa droite, et les boucs à sa gauche. Alors le Roi dira à ceux de droite : «Venez, les bénis de mon Père, recevez en héritage le Royaume qui vous a été préparé depuis la fondation du monde. Car j'ai eu faim et vous m'avez donné à manger, j'ai eu soif et vous m'avez donné à boire, j'étais un étranger et vous m'avez accueilli, nu et vous m'avez vêtu, malade et vous m'avez visité, prisonnier et vous êtes venus me voir.» Alors les justes lui répondront : «Seigneur, quand nous est-il arrivé de te voir affamé et de te nourrir, assoiffé et de te désaltérer, étranger et de t'accueillir, nu et de te vêtir, malade ou prisonnier et de venir te voir?» Et le Roi leur fera cette réponse : «En vérité je vous le dis, dans la mesure où vous l'avez fait à l'un de ces plus petits de mes frères, c'est à moi que vous l'avez fait.»
(Mt 25, 31-40)

À travers ces règles morales, l'Évangile nous apprend quelque chose d'essentiel : la personne humaine est appelée à s'ouvrir aux autres et à devenir responsable.

Selon vous, les règles morales présentées dans l'Évangile favorisent-elles l'épanouissement de la personne? Justifiez votre réponse.

Confidentiel...

Les valeurs proposées par l'Évangile s'opposent-elles aux valeurs qui te sont proposées dans ton milieu?

Jésus et la personne humaine

À voir ton ciel, ouvrage de tes doigts,
la lune et les étoiles, que tu fixas,
qu'est donc le mortel, que tu t'en souviennes,
le fils d'Adam, que tu le veuilles visiter?

À peine le fis-tu moindre qu'un dieu;
tu le couronnes de gloire et de beauté,
pour qu'il domine sur l'œuvre de tes mains;
tout fut mis par moi sous ses pieds.
(Ps 8, 4-7)

Jeune fille somalienne réconfortant un enfant.

Jésus reconnaît la dignité de l'être humain

Or il advint, un autre sabbat, qu'il entra dans la
synagogue, et il enseignait. Il y avait là un homme dont
la main droite était sèche. Les scribes et les Pharisiens
l'épiaient pour voir s'il allait guérir, le sabbat, afin de
trouver à l'accuser.
Mais lui connaissait leurs pensées. Il dit donc à
l'homme qui avait la main sèche : «Lève-toi et tiens-toi
debout au milieu.» Il se leva et se tint debout. Puis
Jésus leur dit :
«Je vous le demande : est-il permis, le sabbat, de faire le
bien plutôt que de faire le mal, de sauver une vie plutôt
que de la perdre?» Promenant alors son regard sur eux
tous, il lui dit : «Étends ta main.» L'autre le fit, et sa
main fut remise en état. Mais eux furent remplis de
rage, et ils se concertaient sur ce qu'ils pourraient bien
faire à Jésus.
(Lc 6, 6-11)

Jésus prend le parti
de la personne

la personne
avant la loi
la personne
avant les règlements
la personne
avant le profit
la personne
avant les bénéfices
la personne
avant l'argent
la personne
avant tout
la personne
et son bonheur
«pour Jésus
un être humain vaut plus
que tout l'or du monde [18]*.»*

Levant les yeux, il vit les riches qui mettaient leurs offrandes dans le Trésor. Il vit aussi une veuve indigente qui y mettait deux piécettes, et il dit : «Vraiment, je vous le dis, cette veuve qui est pauvre a mis plus qu'eux tous. Car tous ceux-là ont mis de leur superflu dans les offrandes, mais elle, de son dénuement, a mis tout ce qu'elle avait pour vivre.»
(Lc 21, 1-4)

JÉSUS
ne mesure pas la valeur d'une personne à la qualité de son vêtement ou à l'abondance de son compte en banque...
JÉSUS
ne mesure pas la valeur d'une personne à sa situation sociale, ses mérites, ses grades, ses diplômes ou d'après le poste brillant qu'elle occupe dans la société.
JÉSUS
ne mesure pas la valeur d'une personne à sa coupe de cheveux, à sa force physique ou à ses capacités intellectuelles.
JÉSUS
ne mesure pas la valeur d'une personne selon les critères habituels de la société de consommation ou du système capitaliste.
Pour Jésus, ce qui compte
c'est le cœur de l'homme
sa capacité d'amour
son sens de l'autre
son combat pour la justice
son ouverture à l'universel [19].

Lequel d'entre vous, s'il a cent brebis et vient à en perdre une, n'abandonne les quatre-vingt-dix-neuf autres dans le désert pour s'en aller après celle qui est perdue, jusqu'à ce qu'il l'ait retrouvée? Et, quand il l'a retrouvée, il la met, tout joyeux, sur ses épaules et, de retour chez lui, il assemble amis et voisins et leur dit : «Réjouissez-vous avec moi, car je l'ai retrouvée, ma brebis qui était perdue!» C'est ainsi, je vous le dis, qu'il y aura plus de joie dans le ciel pour un seul pécheur qui se repent que pour quatre-vingt-dix-neuf justes, qui n'ont pas besoin de repentir.
(Lc 15, 4-7)

Jésus n'a jamais dit : Il n'y a rien de bon dans celui-ci, dans celui-là, dans ce milieu-ci, dans ce milieu-là. [...] Pour lui, les autres, quels qu'ils soient, quels que soient leurs actes, leur statut, leur réputation, sont toujours des êtres aimés de Dieu.

Albert Decourtray [20]

Jésus reconnaît les limites de l'être humain

Comme il était à table dans la maison, voici que beaucoup de publicains et de pécheurs vinrent se mettre à table avec Jésus et ses disciples.
Ce qu'ayant vu, les Pharisiens disaient à ses disciples : «Pourquoi votre maître mange-t-il avec les publicains et les pécheurs?» Mais lui, qui avait entendu, dit : «Ce ne sont pas les gens bien portants qui ont besoin de médecin, mais les malades. Allez donc apprendre ce que signifie : C'est la miséricorde que je veux, et non le sacrifice. En effet, je ne suis pas venu appeler les justes, mais les pécheurs.»
(Mt 9, 10-13)

L'être humain est limité et capable de faire le mal, et personne ne peut être autorisé à se déclarer supérieur ou supérieure à un autre. Jésus aime la personne et reconnaît sa dignité, il perce les apparences et regarde le cœur. À travers tout l'Évangile, on peut reconnaître la passion de Jésus pour la personne humaine. Malgré ses faiblesses, malgré ses incohérences, malgré ses limites et ses misères, Jésus s'approche de l'être humain et pose sur lui ou elle un regard de tendresse.

Nos limites sont réelles : des paroles s'échappent de notre bouche et blessent; nous ne faisons pas les gestes qu'il faut pour réparer l'injustice; nous voudrions aimer, mais la poursuite de nos intérêts personnels l'emporte; nous trahissons une amitié, nous laissons tomber quand les temps sont difficiles ou les choses trop compromettantes. À un moment ou l'autre de notre vie, nous reprenons à notre compte le reniement de Pierre.

Jésus reconnaît le besoin de salut de l'être humain

Il leur proposa une autre parabole : «Il en va du Royaume des Cieux comme d'un homme qui a semé du bon grain dans son champ. Or, pendant que les gens dormaient, son ennemi est venu, il a semé à son tour de l'ivraie, au beau milieu du blé, et il s'en est allé. Quand le blé est monté en herbe, puis en épis, alors l'ivraie est apparue aussi. S'approchant, les serviteurs du propriétaire lui dirent : "Maître, n'est-ce pas du bon grain que tu as semé dans ton champ? D'où vient donc qu'il s'y trouve de l'ivraie?" Il leur dit : "C'est quelque ennemi qui a fait cela." Les serviteurs lui disent : "Veux-tu donc que nous allions la ramasser?" "Non, dit-il, vous risqueriez, en ramassant l'ivraie, d'arracher en même temps le blé. Laissez l'un et l'autre croître ensemble jusqu'à la moisson; et au moment de la moisson je dirai aux moissonneurs : Ramassez d'abord l'ivraie et liez-la en bottes que l'on fera brûler; quant au blé, recueillez-le dans mon grenier".»
(Mt 13, 24-30)

L'être humain, tendu vers un idéal, est néanmoins écartelé entre l'amour et la violence, entre la justice et l'égoïsme, entre la vérité et le mensonge, entre la force et la faiblesse. Cette parabole nous signale que nous n'aurons jamais de pouvoir absolu sur le bien et sur le mal, quelle que soit l'ampleur de notre savoir scientifique ou de notre savoir-faire technologique. Autrement dit, à vouloir éliminer nous-mêmes le mal, nous risquons d'assassiner le bien! Nous sommes certes appelés à contribuer à l'épanouissement de la personne et au salut de la planète, mais viser la perfection serait courir à l'échec.

C'est Dieu qui donne finalement le salut auquel nous travaillons dans les limites qui sont les nôtres. Voilà ce que dit la foi chrétienne à propos de la poursuite des valeurs ou de l'orientation vers un idéal : pour ce qui est du salut de l'humanité, c'est Dieu qui a le dernier mot et c'est ce dernier mot qui fait l'objet de notre espérance. Tout comme il a sorti Jésus de la mort, il libérera l'humanité de ses chaînes, c'est-à-dire du mal, de la souffrance et du péché.

ZOOM

Quelle conception de la personne humaine peut-on dégager du Nouveau Testament?

Ici et ailleurs

Est-il possible aujourd'hui de vivre selon les valeurs dont parle l'Évangile? Des gens d'ici et d'ailleurs ont accepté l'invitation de vivre leur liberté à la manière de Jésus. En lisant leurs récits, essayez de saisir de quoi leur bonheur est fait.

En Afrique

Le désir de réaliser la volonté de Dieu n'est pas désespérant du tout. Ce qui compte, c'est l'acte de confiance en Dieu. Sur Lui s'appuient les passions de ma vie de jeune prêtre «Fils», et les initiatives de mon ministère.

J'ai pris l'initiative de proposer une messe à l'église avec les paumés, les drogués...

La majorité des jeunes de la paroisse y voyait un sacrilège. Certains jeunes chrétiens ont même dit : «Une messe avec les drogués dans l'église, cela ne peut pas se faire.» Pourtant tous ces marginaux l'attendaient cette messe. On en parlait dans le quartier. Devant la résistance de certains chrétiens, ces jeunes, que l'Église ne touche pas, venaient me rendre visite : ils désiraient ardemment que cette messe soit réussie.

Ce jour-là, effectivement, la messe a été célébrée. C'était impressionnant. Je me souviens surtout de leurs témoignages, celui de Nelson particulièrement. Je ne le reconnaissais plus! Il disait : «Je laisse [la drogue], c'est difficile. Mais le Christ est mon ami. Il devient pour moi source de consolation et je m'attache à lui.»

Et Gilles : «Moi j'aime la bagarre. Le gangstérisme est mon plaisir. Depuis quelques semaines je prie et j'ai maintenant horreur de la violence, puisque le Christ, en toute sa vie est exemple de non-violence.»
Et cet autre, Masta, me confia : «J'ai beaucoup volé. Sans le vol, je ne pouvais pas vivre. Cependant, je suis persuadé que le bien mal acquis ne profite jamais. Je réalise que Dieu est vérité.»
Pour moi tous ces témoignages sont de véritables professions de foi. Ces jeunes se sentaient heureux. Ils avaient expérimenté la joie donnée par Jésus. Et j'étais témoin de leur acte de foi.

Jean-Omer Bazonzela [21]

Des Béatitudes au quotidien

J'ai compris, depuis trois ans, qu'à deux pas de chez nous, des gens étaient laissés de côté et non respectés... On parle toujours de ceux qui font l'histoire, jamais de ceux qui la subissent... Pour moi, les droits de l'homme, c'est tout d'abord lutter contre la misère, permettre aux jeunes, quel que soit leur milieu d'origine, de se rencontrer, de partager leurs expériences, de se comprendre...
Pas besoin d'aller aux alentours de Rio de Janeiro, de Porto Rico pour savoir ce qu'est la misère. Pas besoin d'aller si loin puisqu'elle est à notre porte. Ce que je veux, c'est surtout casser les barrières qui existent entre les jeunes et qui font que les uns ont tout et que les autres sont rejetés de partout.

Agnès [22]

Elle est partie. Il n'a pas su l'aimer comme elle aurait voulu. Hébété, il erre dans la foule anonyme. Deux jours sans voir personne. Et puis, ce soir, au téléphone : pas un mot, des larmes, la panique. «J'ai honte de pleurer.»
Au nom de quoi?
Oser pleurer, c'est reconnaître sa pauvreté, accepter sa faiblesse. C'est se réapproprier une facette de sa propre richesse. Plus tard, pacifié par l'écoute de l'autre, on peut repartir pour la vie. Jésus l'a osé [23].

*I*ls m'ont torturé à l'électricité. Après une nuit, je ne pouvais plus supporter la torture, ni dénoncer mon ami. J'ai choisi une solution suicidaire : j'ai dit que j'avais fait partie d'un groupe politique clandestin. Les tortures ont cessé. Je n'avais pas dénoncé mon ami.

Nous étions neuf, dans une cellule de deux mètres sur trois, nus, sans espoir. À la suite des démarches faites par l'ACAT et d'autres organismes, ils nous ont relâchés.

Après cette épreuve, ce dépouillement systématique, j'ai réfléchi à ma foi. J'ai trouvé Dieu. Non pas une sorte d'assurance-vie, mais une existence sans coupure entre ici-bas et l'au-delà. Une transformation spirituelle radicale, dont les premiers fruits sont la joie de vivre, le sens de la fraternité. Avant, les frères, c'étaient les catholiques. Les autres, j'étais prêt à leur taper dessus. Ça m'a tellement bouleversé que les rapports avec mes tortionnaires ont changé. Je n'avais plus de haine vis-à-vis d'eux. De tout ce qui m'est arrivé, c'est le bien qui l'a emporté sur le mal.

M. Amoussou (Togo) [24]

À Melbourne, j'allais voir un vieil homme dont, semblait-il, personne ne connaissait même l'existence. Sa chambre était dans un état horrible. Je désirais la nettoyer, mais il ne cessait de me dire : «Je suis très bien comme cela.» Je ne répondais pas, et à la fin il me permit de faire ce nettoyage.

Il y avait dans cette chambre une très belle lampe recouverte d'années de poussière. Je lui demandai : «Pourquoi n'allumez-vous pas cette lampe?» «Pour qui? me dit-il. Personne ne vient chez moi. Je n'ai pas besoin de cette lampe.» Je lui demandai alors : «Allumerez-vous la lampe si une Sœur vient vous voir?» Il répondit : «Oui, si j'entends une voix humaine, je l'allumerai.» Et dernièrement il m'a envoyé un mot : «Dites à mon amie que la lumière qu'elle a allumée dans ma vie brille toujours [26].»

*M*ardi, vingt-deux heures. Exceptionnellement, nos enfants ont été autorisés à passer la soirée avec nous chez nos voisins.

Demain, il n'y a pas d'école.

Il se fait tard. On sert des boissons gazeuses. Je demande à ma fille de ne pas en prendre. Ces breuvages l'empêchent de dormir. Mais son amie, Louise, est déjà servie... «Si elle y a droit, pourquoi pas moi?» L'explication s'annonce difficile...

Mais voilà que Louise va vider son verre de boisson gazeuse... et remplit d'eau son verre et celui de ma fille.

Les parents n'ont pas dit un mot. Seule, Louise avait tout compris. Un cœur pur, pour trois fois rien. C'est déjà le monde qui change [25].

Montréal, 3 juillet 1979 – Ce soir-là, Chantal Dupont, quatorze ans, et Maurice Marcil, quinze ans, en ont assez. Le spectacle présenté à La Ronde ne leur plaît pas et ils décident de revenir à Montréal par leur propres moyens. Ils traversent le pont Jacques-Cartier, se laissant caresser par la douce brise aux effluves... de monoxyde de carbone. Ils sont sans doute pleins de rêves; ils sont amoureux. Puis à mi-chemin, le temps s'arrête. Maurice et Chantal sont sauvagement battus avant d'être précipités dans le vide...

Le Pardon, c'est un film documentaire bouleversant. Il montre comment les parents des victimes ont pardonné aux auteurs de ce geste insensé. Normand Guérin, l'un des meurtriers, affirme qu'il n'a jamais rien fait pour mériter cette générosité. Comme son compagnon de route, il purge une lourde peine d'emprisonnement au pénitencier de Port-Cartier.

La révolte

Après nous avoir présenté la déposition de Normand Guérin, quelques minutes après son arrestation, le célèbre Claude Poirier, chroniqueur judiciaire depuis plus de trente ans, condamne les auteurs du double crime. Il montre également beaucoup d'indignation à la seule idée que les parents d'une victime aient pu offrir leur pardon aux meurtriers.

Dans l'entrevue où le père du jeune Maurice livre sa douloureuse méditation sur le drame qui lui a ravi son fils , il y a ce besoin viscéral de se rappeler que «la vie continue». [...] Il nous touche profondément ce père qui, retraçant le court itinéraire de son fils, voit sa vie marquée par le drame.

Jeannine et Louis Dupont témoignent [...] du secours qu'ils ont reçu, dans les jours qui ont suivi la tragédie, grâce à l'écoute et à la lecture de la parole de Dieu, telle qu'elle se présentait à travers les textes de la liturgie quotidienne de l'Église.

La scène est saisissante quand Jeannine [...] rappelle le texte de *Genèse 21* où il est question du renvoi d'Agar par Abraham. [...] Puis c'est au tour de Louis de commenter le texte [...] du sacrifice d'Abraham en *Genèse 22*. «Nous avons pensé qu'il nous était demandé, à nous aussi, d'offrir notre fille et nous avons cru que le pardon constituait l'offrande de notre fille», avoue-t-il.

L'assassin pardonné

Est-ce la grâce du pardon qui fait que loin d'être hanté par sa victime, il semble plutôt trouver dans son souvenir une inspiration pour poursuivre sa vie? Normand tente toujours de clarifier les raisons qui l'ont conduit à poser ce geste insensé. Ce qu'il faut retenir de sa quête intérieure, c'est son étonnement... «Rendez-vous compte que je n'ai rien fait pour obtenir ce pardon; il m'a été donné gratuitement!»

[...] La mère de Normand se montre dépassée au point, nous dit-elle, de n'avoir même pas su dire merci devant le pardon des Dupont. Il lui semble que seule la grande foi de cette famille leur a permis de pardonner... Elle avoue que ce pardon l'a beaucoup aidée et elle ajoute : «Si les Dupont ont pu pardonner à mon fils, il faudrait bien que je lui pardonne, moi aussi!» [...]

Ces gens ont accepté de dire le mystère de la souffrance, où tout être humain se voit révéler quelque chose de son propre cœur. [...] La dénonciation de la violence ne doit toutefois pas en sortir affaiblie [27].

ZOOM

À partir de la vie d'un témoin et en vous référant à des points de repère fournis pas l'Évangile, dites si la manière de vivre proposée par Jésus favorise l'épanouissement de la personne.

Confidentiel...

Selon toi, le monde a-t-il besoin de personnes qui vivent selon les valeurs proposées par l'Évangile?

Avec d'autres yeux

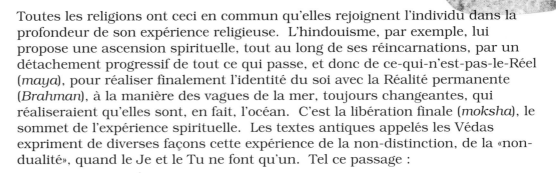

Toutes les religions ont ceci en commun qu'elles rejoignent l'individu dans la profondeur de son expérience religieuse. L'hindouisme, par exemple, lui propose une ascension spirituelle, tout au long de ses réincarnations, par un détachement progressif de tout ce qui passe, et donc de ce-qui-n'est-pas-le-Réel (*maya*), pour réaliser finalement l'identité du soi avec la Réalité permanente (*Brahman*), à la manière des vagues de la mer, toujours changeantes, qui réaliseraient qu'elles sont, en fait, l'océan. C'est la libération finale (*moksha*), le sommet de l'expérience spirituelle. Les textes antiques appelés les Védas expriment de diverses façons cette expérience de la non-distinction, de la «non-dualité», quand le Je et le Tu ne font qu'un. Tel ce passage :

À l'aurore, tous les êtres distincts procèdent de l'indistinct.
La nuit, ils se dissolvent dans le même, ce qu'on nomme l'indistinct.
Cette même multitude des êtres qui surgissent un par un
Se dissolvent inéluctablement pendant la nuit, Ô Arjuna,
Et surgissent à nouveau quand revient le jour[a].

Pour parvenir à ce degré d'intériorité, l'hindou a recours à une riche tradition d'ascèse et de méditation, dont certaines écoles sont connues en Occident, comme le yoga.

Même cheminement pour cette autre religion issue de l'Inde, le bouddhisme, avec cette nuance qu'elle parle d'Éveil à la Vérité, (*nirvāna*) plutôt que d'identification à la Réalité. Dans son célèbre Sermon de Bénarès, le Bouddha énonce les quatre nobles vérités, à savoir que tout est douleur, même la naissance puisqu'elle conduit à la mort; que la racine de la douleur, c'est le désir, la soif de l'existence; que par conséquent la suppression de la douleur ne s'obtient que par l'extinction du désir; et enfin qu'il y a un chemin qui mène à la suppression de la douleur, celui des huit purifications :

[...] la croyance pure, la volonté pure, la parole pure, la conduite pure, les moyens d'existence purs, l'application pure, la mémoire pure, la méditation pure[b].

Et il ajoute :

Mais ô moines, depuis que de ces quatre vérités saintes je possède avec une pleine clarté cette connaissance et cette intuition véridiques [...], je sais que dans ce monde ainsi que dans le monde des dieux [...] j'ai atteint le rang suprême de Bouddha. Et je l'ai reconnu et vu : mon âme est à jamais délivrée. Ceci est ma dernière naissance. Il n'y a plus désormais de nouvelle naissance pour moi[c].

Comme l'hindouisme, le bouddhisme a été fertile en écoles de méditation. Une des plus connues en Occident est le zen originaire du Japon qui l'avait reçu de la Chine.

Une autre religion d'Asie, le néo-confucianisme, né en Chine au 10ᵉ siècle de notre ère, parle d'unité, d'harmonisation avec la famille humaine et l'univers tout entier :

Le Ciel est mon père et la Terre est ma mère, et même une petite créature comme moi trouve place dans l'intimité de leur sein. C'est pourquoi je considère ce qui remplit l'univers comme mon corps et ce qui meut cet univers comme ma nature.

Tous les êtres humains sont mes frères et mes sœurs, et tous les autres êtres mes compagnons[d].

Tout comme le christianisme, le judaïsme et l'islam voient dans l'être humain la créature de Dieu. La Bible dit :

Dieu créa l'homme à son image,
à l'image de Dieu il le créa,
homme et femme il les créa.
(Gn 1, 27)

Et le Coran proclame à propos d'Allah :

[...] qui vous a créés [à partir] d'une personne unique dont, pour elle, Il a créé une épouse[e]. (5.4, 1.)

Il s'ensuit que le Juif doit être fidèle à la Loi. La tradition juive a dénombré six cent treize prescriptions de la Loi, dont les dix commandements proclamés au mont Sinaï. Quant à l'islam, il oriente l'individu sur l'idée de soumission à Dieu (Allah). Le Coran prescrit au musulman certains actes religieux qu'on a appelés «les Cinq Piliers de l'islam» : la profession de foi, la prière cinq fois par jour, l'aumône, le jeûne du mois de Ramadan et le pèlerinage à la Mecque.

Jacques Langlais

a   *Bhagavad Gita*, 19, 18-19, cité dans DAS, Kaîpana et Robert VACHON, *L'hindouisme Sanatana Dharma*, Montréal, Guérin, Coll. «Les grandes religions», 1967, p. 71.
b   *Mahavagga*, 1, 6, 10 ss, cité dans LANGLAIS, Jacques, *Le Bouddha et les deux bouddhismes*, Montréal, Fides, Coll. «Regards scientifiques sur les religions», tome 2, 1975, p. 153.
c   *Ibid.*
d   CHAN, Wing-Tsit, *A Source Book in Chinese Philosophy*, Princeton, Princeton University Press, 1963, p. 497. Adaptation française par Jacques Langlais de la traduction anglaise.
e   *Le Coran*, trad. par Régis Blachère, Paris, Maisonneuve et Larose, 1957, p. 621.

Pistes de lecture

LAPLANTE, Pierre, *Qu'est-ce qu'on fait sur la planète? toi, moi et le reste de la famille*, Montréal, Éditions du Méridien, 1982, 112 pages.

Ce livre, écrit pour des jeunes, veut répondre à la question : «Qu'est-ce qu'on fait sur la Terre?». Il présente, avec une grande honnêteté, les réponses proposées par les grandes religions : le christianisme, le judaïsme, le bouddhisme, l'islamisme et l'hindouisme. On y découvre la manière concrète de vivre dans ces religions, le sens que chacune donne à la quête du bonheur et la voie pour y accéder.

Les publications du mouvement ACAT (Association des chrétiens pour l'abolition de la torture). L'ACAT publie différents ouvrages dont une revue, *Le Courrier de l'ACAT*. Cette revue propose une réflexion sur le respect des droits de la personne. Des témoignages sont présentés et des pistes d'action sont ouvertes.

Notes

1   REY-MERMET, Théodule, *Croire 4. Pour une redécouverte de la morale*, Limoges, Éditions Droguet et Ardant, 1985, p. 13.
2   DONVAL, Albert, *La morale change*, Paris, Éditions du Cerf, 1976, 72 p.
3   VERNETTE, Jean et Alain MARCHADOUR, *Guide de l'animateur chrétien*, Limoges, Éditions Droguet et Ardant, 1983, p. 370.
4   IMBERDIS, Pierre, *Je rêve d'amour*, Limoges, Éditions Droguet et Ardant, 1985, p. 31.
5   DOLTO, Françoise *et al.*, *Paroles pour adolescents*, Paris, Hatier, 1989, p. 118.
6   IMBERDIS, Pierre, *op. cit.*, p. 204.
7   *Ibid.*, p. 52.
8   VERNETTE, Jean et Alain MARCHADOUR, *op. cit.*, p. 364-365.
9   REY-MERMET, Théodule, *Conscience et liberté*, Paris, Nouvelle Cité, 1990, p. 19.
10 MÈRE TERESA DE CALCUTTA, *La joie du don*, Paris, Éditions du Seuil, 1979, p. 53.
11 «Le flocon de neige», *Fête et Saisons*, n° 384, avril 1984, p. 21.
12 *Droits de l'homme. Vers un monde fraternel*, Coll. «Aujourd'hui la Vie», Épinay-sur-Seine, Éditions CIF, 1983, p. 2.
    René Cassin (1887-1976) a participé activement à la rédaction de la *Déclaration universelle des droits de l'homme*. En 1968, il a reçu le prix Nobel de la paix.
13 HUMEAU, Jeanne et Jean-Yves NAHMIAS, avec la collaboration de l'ACAT, *Que fais-tu de ton frère?*, Paris, Éditions Le Sarment/Fayard, 1987, p. 45-46. © Librairie Arthème Fayard, 1987.
14 Les deux premiers éléments s'inspirent de *Droits de l'homme. Vers un monde fraternel*, *op. cit.*, p. 8.
15 Ces informations sont extraites de *Que fais-tu de ton frère?*, *op. cit.*, p. 53-54.
16 L'inspiration pour cette réflexion sur l'Église et les droits de la personne vient de COSTE, René, *L'Église et les droits de l'homme*, Paris, Éditions Desclée et Cie, 1983, 104 p.
17 Adapté de «Les Béatitudes», *Le Livre de la Foi aujourd'hui*, Hors série, Paris, Bayard Presse, s. d., p. 47.
18 IMBERDIS, Pierre, *Cet homme Jésus*, Limoges, Éditions Droguet et Ardant, 1981, p. 38.
19 *Ibid.*, p. 41-42.
20 IMBERDIS, Pierre, *Je rêve d'amour*, *op. cit.*, p. 84.
21 BAZONZELA, Jean-Omer, «L'amour c'est le poids de Dieu», *Chantiers des Fils de la Charité*, n° 94, juin 1992, p. 23-24.
22 IMBERDIS, Pierre, *Cet homme Jésus*, *op. cit.*, p. 72.
23 «Les Béatitudes», *loc. cit.* p. 51.
24 *Ibid.*
25 *Ibid.*
26 MÈRE TERESA DE CALCUTTA, *op. cit.*, p. 57-58.
27 CAZA, Lorraine, «Le pardon», *Communauté chrétienne*, vol. 3, n° 17, février 1992, p. 29-30.

Chapitre 2
Les liens de la liberté

La liberté n'est pas synonyme de caprice. Elle est un besoin fondamental et une aspiration universelle comme l'expriment des poètes et des penseurs et penseuses. La liberté n'est cependant pas donnée d'avance, ce que révèlent l'opinion et les expériences mêmes de bien des jeunes. À l'image de la conquête des libertés sur le plan historique, nous devenons libres au prix de luttes quotidiennes pour briser nos chaînes, celles qui nous empêchent de diriger notre vie de façon responsable.

Malgré nos limites et nos contraintes, nous gardons un espace de liberté et certains de nos choix ne favorisent pas notre épanouissement. Oui, nous bousillons parfois notre propre bonheur! Si nos parcours diffèrent, l'histoire de notre conquête de la liberté manifeste le même travail de libération intérieure qui nous fait passer du rêve à la réalité comme en témoignent un prisonnier, une ex-vagabonde et une dame dans la splendeur de l'âge. Cette incursion nous permet de voir tous les liens de notre liberté. Que dit la Bible à ce sujet? L'Ancien Testament nous lance au cœur d'un projet de liberté tandis que Jésus en relève les défis au nom de ses valeurs fondamentales, celles qui orientent tous ses choix. À la suite de Jésus, des chrétiens et des chrétiennes d'ici et d'ailleurs travaillent à devenir «libres d'obstacles» et «libres pour» aimer avec tout ce que cela suppose d'attachement et de renoncement. Leur manière de vivre la liberté favorise-t-elle leur épanouissement? Mais que ce soit en Amérique latine, en Afrique, au Viêt-nam ou au Canada, la conquête de la liberté ne réussit qu'à la condition de faire la vérité avec soi-même!

Des jeunes parlent de liberté

Des garçons et des filles de quinze à dix-sept ans ont très généreusement accepté de raconter leurs premiers pas vers la liberté et de partager la conception qu'ils s'en font. Le récit de leurs expériences vous rappellera peut-être des anecdotes ou éveillera le souvenir d'événements qui ont été importants dans votre vie. À la suite de la lecture de ces billets, décrivez à votre tour comment vous exercez votre liberté et précisez quel sens vous lui donnez à l'heure actuelle.

Diverses expériences

J'ai exercé ma liberté face à l'autorité en prenant de la drogue. J'en ai consommé tant que je voulais, où je voulais et avec qui je voulais. Et cette liberté, vraie qu'en apparence, m'a rapidement emprisonné. Quand je repense à tout cela, je me dis que j'aurais eu besoin de quelqu'un, une autorité, pour me dire quoi faire. Cela m'aurait empêché d'exercer ma liberté de cette manière, une liberté qui s'est transformée en «maladie». De plus, je n'étais pas heureux. Je regrette d'avoir consommé de la drogue et ne souhaite le même sort à personne. Si vous avez commencé à le faire, arrêtez-vous maintenant, s'il vous plaît, avant que votre situation n'empire. La liberté est un privilège qui fait rêver tout le monde et parfois il faut payer cher pour la trouver vraiment. La drogue est un chemin vers une liberté imaginaire qui conduit à vous faire penser comme la personne qui vous sollicite sans cesse à recommencer et qui tire profit de votre dépendance. Croyez-moi, cela ne vous rendra pas heureux ni les personnes qui vous aiment.

Libre et content

Mes parents m'ont permis de passer quatre jours à notre chalet en compagnie de cinq amis. J'étais libre parce que sans autorité parentale et en conséquence je pouvais me coucher et manger à n'importe quelle heure, faire les activités qui m'intéressent et assumer mes responsabilités. J'ai réussi et je peux dire que cette expérience m'a donné beaucoup de joie et de fierté.

Benoît

L'été dernier, j'ai travaillé pour la première fois. Avec beaucoup de chance et sans l'aide de mes parents, je me suis déniché un emploi dans un restaurant-minute. Si les tâches n'étaient pas extraordinaires, j'ai fait de nouvelles connaissances et découvert un milieu social très différent du mien. Malgré la résistance de mes parents, j'ai beaucoup aimé mon expérience qui m'a permis de gagner mon propre argent et ainsi ne plus dépendre des autres mais de moi-même. Malheureusement, je me suis aussi rendu compte que tout en me libérant de l'autorité de mes parents, je devais me soumettre à celle de mon patron!

Irina

*N*ous vivons au Canada depuis environ cinq ans. Mon père, qui était un grand homme d'affaires, a décidé d'émigrer pour nous permettre d'avoir une meilleure éducation. Tout de suite, il s'est mis à exercer son autorité en nous répétant qu'il avait beaucoup sacrifié pour nous. Lui qui avait toujours travaillé hors de la maison était maintenant à côté de moi vingt-quatre heures sur vingt-quatre! Il voulait que je sois parfaite. J'ai beaucoup pleuré quand je ne réussissais pas à rencontrer ses exigences et à réaliser ses rêves. Je devenais une «marionnette» mais, en même temps, je me rendais compte que quelque chose ne tournait pas rond, qu'il agissait comme si ma vie lui appartenait. J'ai commencé à vouloir sortir des limites qu'il m'imposait et, un jour, j'ai désobéi en lui expliquant en quoi je n'étais pas d'accord avec ce qu'il me demandait de faire. Je réclamais ma liberté! Il a été surpris de m'entendre et tranquillement j'ai appris à donner mon opinion. Sa confiance en moi grandit et il me donne maintenant des conseils plutôt que des ordres. Je suis pas mal plus heureuse!

Gulnara

*S*amedi dernier, j'avais le goût d'être totalement libre! Physiquement, cela a été facile : j'ai fait une fugue en allant chez une copine qui faisait un «party». Pendant la soirée, je me suis amusée, mais en apparence seulement. Pendant que je riais, mon cœur pleurait pour ainsi dire. J'ai appris qu'être libre extérieurement n'est rien comparativement à la liberté intérieure. J'ai été heureuse pendant cinq heures, puis ma peine est revenue, accompagnée d'un lourd sentiment de culpabilité. Si vous voulez votre liberté, pensez-y deux fois et demandez-vous ce que vous recherchez précisément.

Cécé

*P*our mes parents, il était très important que ma sœur et moi fassions des sciences. Malheureusement pour eux, je n'ai jamais été très portée vers la chimie ou la physique. L'an passé, j'ai tout de même opté pour ces deux matières. Mais cette année, après le troisième cours de chimie, j'ai décidé que j'en avais assez et j'ai abandonné la chimie pour l'histoire. Mes parents ont eu de la difficulté à avaler ma décision, mais ils y sont arrivés. Aujourd'hui, j'assiste à des cours qui m'intéressent vraiment et mes résultats scolaires s'en ressentent. Je suis contente de mon choix.

Flo

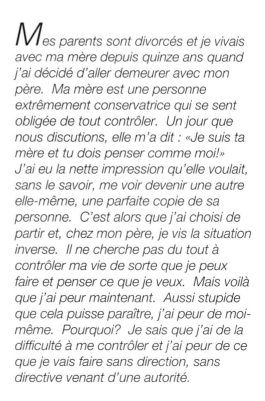

*M*es parents sont divorcés et je vivais avec ma mère depuis quinze ans quand j'ai décidé d'aller demeurer avec mon père. Ma mère est une personne extrêmement conservatrice qui se sent obligée de tout contrôler. Un jour que nous discutions, elle m'a dit : «Je suis ta mère et tu dois penser comme moi!» J'ai eu la nette impression qu'elle voulait, sans le savoir, me voir devenir une autre elle-même, une parfaite copie de sa personne. C'est alors que j'ai choisi de partir et, chez mon père, je vis la situation inverse. Il ne cherche pas du tout à contrôler ma vie de sorte que je peux faire et penser ce que je veux. Mais voilà que j'ai peur maintenant. Aussi stupide que cela puisse paraître, j'ai peur de moi-même. Pourquoi? Je sais que j'ai de la difficulté à me contrôler et j'ai peur de ce que je vais faire sans direction, sans directive venant d'une autorité.

Julie

*J'*ai découvert une voie vers la liberté qui me permet de plier bagages lorsque j'en ai envie, qui me fait oublier mes pleurs, mes frustrations et parfois ma rage face à la vie. Cette voie est celle de la rêverie. Dans le rêve, nous sommes rois et maîtres de nos pensées et, à cet égard, tout à fait libres. Libres de nous créer une autre personnalité, libres de vivre des amours qui paraissent impossibles, libres de nous retrouver à une autre époque, libres, libres! Tout le monde possède ce don et ceux et celles qui restent terre-à-terre s'en privent malheureusement.

Les autres, les rêveurs, laissent couler la vie sans broncher, emportés par leurs pensées, évadés sur cette voie qui permet de vivre une liberté riche et quasi infinie. Toi, l'enfant qui se balance, à quoi rêves-tu? Toi, l'adolescent épuisé, à quoi penses-tu? Et enfin, monsieur le prisonnier, que vous reste-t-il de la vie? Sachez monsieur, qu'en rêvant vous devenez l'homme le plus libre sur cette planète.

Karim

*J'*ai la mère la plus protectrice du monde! Elle ne me laisse jamais sortir avec mes amies et je n'ai pas le droit de parler aux gars, même pas au téléphone. Quand j'ai eu quatorze ans, elle s'est rendu compte que son attitude était exagérée. Elle a commencé à me permettre de sortir et j'ai abusé de ma liberté. Au début, je ne rentrais pas trop tard, mais j'ai commencé à lui mentir. Et la situation a empiré... J'ai été prise à voler de l'argent et j'ai été impliquée dans des histoires de drogue, sans parler de mes problèmes avec la police qui, un soir, m'a ramenée chez moi inconsciente. Ma mère a voulu me placer dans un centre pour délinquants, mais je l'ai suppliée de me laisser une autre chance. Elle a accepté, mais elle et les personnes qui m'entourent ont totalement perdu confiance en moi. Je regrette beaucoup mes abus.

Flamand rose

ZOOM

- Choisissez un billet qui, selon vous, décrit une bonne manière d'exercer la liberté. Justifiez votre choix.

- À partir d'un ou de plusieurs témoignages, décrivez les défis que doivent relever les jeunes de votre âge pour exercer leur liberté.

Confidentiel...

Quel billet décrit le mieux ton expérience personnelle?

Divers points de vue

La liberté consiste à faire ce que l'on veut quand on le veut, mais à la condition de respecter les autres et leur volonté. Dans un système comme le nôtre, la liberté, comme je la conçois, est impossible car chaque personne est ordinairement poussée à faire ce que les autres veulent d'elle plutôt qu'à devenir ce qu'elle veut bien être. Peut-être vaut-il mieux que les choses se passent ainsi puisque si chacun cédait à tous ses caprices, ce serait le chaos!

Aecha

Être libre, c'est pouvoir s'exprimer à sa façon et se différencier des autres.

Michelle

Je crois sincèrement que chaque personne a droit à sa liberté de penser et d'agir en autant qu'elle respecte les autres.

Chantal

À notre âge, l'exercice de la liberté est basé sur la confiance des parents. Si la confiance est bien établie, les parents sont portés à nous laisser libres.

Julie

En ce moment, je n'ai presque pas de liberté sur le plan scolaire : j'ai beaucoup de stress et d'obligations face à mes études. Je dois étudier presque tous les soirs et je suis obligée de me présenter à tous mes cours. À la maison, j'ai certaines contraintes : travail ménager, heure de rentrée déterminée par mes parents. Je trouve que j'ai beaucoup de responsabilités face à moi-même et aux autres personnes qui m'entourent. Je me sens coincée et claustrophobe pour ainsi dire. Il ne me reste presque plus de temps pour faire ce qui me plaît ni pour apprécier ma famille et mes amis... pour être libre.

Myong Hee

La liberté consiste à faire des choix en toute conscience, c'est-à-dire en analysant les conséquences qui en découlent. Je veux faire des choses sans avoir à chercher l'approbation de l'autorité, plus particulièrement celle des adultes. Si je fais de mauvais choix, j'en subirai les conséquences. Il me semble que c'est la meilleure façon d'apprendre, non? Le jour où je répondrai de moi-même et où les autres accepteront mes idées et mes façons de faire, alors seulement je parlerai de liberté.

Nathalie

Chez moi, ma liberté est assez limitée. Mais cela ne me dérange pas. Oui, je sors avec mes amis, je m'amuse. Mais pour bien exercer sa liberté, il est nécessaire d'avoir acquis certaines connaissances et certaines valeurs.

Felipe

- Choisissez le billet qui décrit le mieux votre façon de voir la liberté ou celui qui s'en écarte le plus et dites pourquoi.

- Écrivez votre propre conception de la liberté.

Tout le monde est à la recherche du bonheur! Les revues en parlent en termes de santé, d'amour, de réalisation de soi, de loisirs, d'argent, de religion, de travail, de confort, de diète, de sport et j'en passe. On en cherche les secrets en dehors comme au-dedans de soi. Mais où est-il au juste?

Quel bonheur de pouvoir ouvrir les portes soi-même et de fureter partout!

La liberté en mots et en images

Le besoin de liberté semble inscrit au cœur de toute personne. Son absence fait souffrir et rêver, sa conquête entraîne des luttes intérieures et extérieures parfois difficiles, sa présence donne des ailes.

De tout temps, la liberté a fait parler des penseurs et des penseuses; elle a inspiré des poètes. À la fin de cette section, vous pourriez à votre tour et en vos mots décrire votre conception de la liberté.

Place à la poésie

Nous prendrons le temps de vivre, d'être libres,
Sans projet et sans habitude
Viens je suis là, viens je t'attends
Tout est possible, tout est permis [...].

Georges Brassens

La décision

La décision à prendre
elle tourbillonne
sur la piste glissante
valse avec le pour
le contre
l'agenda
le pense-bête
puis revient à sa place
pour se ronger les ongles...

Clod' Aria [1]

C'est là sans appui

Je ne suis pas bien du tout assis sur cette chaise
Et mon pire malaise est un fauteuil où l'on reste
Immanquablement je m'endors et j'y meurs.

Mais laissez-moi traverser le torrent sur les roches
Par bonds quitter cette chose pour celle-là
Je trouve l'équilibre impondérable entre les deux
C'est là sans appui que je me repose.

Saint-Denys Garneau [2]

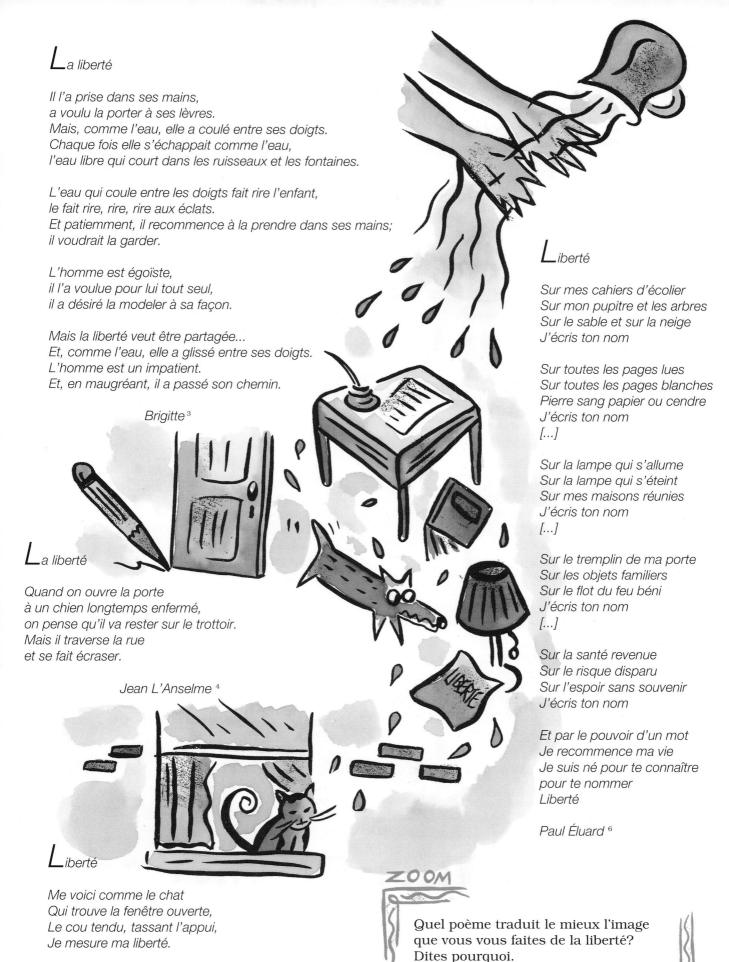

La liberté

Il l'a prise dans ses mains,
a voulu la porter à ses lèvres.
Mais, comme l'eau, elle a coulé entre ses doigts.
Chaque fois elle s'échappait comme l'eau,
l'eau libre qui court dans les ruisseaux et les fontaines.

L'eau qui coule entre les doigts fait rire l'enfant,
le fait rire, rire, rire aux éclats.
Et patiemment, il recommence à la prendre dans ses mains;
il voudrait la garder.

L'homme est égoïste,
il l'a voulue pour lui tout seul,
il a désiré la modeler à sa façon.

Mais la liberté veut être partagée...
Et, comme l'eau, elle a glissé entre ses doigts.
L'homme est un impatient.
Et, en maugréant, il a passé son chemin.

Brigitte [3]

La liberté

Quand on ouvre la porte
à un chien longtemps enfermé,
on pense qu'il va rester sur le trottoir.
Mais il traverse la rue
et se fait écraser.

Jean L'Anselme [4]

Liberté

Me voici comme le chat
Qui trouve la fenêtre ouverte,
Le cou tendu, tassant l'appui,
Je mesure ma liberté.

Franz Hellens [5]

Liberté

Sur mes cahiers d'écolier
Sur mon pupitre et les arbres
Sur le sable et sur la neige
J'écris ton nom

Sur toutes les pages lues
Sur toutes les pages blanches
Pierre sang papier ou cendre
J'écris ton nom
[...]

Sur la lampe qui s'allume
Sur la lampe qui s'éteint
Sur mes maisons réunies
J'écris ton nom
[...]

Sur le tremplin de ma porte
Sur les objets familiers
Sur le flot du feu béni
J'écris ton nom
[...]

Sur la santé revenue
Sur le risque disparu
Sur l'espoir sans souvenir
J'écris ton nom

Et par le pouvoir d'un mot
Je recommence ma vie
Je suis né pour te connaître
pour te nommer
Liberté

Paul Éluard [6]

ZOOM

Quel poème traduit le mieux l'image que vous vous faites de la liberté?
Dites pourquoi.

LE LOUP ET LE CHIEN

Un loup n'avait que les os et la peau,
Tant les chiens faisaient bonne garde.
Ce loup rencontre un dogue aussi puissant que beau,
Gras, poli, qui s'était fourvoyé par mégarde.
L'attaquer, le mettre en quartiers,
Sire loup l'eût fait volontiers.
Mais il fallait livrer bataille;
Et le mâtin était de taille
À se défendre hardiment.
Le loup donc l'aborde humblement,
Entre en propos, et lui fait compliment
Sur son embonpoint qu'il admire.
«Il ne tiendra qu'à vous, beau sire,
D'être aussi gras que moi, lui repartit le chien.
Quittez les bois, vous ferez bien :
Vos pareils y sont misérables,
Cancres, hères et pauvres diables,
Dont la condition est de mourir de faim.
Car quoi? Rien d'assuré; point de franche lippée :
Tout à la pointe de l'épée.
Suivez-moi : vous aurez un bien meilleur destin.»
Le loup reprit : «Que me faudra-t-il faire?
– Presque rien, dit le chien, donner la chasse aux gens

Portant bâtons et mendiants;
Flatter ceux du logis, à son maître complaire;
Moyennant quoi votre salaire
Sera force reliefs de toutes les façons :
Os de poulets, os de pigeons;
Sans parler de mainte caresse.»
Le loup déjà se forge une félicité
Qui le fait pleurer de tendresse.
Chemin faisant il vit le col du chien pelé.
«Qu'est-ce là? lui dit-il. – Rien – Quoi? – Peu de chose.
– Mais encor? – Le collier dont je suis attaché
De ce que vous voyez est peut-être la cause.
– Attaché? dit le loup; vous ne courez donc pas
Où vous voulez? – Pas toujours, mais qu'importe?
– Il importe si bien que de tous vos repas
Je ne veux en aucune sorte;
Et ne voudrais pas même à ce prix un trésor.»
Cela dit, maître loup s'enfuit, et court encor.

La Fontaine [7]

Confidentiel...

Dans ta vie de tous les jours, es-tu le loup ou le chien?

Place à la pensée

Je ne suis pas d'accord avec ce que vous dites, mais je me battrai jusqu'au bout pour que vous puissiez le dire.
(Voltaire, 1694-1778)

Libres, vous l'êtes! Peut-on imaginer plus grande responsabilité?
(François Mitterand)

On a substitué à la réalité de la liberté le mythe de l'indépendance.
(Saint-Denys Garneau, 1912-1943)

Le fruit le plus beau de la liberté est le pouvoir d'être vrai. La liberté, le vrai, sont là où règnent la paix et la justice.
(Jean de Muller)

La liberté n'est pas aisée. [...] Les hommes y renoncent facilement, ils s'en exemptent. [...] Ma liberté me coûtait cher et me causait des souffrances.
(Nicolas Berdiaev, 1874-1948)

Être libre, ce n'est pas seulement ne rien posséder, c'est n'être possédé par rien.
(Julien Green)

Si nous n'avons pas l'intelligence et le courage de notre liberté, nous ne la méritons pas.
(Doris Lussier)

La liberté n'est jamais un don mais une conquête.
(Gandhi, 1869-1948)

Je suis libre quand je suis humain.
(Romano Guardini)

La liberté coûte très cher et il faut, ou se résigner à vivre sans elle, ou se décider à la payer son prix.
(José Martí, 1853-1895)

Les seules limites à la liberté sont naturellement les atteintes à la liberté des autres.
(Daniel Mayer)

Le respect mutuel des consciences est sans doute une des plus hautes formes de la liberté.
(Janus)

Lorsque nous avons bien compris que la peur est le principal obstacle à la liberté, nous sommes en mesure de faire un libre choix. En effet, nous pouvons choisir d'agir malgré notre peur et de faire un pas vers la liberté, ou de respecter notre peur et de la laisser déterminer l'étendue de notre liberté.
(Joseph Simons et Jeanne Reidy)

Ce que la lumière est aux yeux, ce que l'air est aux poumons, ce que l'amour est au cœur, la liberté est à l'âme humaine.
(R.G. Ingersoll)

Refuser la liberté à un groupe d'hommes parce qu'ils ne pensent pas comme vous ou ne prient pas le même Dieu que vous, c'est se la refuser à soi-même.
(Alain Stanké) [8]

Tous les hommes ont en partage le besoin de liberté; la plupart des révoltes et révolutions ont eu et ont pour mobile le désir d'être libre. Tout système politique doit prendre en considération cette juste aspiration de l'Homme qui, opprimé, ne peut être heureux.
(P.-P. Grassé)

Depuis que je suis petite, je sais que pour gagner sa liberté il faut payer cher, il faut assumer sa différence.
(Madeleine Arbour) [9]

La vie n'est pas une fatalité [...] parce que je suis capable de créer [ce] que je veux être, à la condition de cesser de ne croire qu'à ce qui existe, pour croire à ce que j'ai le pouvoir de faire exister [10].

ZOOM

- Choisissez la pensée avec laquelle vous êtes le plus en accord.
- En vous basant sur le sens d'une des pensées, dites ce qu'est pour vous la liberté.

La conquête des libertés

À toutes les époques et dans tous les pays, des hommes et des femmes ont lutté de toutes leurs forces pour briser les murs qui les empêchaient d'être libres. Tout au cours des siècles, leur audace et leur courage ont permis de créer un monde plus respectueux des besoins fondamentaux de l'être humain, un monde plus humain. En 1989, la démolition du mur de Berlin devient un symbole de libération, une inspiration pour continuer de dénoncer tout ce qui brime la dignité, un espoir pour ceux et celles qui vivent dans des conditions opprimantes.

L'esclavage antique

Dans l'Antiquité, les animaux et les humains doivent accomplir les travaux les plus lourds. C'est pour cette raison que l'esclavage est né. Les esclaves offrent une main-d'œuvre non rémunérée. Ils et elles sont tenus d'accepter toutes les tâches. Socialement, les esclaves forment un groupe à part; ils et elles ne sont pas considérés comme des citoyens à part entière.

Il y a eu plusieurs révoltes d'esclaves. En 73 avant Jésus Christ, le gladiateur Spartacus, connu pour son combat en faveur de la liberté et de la dignité humaine, s'évade et, avec soixante-dix hommes, s'empare de chariots d'armes. Plusieurs autres esclaves se joignent à eux et font trembler les Romains. Les esclaves sont finalement vaincus et Spartacus meurt au combat.

La liberté de conscience

Le roi de France Louis XIV, qui régna de 1643 à 1715, exerce un pouvoir absolu sur ses sujets et exige leur consentement sans réserve. Considérant que son pouvoir lui vient de Dieu, il impose la foi catholique à tous les habitants et habitantes de son royaume. L'édit de Nantes, qui garantissait la liberté de culte, est révoqué en 1685. Des milliers de protestants quittent la France, mais la majorité d'entre eux restent. Ils et elles doivent alors affronter les soldats du roi qui veulent les forcer à se convertir à la foi catholique.

Beaucoup de pays reconnaissent la liberté de conscience et de religion. Mais dans la pratique, les groupes qui ne partagent pas les croyances de la majorité rencontrent des problèmes.

La liberté d'expression

La presse est souvent le privilège exclusif du pouvoir : les publications sont soumises à la censure. En 1788, le roi Louis XVI accorde une liberté d'expression qui n'avait jamais été reconnue jusque-là. La liberté de presse entraîne la liberté d'association de sorte que des groupes de discussion apparaissent un peu partout. La *Déclaration des droits de l'homme et du citoyen* est votée le 26 août 1789. Elle abolit les privilèges accordés aux nobles et reconnaît à tous et à toutes la liberté d'expression.

Dans certains pays, la liberté d'expression est contrôlée et la liberté de presse inexistante.

En 1991, au moins soixante-cinq journalistes ont été tués dans l'exercice de leur métier ou pour leurs opinions, ceci dans quelque dix-neuf pays. Le bilan, plus élevé que celui de 1990 (quarante-deux journalistes tués), l'est en raison notamment de la guerre en Yougoslavie. Ces chiffres montrent que les journalistes sont malheureusement de plus en plus souvent pris pour cible lors de conflits ou dans des zones réputées dangereuses [11].

En Amérique centrale, oser critiquer un gouvernement devient dans certains cas une vraie gageure. En 1990, au Guatemala par exemple, le journaliste Byron Barrera Ortiz, qui a déjà vu en 1988 une bombe incendiaire détruire les bureaux de son journal La Epoca, *où il critiquait fréquemment et ouvertement le gouvernement, échappa de justesse à un attentat. En effet, c'est le gilet pare-balles que la prudence lui a fait revêtir qui le protège des coups tirés par deux motocyclistes; malheureusement, sa femme succombe à ses blessures.*

Dès lors, Byron Barrera décide de s'exiler, accompagné de ses deux enfants. Quelques mois plus tard, il écrira que «le Guatemala continue à n'être une patrie pour personne, c'est le pays de l'impunité, de la mort et de la désolation».

De retour dans son pays à l'automne de 1990, afin de témoigner auprès de la cour de justice instruisant l'affaire, Byron Barrera déclare qu'il a la conviction que des militaires ont été impliqués dans cette tentative d'assassinat.

Des journalistes reçoivent alors des menaces anonymes les avertissant de cesser tout reportage sur cette affaire ainsi que sur tout cas présumé d'atteinte aux droits de la personne par des membres des forces publiques. Par ailleurs, les deux avocats mandatés par Barrera se désistent après avoir été victimes d'un même chantage.

Personne ne payera donc jamais pour le meurtre de la femme de ce journaliste épris de justice et de vérité [12].

La traite des Noirs

Au début du 16e siècle, les Européens débarquent en Amérique et, petit à petit, détruisent les empires aztèque et inca. La population indienne est forcée de travailler dans les mines d'or et d'argent ou dans les plantations. Une partie de la population indienne périt de la faim ou de mauvais traitements.

Les Européens se tournent alors vers l'Afrique pour y recruter la main-d'œuvre dont ils ont besoin. Ainsi commence la traite des esclaves noirs.

Mes frères et mes sœurs furent vendus en premier, l'un après l'autre, pendant que ma mère, paralysée par le chagrin, me tenait la main. Son tour vint et elle fut achetée par Isaac Riley du comté de Montgomery. Puis ce fut moi qu'on offrit aux acheteurs assemblés. Je devais avoir entre cinq et six ans.

Josiah Henson [13]

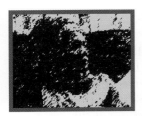

Les esclaves veulent recouvrer la liberté, mais la peur des punitions les empêche de s'évader. Ce type d'esclavage est plus honteux encore que celui qui avait cours dans l'Antiquité puisqu'il repose sur le racisme.

En 1793, l'esclave Toussaint-Louverture, né à Saint-Domingue, joint les rangs du mouvement de révolte des esclaves. Il organise des armées composées d'anciens esclaves qui parviennent à résister aux Anglais et aux Espagnols. Il est fait prisonnier en 1802 et meurt en prison en 1803.

Victor Schœlcher (1804-1893) dénonce l'inhumanité de l'esclavage. En 1848, il prépare le décret d'abolition de l'esclavage dans les colonies françaises, décret qui sera rejeté par l'empereur Napoléon III. Victor Schœlcher doit s'exiler.

L'esclavage est interdit en principe, comme en fait foi la *Déclaration universelle des droits de l'homme* de 1948. Mais l'esclavage continue d'être pratiqué sous diverses formes et le racisme fait encore des victimes.

La liberté syndicale

Avec la révolution industrielle du 19ᵉ siècle, on voit se former les sociétés de secours mutuel qui ont pour but d'aider les travailleurs et les travailleuses en difficulté. Pour ce faire, chaque travailleur verse une cotisation et participe à la caisse de retraite. Mais ces organismes deviennent bientôt insuffisants pour régler les problèmes. C'est le début du mouvement syndical.

Lech Walesa est devenu, dans son pays et dans le monde, une figure importante dans le domaine syndical. Ce travailleur polonais est élu à la tête du syndicat libre appelé Solidarnosc, mot qui traduit une volonté de solidarité avec le patronat et avec les travailleurs et les travailleuses. Il a reçu le prix Nobel de la paix en 1983.

La condition féminine

Les femmes constituent la moitié de la population mondiale, mais sont souvent victimes de discrimination. L'histoire en fournit un indice : la *Déclaration des droits de l'homme et du citoyen* de 1789 ne consacre pas un seul mot à la condition féminine. Au fil des années, le mouvement féministe va progresser. Les mouvements syndicaux vont aider la cause des femmes. Après la Seconde Guerre mondiale, et même si le principe de l'égalité est accepté, l'inégalité persiste dans les faits.

En 1979, les Nations unies adoptent une convention visant à éliminer toutes les formes de discrimination envers les femmes. Cependant, cette convention n'est signée que par le tiers des pays membres. Encore aujourd'hui, les femmes sont souvent moins bien payées que les hommes pour le même travail.

Au Québec, les noms de Thérèse Casgrain et de Simonne Monet-Chartrand sont à retenir. Elles soulignent l'importance du travail à la maison et des rôles d'épouse et de mère. De plus, elles réclament ce qui est équitable pour les femmes.

Totalitarisme et racisme

Les atrocités commises durant la Seconde Guerre mondiale montrent comment les libertés, si difficilement acquises, peuvent s'effondrer. Dans un premier temps, les Juifs et les Juives sont forcés de porter l'étoile jaune pour les distinguer des autres. Ensuite, on leur interdit d'entrer dans les lieux publics et d'occuper des postes gouvernementaux. Leurs biens leur sont confisqués et finalement on les extermine, simplement parce qu'ils et elles sont juifs. On appelle ce massacre d'un peuple un génocide. C'est le crime le plus grave, puisque c'est la négation du droit à la vie de tout un peuple.

On ne peut pas oublier la lutte acharnée de Martin Luther King contre le racisme à l'endroit des Noirs. En Afrique du Sud, il y a une politique raciale connue sous le nom d'apartheid, mot qui signifie séparation. Concrètement, c'est la domination des Blancs qui, bien qu'ils et elles soient en moins grand nombre, ont le monopole du pouvoir politique, économique, social et culturel. Mgr Tutu et Nelson Mandela luttent quotidiennement pour l'égalité des Noirs et des Blancs au risque de leur vie.

Confidentiel...

- D'après tes observations, quelles libertés reste-t-il à conquérir dans notre société? Donne des exemples.
- Pour laquelle des libertés aurais-tu lutté? Dis pourquoi.

Le bonheur [...] inclut cette lucidité sur les tragédies de l'humanité et il s'efforce de préparer, même modestement, un avenir meilleur [14].

La conquête de la liberté

Tous les jours, des personnes comme vous et moi cherchent à se libérer. Et c'est dans leur vie quotidienne qu'elles travaillent à s'émanciper de diverses contraintes pour devenir de plus en plus libres. Elles le font à leur manière et leur histoire est traversée par des doutes et des questionnements, des réussites et des échecs, des instants de bonheur et de tristesse.

Quels que soient notre âge ou notre culture, nous avons le même défi à relever : faire des choix qui favorisent notre épanouissement et qui contribuent à rendre le monde plus humain. À partir des éléments de contenu et des témoignages, dites si toutes les manières de vivre la liberté permettent à la personne de s'épanouir.

Des chaînes à briser

Comment arriver à faire des choix libres quand quelque chose nous retient, nous empêche de contrôler notre vie? La nature des chaînes varie d'une personne à l'autre : certaines s'enracinent dans l'enfance alors que d'autres se fabriquent plus tardivement.

Dans l'histoire des peuples comme dans l'histoire des individus, la liberté est une conquête qui se fait à coup de libérations plus ou moins lentes, plus ou moins faciles, mais toujours nécessaires. Quelles sont les chaînes à briser? Comment les briser?

Les pièges de la société de consommation

La publicité crée sans cesse de nouveaux besoins : le dernier disque, le vêtement à la mode, le gadget dont tout le monde parle. L'envie de les obtenir nous gagne, comme si tous ces biens étaient nécessaires à notre bonheur. La publicité exerce une influence jusque dans le domaine des valeurs (l'argent, le prestige, l'efficacité sont aujourd'hui bien cotés) et peut nous faire perdre tout sens critique : soucieux ou soucieuse de l'opinion des autres, on s'y conforme et on se laisse emporter par le courant sans trop y penser. La chaîne des séductions créées par la société de consommation ne peut être brisée que par une conscience toujours en éveil qui permet à la personne de jeter un regard lucide sur la réalité, de juger de la valeur d'une chose à la lumière des informations reçues et de choisir en toute connaissance de cause. La conscience nous permet de garder une distance critique et de prendre nos propres décisions.

Comme le dit le moraliste Rey-Mermet, l'autonomie de la conscience droite est synonyme de parfaite liberté. Grâce à sa conscience, la personne peut assumer sa liberté, c'est-à-dire accepter les conséquences de ses choix et rester un être libre plutôt qu'un être à la remorque des décisions des autres.

La peur de ne pas être assez beau ou assez belle

Suis-je laid? Suis-je belle? Cette inquiétude est réelle et, d'un regard sévère, nous interrogeons le miroir. La mode sait comment nous séduire et mise sur des désirs tels le succès, l'estime de soi et le jugement des autres. Quand le miroir nous renvoie une image négative de nous-même, la peur peut s'installer et faire des ravages. On n'ose plus être soi-même et on développe certains moyens de défense : pour se cacher et se protéger, on cherche un «look» qui se rapproche de l'image qu'on se fait de soi-même ou de ce qu'on voudrait être. Cette recherche n'est pas sans provoquer une souffrance intérieure : doute de soi, besoin de l'approbation des autres, sentiment d'insécurité, entre autres. Michèle exprime bien ce malaise, elle qui ne rencontre pas les critères de minceur établis par la société de consommation.

J'ai souvent senti en moi la peur d'être laide, de ne pas plaire, l'angoisse de rester seule, de ne jamais être reconnue pour moi-même. J'ai souvent eu honte d'être comme je suis depuis le jour où j'ai reçu [...] le surnom de «Bouboule»!
Être grosse, c'est concrètement abominable; ça te donne un souffle court, ça te coupe tous tes élans, ça t'enferme en toi-même, parce que tu te sens anormale, inférieure, rejetée.
Cette impression de se sentir «pas comme les autres» nuit à toutes les relations. Tu es constamment sur la défensive, tu n'oses pas acheter des vêtements car tu as peur de te heurter aux sourires en coin, à l'étonnement des vendeuses, à une froide indifférence [15].

La peur d'être soi-même

Derrière la peur de ne pas être assez beau ou assez belle dort une peur plus profonde, plus dramatique et réelle à tous les âges de la vie : la peur de ne pas être aimé et de ne pas être aimable. On bâtit des murs autour de soi pour se protéger des autres ou pour éviter de dévoiler ses sentiments et sa vulnérabilité. Le risque d'être vrai est beaucoup trop grand : nos valeurs, nos opinions ou notre passé pourraient peut-être décevoir les autres... la peur nous fait alors garder le silence. Dans les parties, on a l'air de s'amuser : on parle aux autres parce qu'on est sociable, mais pas pour se faire connaître.

Micheline, aujourd'hui psychologue, a eu cette même peur et a rencontré des difficultés semblables. Malade depuis sa petite enfance et handicapée, il lui a fallu beaucoup de temps pour arrêter de se mentir et exprimer ses sentiments. Le cheminement de Micheline n'est pas le vôtre, mais briser la chaîne de la peur exige de chacun et chacune le même travail intérieur, celui de faire la vérité malgré la douleur que cela peut causer. C'est ce que Micheline a accepté de faire pour devenir libre intérieurement...

Je vis longtemps en niant le fait que je suis malade, infirme, handicapée. Je refuse de me laisser arrêter par la maladie; je refuse, jusqu'à la limite du possible, d'en tenir compte. Je refuse que les autres y fassent allusion, même indirectement en m'offrant de l'aide. Je refuse le plus possible de me laisser affecter par elle ou de le laisser paraître.

Longtemps je nie, je cache la douleur. Je sens toujours le besoin de la camoufler, de réduire son importance. Petite, pour ne pas affliger mes parents, pour ne pas me faire traiter de braillarde ou de plaignarde par mes frères. Mais je la cache alors, surtout, pour la même raison qui me rend difficile encore aujourd'hui de la dire. Déjà, intuitivement, alors que je suis enfant, je sais que les gens ont une peur effroyable de la douleur, de la leur, de celle des autres, de la mienne. [...]

J'ai tendance à rassurer mon entourage : «Ça ne va pas si mal, ça va mieux, ce n'est pas grave, ça va.» Je rentre à l'hôpital comme quelqu'un qui part en voyage. Je fais mes valises, je dis aux gens de ma famille : «Je vous appellerai pour vous donner le numéro de la chambre.» Je prends un taxi. Une routine; il n'y a rien là. Au besoin, je mens. Pour ne pas faire peur, pour ne pas éloigner. [...]

Je me sens prisonnière. Prisonnière à l'extérieur de moi. Incapable de me glisser en moi. Prisonnière à l'intérieur de moi. Incapable de franchir un mur impénétrable.

C'est Vincent, le premier, qui entend mon cri. C'est lui qui m'aide à fissurer le mur.

C'est lui qui entend ma tristesse et ma détresse, qui sait être à côté de moi à ces moments-là, qui m'aide à les vivre. Il est un des premiers à ne pas croire à mon masque du tout-va-bien et à le dénoncer. C'est avec lui que je comprends combien ce masque peut garder à distance et renforcer le mur [16].

Le fatalisme

On est comme on est! Impossible de changer quoi que soit! Serions-nous «déterminés» ou pouvons-nous prendre des décisions qui orientent l'avenir? Pouvons-nous nous libérer de certains conditionnements venant de notre famille et de notre milieu social? Y a-t-il quelque chose qui nous force à suivre le même chemin que nos parents, à répéter leurs erreurs, à choisir les mêmes valeurs?

Je suis contre le fatalisme. C'est trop facile, à mon avis, de croire que tout est écrit d'avance. C'est exact que j'ai des limites qui viennent de mon tempérament, de mon caractère, de mon histoire personnelle, du milieu où je vis. Mais, à y réfléchir, je crois que je suis capable de changement. Après avoir fait quelque chose avec les autres, ce n'est plus pareil. C'est surtout avec eux que j'ai mieux découvert mes possibilités. Du moins un peu. On se découvre, on connaît davantage le positif en soi et chez les autres. Ce n'est pas pour autant que l'on va changer le monde en quelques minutes, car les problèmes nous dépassent. Quand on voit trop grand, on se casse la figure! Comme dit un copain : «Une petite action réussie vaut mieux qu'un grand projet loupé.» Bien d'accord avec lui, il y a un risque à courir.

Bruno [17]

Lech Walesa, qui a mis sur pied le syndicat Solidarité en Pologne, donne raison à Bruno. Walesa a agi parce qu'il croyait pouvoir changer le cours des choses et créer avec ses confrères et consœurs un nouvel ordre social. La chaîne du fatalisme s'est brisée.

La responsabilité et la liberté sont étroitement liées : être libre, c'est assumer les conséquences de ses choix et répondre de ses actes malgré les difficultés et les souffrances que cela pourrait entraîner. «Être homme, c'est précisément être responsable», dit Saint-Exupéry.

L'intolérance

Jacques Payette
Personnage appuyé sur le bras d'un fauteuil, 1992
Huile sur toile
165 cm x 214 cm
Michel Tétreault Art International

L'intolérance nous guette chaque fois qu'on ne comprend pas, chaque fois que l'autre nous dérange dans sa différence et remet en question notre façon de voir le monde. On se ferme, on juge, on met en boîte, on ridiculise au nom de la religion, de la race, de la culture ou de la classe sociale.

Nous pouvons nous aussi devenir victimes du jugement des autres qui nous enchaîne et nous empêche d'être nous-mêmes. Refuser la différence, c'est enlever à l'autre sa liberté, mais c'est en même temps se l'enlever à soi-même!

Par un jugement, nous refusons à quelqu'un sa liberté d'être et de changer. Nous voudrions le figer, c'est plus rassurant! Connaître à l'avance les réactions de son entourage, savoir toujours à quoi s'attendre, quelle sécurité! Et puis, quelle satisfaction, dans une situation inattendue, d'affirmer : «Je vous l'avais bien dit.»

Mais justement, l'homme n'est jamais totalement prévisible. Même dans une société de plus en plus technocratique, il ne se laisse pas mettre en boîte si facilement, il échappe à nos catégories. Sa réalité si complexe déborde nos modèles et suffit à démontrer qu'un homme n'est pas complètement «déterminé», quoi qu'on dise.

Pressentons-nous que l'autre ne correspond pas à notre opinion de lui et contredit nos schématisations? Aussitôt classé dans les inclassables, il est rejeté comme un gêneur, un marginal, un danger personnel ou public. Faute de pouvoir le faire disparaître, nous l'évacuons de notre horizon.

Malaise dans nos relations, qui peut déboucher sur un conflit. Car prévoir l'autre, ce n'est pas seulement une sécurité pour nous, c'est aussi une forme de puissance sur lui. Et un moyen d'étancher cette soif de puissance consiste justement à vouloir réduire autrui à sa caricature...

Derrière une phrase apparemment banale, apparaît toute notre inquiétude devant l'inconnu, l'étranger : celui qui remet en question nos habitudes, qui dérange notre confortable système de pensée, qui, sans rien faire, par sa seule présence, dénonce silencieusement nos préjugés.

En dernière analyse, c'est donc la peur d'un autrui différent de celui que nous imaginons qui va modeler nos comportements face à lui.

Schématisations, préjugés, barrières, solitude...

Une chaîne à briser.

René Gfeller [18]

L'esclavage de la possession

La société de consommation nous fait miroiter de multiples biens qu'on rêve de pouvoir posséder. Leur possession semble ouvrir une voie sûre vers la satisfaction et la sécurité, voire le bonheur. Et quand on ne réussit pas à les obtenir, on peut se sentir un peu diminué. L'argent, si nécessaire soit-il, peut-il devenir notre maître et orienter notre avenir?

L'esclavage de la possession peut aussi envahir le domaine des relations humaines. L'ami devient notre propriété, l'amie doit nous rendre des comptes. La jalousie, l'insécurité, le besoin d'exercer un certain pouvoir nous mettent sur nos gardes. On veut contrôler l'autre. On surveille, on épie, on enquête, on veut tout savoir. On agit comme si l'autre nous appartenait, comme si l'autre n'avait plus d'intimité, de terrain secret, de pensée personnelle. On le prive de sa liberté d'être et on devient soi-même esclave. Briser cette chaîne n'est en rien facile et exige un travail de vérité intérieure.

La dépendance

Toute forme de dépendance réduit la liberté. Dépendre, c'est remettre entre les mains de quelqu'un ou quelque chose la responsabilité de sa vie et de son bonheur. Il existe diverses formes de dépendance plus ou moins subtiles, plus ou moins envahissantes.

La **dépendance économique** réduit l'espace de la liberté. L'adulte qui dispose d'un salaire suffisant est plus libre que l'enfant ou la personne âgée qui vit sous le seuil de la pauvreté. Vous connaissez sans doute des jeunes qui dépendent de prêts et de bourses pour poursuivre leurs études. Rien n'est sûr et leur carrière risque parfois d'être compromise.

D'autres personnes perdent un emploi et vivent de graves inquiétudes : trouver un travail suffisamment rémunérateur, changer de logis, refuser des loisirs aux enfants, etc. Dépendre des autres sur le plan économique limite les projets et peut même les mettre en péril alors qu'un peu d'argent permet d'orienter sa vie à son goût et selon ses besoins. L'autonomie financière facilite l'exercice de la liberté.

Le fait de se laisser dominer par l'argent est aussi une forme de dépendance. Lorsque, par exemple, les avantages financiers deviennent le premier critère dans le choix d'une carrière plutôt que nos goûts et nos talents ou que des valeurs telles que la générosité, le partage et la santé sont sacrifiées parce qu'elles exercent une influence négative sur notre compte en banque. L'ambition de l'avoir peut envahir toute la vie et, subtilement, réduire l'espace de la liberté.

La **dépendance affective** fait que des personnes cherchent l'approbation des autres. D'où vient ce manque d'estime de soi? Est-ce à cause de problèmes familiaux, d'échecs, de relations difficiles? Il n'est pas toujours possible ou facile d'identifier les raisons qui expliquent ce besoin d'approbation. La dépendance affective fait qu'on perd toute distance critique face aux autres : on leur donne raison pour ne pas perdre leur estime; on s'appuie sur leur jugement pour prendre des décisions parfois fort importantes. Où se trouve alors notre marge de liberté? Comment est-il possible de faire des choix responsables?

La **dépendance intellectuelle**, qui se manifeste par un manque de connaissances, peut réduire l'exercice de la liberté. On dépend des autres pour comprendre et créer; on développe la peur de se tromper ou d'être dévalorisé; on accède à des emplois qui ne permettent pas à nos talents de se développer adéquatement.

Parfois, c'est la souffrance ou la douleur intérieure qui mettent sur le chemin de la **dépendance de certains moyens d'évasion**. On veut oublier, on veut vivre sans problèmes. L'abus des drogues, dures ou douces, est un de ces chemins.

[Les drogues] induisent une dépendance qui peut être plus ou moins forte. Avec les drogues dures, la dépendance est physique et très forte. Le corps est en manque et ce manque est si douloureux que l'on est prêt à tout pour le combler. Certains volent, d'autres vont jusqu'à tuer. Dans cet état, il n'y a plus de liens d'amitié ou de famille qui tiennent. On a besoin d'argent pour acheter de la drogue, on le prend où il est, on agresse qui en a, s'il le faut. C'est cela qui est dramatique dans la drogue : elle fait de vous un être qui n'a plus de liens véritables, sauf avec sa drogue.

Ce n'est plus humain de vivre comme cela. Avec les drogues douces, la dépendance est moins physique. Elle est surtout mentale. C'est une habitude très puissante dont on a du mal à se défaire. Mais l'habitude n'est-elle pas aussi une drogue? [...] Avec les drogues dures, attention : la dépendance arrive très vite et on se retrouve coincé comme les autres sans avoir eu le temps de s'en rendre compte. Cette réalité est bien connue des «dealers», qui commencent souvent au début par donner de la drogue aux adolescents pour presque rien jusqu'à ce qu'ils soient accrochés [19].

Confidentiel...

Laquelle des chaînes t'empêche d'être vraiment libre?

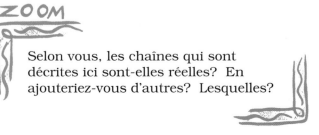

ZOOM

Selon vous, les chaînes qui sont décrites ici sont-elles réelles? En ajouteriez-vous d'autres? Lesquelles?

Les niveaux de la liberté

On pourrait penser tout d'abord que la liberté est simplement l'absence de toute contrainte, la possibilité de faire ce qu'on veut, comme on veut, quand on veut. Apparemment évidente, cette définition est en réalité très insatisfaisante. D'une part parce que, concrètement, nos limites sont multiples. D'autre part, et peut-être surtout, parce qu'elle ne tient pas suffisamment compte du fait essentiel que l'homme est un être conscient, un être de projet, doué du pouvoir de réflexion et responsable de son action.

De ce point de vue, être libre ne peut consister pour l'homme à se contenter de suivre ses instincts, ses impulsions ou ses désirs. Être réellement libre, c'est en réalité, pour lui, faire ce qu'il juge être le meilleur. Certes, ce «meilleur» est extrêmement variable selon les individus, selon les valeurs mises en avant par chacun, mais l'important ici est de remarquer que l'homme, sauf à avoir un comportement in- humain, non humain, ne peut renoncer à faire appel, dans ses choix, ses décisions et ses actions, à sa conscience, à sa réflexion, à sa responsabilité.

La liberté n'est donc pas pour nous synonyme de comportement capricieux, irréfléchi et, pour tout dire, irresponsable. La liberté est au contraire le fait pour l'homme d'agir en être doué de raison. C'est pour lui, en fonction des circonstances, des divers et multiples conditionnements qui sont les siens (éducation, histoire personnelle et collective, caractère, situation professionnelle et sociale, etc.) et des situations concrètes dans lesquelles il se trouve, le fait de faire des choix réalistes, conséquents et responsables [20].

On peut dégager divers niveaux de liberté.

1. Le **niveau physique** est celui de la capacité et de la possibilité d'agir. Les limites du corps humain varient selon chaque personne. Certaines font de l'escalade alors que d'autres, utilisant un fauteuil roulant ou ayant des vertiges, en sont incapables. La liberté consiste à prendre conscience de ses capacités et à les développer au maximum. On est libre quand on a non seulement la capacité d'agir, mais également la possibilité de le faire. Un prisonnier ou une prisonnière peut avoir les capacités de piloter un avion, mais en est empêché parce qu'il est en prison.

2. Le **niveau social** comporte différents aspects.

   – Aspect civique : les esclaves sont privés de liberté parce qu'ils et elles ne sont pas des citoyens.

   – Aspect politique : dans un régime dictatorial, les citoyens et citoyennes ne peuvent pas parler et faire valoir leurs opinions. Ils ne sont pas libres.

   – Aspect économique : les travailleurs et travailleuses dont le salaire est insuffisant pour leur permettre de vivre correctement ne sont pas libres.

3. Le **niveau moral** est caractérisé par la liberté de choix. Celui ou celle qui ne subit pas de contrainte intérieure, qui fait volontairement un acte et qui est capable de le justifier en s'appuyant sur certaines raisons ou certaines valeurs est libre. Walesa n'était contraint par personne de dénoncer l'exploitation qui prévalait dans son pays. Si on l'interrogeait aujourd'hui, il pourrait expliquer les raisons qui l'ont poussé à agir. La lecture de la biographie ou des écrits de Martin Luther King nous permet de dire qu'il a agi sans subir de contraintes et qu'il était poussé par le désir d'établir des conditions de vie plus justes.

La personne libre sur le plan moral «a la capacité de canaliser ses désirs les plus fous dans le sens de son projet. Comme le voilier qui sait utiliser des vents contraires pour avancer vers le port [21].»

Un quatrième niveau de la liberté, le **niveau théologal**, sera présenté au moment de l'étude biblique.

Si je commençais par me peigner... je n'aurais ensuite qu'à choisir ce qui va le mieux avec ma coiffure.

Qu'est-ce que je vais porter aujourd'hui?

Lissés avec du gel? Ébouriffés? Frisés? Sculptés? Au naturel?

Pas facile de faire des choix!

ZOOM

Expliquez en quoi consistent les trois niveaux de la liberté présentés.

Confidentiel...

À quel niveau de liberté es-tu rendu ou rendue? Si tu es au niveau moral, par quelles libérations as-tu dû passer pour y arriver?

L'espace de la liberté

Tous nos choix se valent-ils? Certains choix compromettent-ils notre recherche du bonheur? De quoi faut-il tenir compte avant de prendre une décision, avant de poser tel acte ou d'adopter telle attitude?

En vous référant aux capacités et aux besoins de la personne, décrivez les choix que quelqu'un peut faire et dégagez-en les conséquences. Vous pourrez ainsi mieux voir si toutes les manières d'exercer la liberté favorisent l'épanouissement de la personne.

L'interdépendance

C'est fou ce que je l'aime! Nous avons des intérêts communs, le tennis et le cinéma, mais surtout des valeurs qui se ressemblent. Les mêmes choses nous enragent et nous emballent. C'est bien, mais je dois faire attention à moi pour ne pas perdre ma liberté. C'est facile de se laisser envahir ou de chercher à dicter à l'autre sa conduite : tu devrais faire ceci ou cela, tu devrais travailler, t'habiller un peu mieux, oublier les autres amis, être plus énergique, avoir plus d'ambition, etc. C'est tellement facile d'exercer un pouvoir, de devenir le père ou la mère de l'autre, de prendre des décisions à sa place. Hier, je sentais que j'allais tomber dans le panneau malgré les conséquences qui peuvent en découler. Nous sommes ensemble, mais il me reste encore bien des choses à faire pour réaliser mes projets d'avenir et quelques-uns de mes rêves.

J'ai rencontré Dominique hier soir. Je ne voudrais pas être dans ses souliers! Claude lui a fait du chantage : si tu m'aimes, tu fais l'amour avec moi... Quelle belle manière de manipuler quelqu'un, de brimer sa liberté! Quelle que soit sa décision, j'ai l'impression que leur relation ne sera plus jamais la même. Si j'étais à sa place, je saurais très bien quoi faire, mais je sais qu'il n'est pas toujours facile de prendre une décision. La peur de perdre l'amour de l'autre peut parfois conduire une personne à se soumettre, à se laisser dominer, à perdre le contrôle de sa vie. J'en connais qui se ferment les yeux pour ne pas voir que l'autre triche et ment. J'espère ne jamais devoir renoncer à ce en quoi je crois le plus.

- À partir d'exemples, montrez quels choix il est possible de faire dans nos relations interpersonnelles et quelles en sont les conséquences.

- Selon vous, toutes les manières de vivre les uns avec les autres favorisent-elles l'épanouissement personnel?

Les jeunes parlent de liberté

Être libre, c'est pouvoir s'exprimer à sa façon et se différencier des autres.

Le développement de soi

L'avenir! Au moins cinq personnes m'ont demandé, aujourd'hui même, ce que j'avais l'intention de faire dans la vie. Comme si je le savais! Je dois penser à tout : à ce que j'aimerais faire, à ce que j'ai le talent de faire, au salaire que je pourrais obtenir, à mes chances de trouver du travail, etc. Je ne sais plus quoi choisir, mais j'ai décidé de m'ouvrir à toutes les possibilités, de ne fermer aucune porte. Je vais étudier comme jamais pour avoir les meilleures notes possibles. Mes résultats ont été très bons jusqu'à présent. J'ai l'impression d'être classée parmi les zélés, les gars et les filles super sérieux, mais ça ne me dérange pas trop. En tout cas, j'aime mieux travailler fort maintenant et ne pas être déçue plus tard! C'est mon choix. Par contre, Isabelle et Benoît ne s'en font pas du tout et leurs études passent en dernier.

La vie sociale, les sports et leur emploi de fin de semaine passent avant. Ils étudient la veille des examens et s'organisent même pour tricher quand c'est nécessaire. Ça m'enrage juste à y penser! Alors qu'ils devraient couler, ils réussissent à obtenir des notes convenables : la moyenne du groupe augmente faussement et mon écart avec la moyenne est moins intéressant. C'est injuste en grand! J'aimerais ça que le professeur les voie et leur donne le zéro qu'ils méritent.

Pour en revenir à mon avenir, je me demande pourquoi les gens me poussent vers une profession. J'ai des talents manuels évidents et il me semble que je serais heureuse dans un métier qui demande de la dextérité et de l'imagination. Je voudrais donc devenir libre de toutes les pressions pour choisir ce qui me convient. Plus facile à dire qu'à faire, n'est-ce pas?

Pourquoi étudier?
Même si je me force...

J'aime jouer du violon,
mais les concerts m'énervent.
Ça me rend malade, mais
mes parents ne veulent pas
que j'abandonne.

Je suis capable.
Je vais me forcer.
Je veux y arriver.

ZOOM

Face à votre avenir, quels sont les choix que vous pouvez faire maintenant et quelles en sont les conséquences à court et à long terme?

L'autonomie

Pour la première fois de ma vie, je travaille et mon salaire est convenable. Quand j'ai reçu mon chèque, j'ai eu un sentiment de fierté incroyable. Mon argent à moi, l'argent que je venais de gagner avec mes efforts. J'attendais ce jour-là avec impatience et je me promettais d'aller au magasin et de m'acheter tout ce que je pouvais me permettre.

Mais c'est drôle ce qui m'est arrivé : je trouvais que j'avais trop sué pour le dépenser en deux heures. Mes parents avaient l'air de se dire que je commençais à comprendre le prix de l'argent, celui de la persévérance, de l'initiative, de l'effort, du goût de réussir. Finalement, c'est mon livret de banque qui a hérité de mon chèque! Je verrai plus tard, c'est à moi de décider de ce que je veux en faire. J'ai bien des dépenses en vue : cadeaux, études, cinéma, restaurant avec Josée, etc. J'ai des choix à faire... je suis riche, mais pas millionnaire!

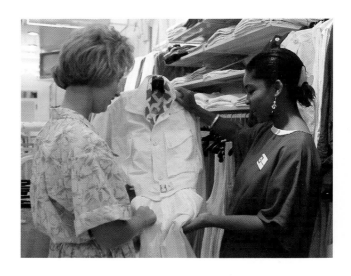

L'argent me donne une certaine liberté. Je n'ai plus besoin d'en demander à mes parents pour m'acheter les vêtements et les disques dont j'ai besoin. J'ai l'impression de prendre ma vie en mains. Mais en même temps, je sens que l'ambition peut me gagner : avoir toujours plus d'argent, négliger mes autres engagements, tout garder pour moi. On dirait une roue qui ne s'arrête pas de tourner, comme si l'argent me conférait un certain pouvoir : pouvoir de décision, d'indépendance vis-à-vis de ma famille, de domination sur mes amis, de prestige. Si l'argent me rend libre, je dois faire attention de ne pas me laisser conduire par lui. Je connais des gens tellement ambitieux qu'ils sont capables d'être malhonnêtes pour en avoir plus.

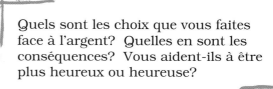

ZOOM

Quels sont les choix que vous faites face à l'argent? Quelles en sont les conséquences? Vous aident-ils à être plus heureux ou heureuse?

La santé

Pratiquer un sport fait maintenant partie de nos habitudes. Il suffit d'interroger des jeunes des écoles primaires et secondaires pour voir que la pratique du hockey, du tennis, de la natation, du vélo et autres sports est considérée comme une priorité. On ramasse son argent pour s'inscrire dans une équipe ou pour s'acheter les équipements qui conviennent. Certains et certaines rêvent de devenir des vedettes ou des héros et se plient à des séances d'entraînement qui exigent beaucoup de détermination et de renoncement. On soigne son alimentation en fonction de telle et telle performance. Les bienfaits qui résultent de la pratique des sports sont partout reconnus : discipline, rigueur, développement de la confiance en soi, concentration, esprit d'équipe, détermination, responsabilité, etc. Lors des Jeux olympiques de Barcelone, en juillet 1992, on a pu entendre de jeunes athlètes raconter leur routine quotidienne. «Plus vite, plus haut, plus fort» semble devenir leur devise. Des questions se posent : Qu'est-ce que je recherche dans le sport? La détente, la valorisation, la fuite, une satisfaction personnelle, le dépassement de soi, des amitiés? Jusqu'où aller et quand m'arrêter pour ne pas nuire à ma santé? Pendant combien d'heures puis-je m'entraîner sans risquer de m'épuiser, sans nuire à ma vie scolaire et à ma vie sociale? J'ai des choix à faire, une liberté à préserver.

J'ai deux kilos à perdre!
Pour dîner je vais me contenter
de deux petits biscuits.

Une heure d'exercice!
J'en ai besoin en grand!

ZOOM

En ce qui a trait à votre santé, quels sont les choix que vous pouvez faire maintenant et quelles en sont les conséquences à court et à long terme?

La vie en société

Iberville, le 1er juin 1992

Dans ma vie, la liberté et la responsabilité ont été mes lignes directrices. Depuis mes dix-sept ans, âge où j'ai obtenu mon diplôme du pensionnat et où je fus dirigeante locale du mouvement de l'Action catholique étudiante, je me suis toujours impliquée socialement et ce, dans tous les domaines de la vie en société. Je l'ai fait et je continue de le faire, poussée par ma conscience morale. Pour votre réflexion sur le thème de la liberté, j'ai pensé vous faire revenir en arrière avec moi quand j'avais dix-sept ans environ. Comparez mes idées jeunes de cinquante ans avec les vôtres à l'aide de quelques questions : En quoi nous ressemblons-nous? En quoi nous distinguons-nous? Êtes-vous d'accord avec mes propos sur la liberté?

Simonne Monet-Chartrand

Belœil, le 30 juillet 1936

Tous les adultes jugent les opinions, les actions des jeunes en se référant à leur expérience, celle de leur propre jeunesse vécue dans le sens de la tradition. «Crois-en mon expérience.» Ils aimeraient que leurs enfants en tiennent compte, qu'ils apprécient leurs succès, leur réussite personnelle ou professionnelle. Ils veulent éviter aux jeunes de faire des erreurs dues à leur idéalisme ou à leur inexpérience. Ils ont de bonnes intentions, mais pour nous les jeunes, l'expérience à prendre a surtout le sens d'invention, d'expérimentation de nouveaux rôles à jouer, de charges et de responsabilités nouvelles à prendre des risques, relever le défi d'être pris ou non au sérieux. Nous voulons établir de nouvelles relations avec les parents, les professeurs, les prêtres plus évolués, avec les personnes plus compréhensives des responsabilités que prennent des jeunes qui croient à l'importance de la vie de groupe.

L'expression «Crois-en mon expérience» m'agace. Selon moi, l'expérience valable consiste en sa propre expérimentation, en sa propre prise en charge avec d'autres personnes, jeunes et adultes qui croient au même idéal, qui ont les mêmes objectifs. Une marge d'autonomie personnelle est essentielle aux jeunes pour bien accomplir «leur devoir d'État» et prendre des responsabilités sociales.

Simonne

Confidentiel...

En tenant compte des circonstances actuelles de ta vie, quelles décisions devrais-tu prendre pour mieux diriger ta vie?

Je vais juste déclarer le minimum. Personne ne va savoir et je vais retirer de l'aide sociale.

Parmi ces réflexions, choisissez trois manières de vivre la liberté. Quelles conséquences en découlent?

Je l'ai cassé... mais c'était de la mauvaise qualité! Personne ne m'a vu, pas besoin de le dire!

Je vais réparer ce qui paraît pour avoir le meilleur prix possible. Quant au reste, les gens vont bien s'en rendre compte un jour.

Je vais te faire une fausse carte. Tu pourras entrer au bar ce soir.

Je suis capable de conduire. Ce ne sont pas quelques petits verres qui peuvent brouiller mes facultés!

On devrait se marier pour avoir des bourses. On fait semblant, c'est tout!

Défendu? Je m'en fiche!

Voler de l'argent à ses parents, ce n'est pas grave. Ils n'en manquent pas.

Je vais rapporter le chandail au magasin. Pas besoin de leur dire que je l'ai lavé à l'eau trop chaude. Je vais en avoir un neuf!

Je n'ai pas d'enfants... Qu'on ne vienne pas me demander de l'argent pour le transport scolaire. Qu'ils s'arrangent!

Non, ce n'est pas moi. C'est peut-être Éric, j'étais avec lui. Il faut bien sauver sa peau. Il se débrouillera comme moi.

La loi, ce n'est pas important. Le plus fort l'emporte!

Je pourrais prendre sa défense, mais les risques sont trop grands.

Je trouve qu'avant d'aider les gens du Soudan ou d'Amérique latine, il faut commencer par bien vivre soi-même.

Les nouvelles, les journaux, ça ne m'intéresse pas. Ici, tout va bien, c'est le principal.

Devenons solidaires! J'y crois, c'est la survie de la planète qui en dépend!

Problèmes à résoudre

1. Ta sœur a laissé son journal intime sur sa table de travail. Le lis-tu? Pourquoi?

2. Tu magasines avec quelques amis. Tu aperçois X prendre un objet et le mettre dans son sac. Que fais-tu? Pourquoi?

3. Tes parents veulent que tu poursuives des études «supérieures» de piano, mais tu préférerais faire autre chose. Tu te présentes aux examens d'admission du Conservatoire. Fais-tu de ton mieux? Pourquoi?

Je vais aller voter, mais je ne sais ni pour qui ni pour quoi. Je vais me fier à l'opinion des gens du bureau.

Du rêve à la réalité

Être libre ne signifie pas posséder toutes les libertés imaginables et inimaginables. Et avoir toutes les libertés ne fait pas nécessairement de nous une personne libre. La liberté est une conquête qui se fait à travers des libérations, des échecs, des réussites, des tensions, des choix quotidiens qui ont des conséquences parfois inattendues. Être libre, n'est-ce pas arriver à obtenir, pour chaque situation vécue, chaque engagement pris dans des circonstances particulières, les conditions pour agir librement, c'est-à-dire sans contraintes intérieure et extérieure?

La liberté est une conquête comme en font foi des hommes et des femmes d'aujourd'hui. À partir de leurs témoignages, vous pourrez mieux expliquer si toutes les manières de vivre la liberté favorisent l'épanouissement de la personne.

ENTRE QUATRE MURS

Si la liberté est une chose importante, c'est qu'elle est intimement liée au bonheur. Avant de prétendre au bonheur, il importe de se libérer... de soi.

Durant toute ma vie, je n'ai voulu qu'une chose, je n'ai poursuivi qu'un seul objectif, je n'ai nourri qu'un seul idéal : le bonheur!

Parce que je n'ai pas toujours su ce que cela signifiait, parce que je n'ai pas toujours su quels moyens utiliser pour l'atteindre, parce que je n'ai pas su conquérir ma liberté, j'ai commis les pires bêtises et les pires erreurs.

Heureusement, il n'est jamais trop tard...

J'ai longtemps associé la liberté à l'argent, au pouvoir et au plaisir. J'ai cru que le bonheur m'attendait dans cette avenue et j'y ai consacré toutes mes énergies.

La machine fonctionnait à plein régime. Toute cette puissance que je développais de jour en jour ne m'apportait décidément pas le bonheur. J'avais assouvi l'essentiel de mes ambitions, il ne restait alors qu'à satisfaire tous mes caprices. C'était certainement là que le bonheur m'attendait.

À l'été 1977, je me procurais ma première Corvette. Ce fut le début d'une grande opération «liberté».

Les poches bourrées d'argent, je dépensais sans compter le fruit de mes transactions, qui n'avaient de légales que le nom. Tous mes désirs se réalisaient sur-le-champ : trois ou quatre soupers hebdomadaires à cent dollars chacun; une chaîne stéréo de cinq mille dollars; une motocyclette tout-terrain que je ne trouvai pas suffisamment excitante et que je remplaçai par la plus puissante sur le marché, au bout d'un mois; un équipement de ski professionnel! Un voyage à Nassau, un voyage à Miami, un troisième aux îles Hawaï, des bagues à diamants de grande valeur, une montre en or quatorze carats. Un chalet, quelques terrains, tout ce qui se vendait, tout ce qui me passait par la tête.

Les semaines se succédaient au rythme de mes folies. La satisfaction de tous mes caprices me procurait des jouissances qui s'estompaient dès leur réalisation. Il me fallait répéter sans cesse de nouvelles expériences pour démontrer aux gens que j'étais libre et heureux. Dans le fond, le vide grandissait en moi et je ne trouvais plus le sens de ma vie.

Je me sentais de plus en plus seul dans ce tourbillon qui me projetait dans l'univers matérialiste. Même Lyne, mon épouse, devint un fardeau, un boulet qui m'empêchait d'évoluer librement. Elle ne me reconnaissait plus; elle avait épousé un jeune homme rempli de bonne volonté, elle vivait maintenant avec un ogre affamé de plaisirs matériels. Elle ne parvenait plus à me protéger de la solitude que je craignais depuis mon enfance.

Je sentis le besoin de m'entourer d'une foule d'amis ou, plutôt, d'une foule de visages que j'entretenais fort bien, en échange de quelques instants de repos dans ma chute vers l'abîme. Parmi ces visages, il y eut de nombreuses femmes qui semblaient en mesure de m'offrir ce que je ne trouvais plus chez Lyne.

La séparation s'imposa. Lyne ne la voulait pas. Elle conservait l'espoir de voir ce cauchemar prendre fin un jour. Elle m'avait connu humain, elle me supporterait esclave de la machine sociale. Elle espérait que l'équilibre reviendrait dans ma vie. J'exigeai la séparation. Je partis.

«Aime ton prochain comme toi même», dit la Bible. C'est exactement ce qui se produisait. Inconsciemment, je me détestais, que pouvais-je donc offrir aux autres? Le mur que j'avais érigé autour de mon existence était d'une telle épaisseur que je ne voyais rien du mal que je faisais. Je devais projeter une apparence de puissance extraordinaire pour dissimuler toutes les faiblesses et l'angoisse qui me rongeaient. Je réinventai l'égoïsme. Le monde se mit à tourner en fonction de moi seul.

La loi ne visait qu'à défendre mes propres intérêts. Je voulais posséder les gens comme je possédais les choses. Je devins plus dur encore en affaires. Malgré la réalité lamentable, je persistais à croire que le bonheur se trouvait dans la jouissance des biens matériels. Pourtant, plus j'en accumulais, moins je me sentais libre et heureux. Évidemment, chacune de mes extravagances faisait naître en moi un paradis artificiel, au même titre que l'alcool excite l'homme malheureux. Ces paradis sont plus volatiles que l'éther et ne laissent que des réveils douloureux, comme l'alcool.

L'argent perdit toute valeur à mes yeux. Dépenses de cent, mille ou cinq mille dollars, c'était du pareil au même; je n'avais qu'à puiser dans mes goussets remplis aux dépens des pauvres malheureux qui avaient croisé ma route.

N'ayant plus aucune émanation intérieure, je cherchais à offrir une image respirant la joie de vivre, alors que j'étais devenu esclave de la machine fabriquée de mes propres mains. Et cette machine, elle demandait toujours davantage. Je ne respectais plus rien ni personne.

L'univers devait m'appartenir, tant pis pour ceux qui tenteraient d'entraver ma course effrénée. Il n'y avait plus ni Dieu ni Diable, ni bien ni mal.

Après tant d'années, je finis par croire que le seul bonheur permis sur cette terre consistait dans ces minables paradis artificiels et j'y aurais probablement noyé le reste de mon existence s'il n'y avait eu un 4 septembre 1978 dans l'histoire de ma vie.

Après une tumultueuse et brève carrière juridique au sein du Barreau de la province de Québec, je me suis finalement retrouvé derrière les barreaux pour une très longue période, soit à perpétuité avec possibilité de remise en liberté après avoir purgé vingt ans de ma peine. D'ailleurs, durant les premières années, je croyais en mon for intérieur qu'il s'agissait d'une véritable «peine» et je la purgeais comme il se doit, c'est-à-dire dans un état de désespoir total.

Au cours de mon noviciat carcéral, j'ai crié à l'injustice, je me suis révolté contre la réalité, j'ai combattu pour la défense de mes illusions, de mes chimères, de mes fantômes. Je refusais de vivre privé de ma liberté... sans savoir ce qu'elle était vraiment.

Tout était prétexte à mon désespoir. Je gueulais contre la nourriture dont le goût n'avait rien de commun avec les bons petits plats auxquels ma mère et, plus tard, mon épouse m'avaient habitué. Je pestais contre l'impersonnalité et la simplicité de l'habillement, parce que je n'avais en tête que le souvenir de l'avocat bien mis, tiré à quatre épingles. Les clôtures, les murs de béton m'oppressaient; je ne voyais pas l'espace dont je disposais, trop obsédé

par les grandes étendues de mon pays saguenéen. Je me croyais mortellement blessé par cette condamnation qui m'avait violemment rejeté de la société, brisant en mille miettes ma carrière, ma réputation, mon statut social, ma vie... Prisonnier, je n'avais plus aucune raison de vivre.

Avec le temps, j'ai dû faire face à une situation embarrassante. Je suffoquais toujours, mais je ne mourais jamais. L'affliction et le désespoir ne cessaient de m'écraser, de me rendre la vie impossible, sans pour autant me l'enlever. La souffrance morale non encore assumée relègue les anciennes tortures au rang de béatitudes. Elle massacre impitoyablement la pensée, l'intelligence, l'esprit, pendant que le cœur oppressé continue de battre au creux d'une poitrine écrasée.

J'aurais tant voulu qu'il s'arrête ce cœur, qu'il me libère de l'existence. Mais non, il continuait inlassablement son travail, fermement décidé à me garder en vie malgré moi. Quand ma résistance atteignait sa limite, je me jetais résolument dans une grève de la faim destinée à rendre mon corps aussi malade que ma tête, à me tuer même.

Encore là, la vie se moquait de moi. Au bout de quelques jours, ma grève de la faim se transformait en un jeûne salutaire et réparateur. Mon corps profitait d'un repos bienfaisant et, en même temps, le calme et la paix s'installaient en moi. Tout doucement, je reprenais contact avec la réalité. Je m'habituais au goût différent des aliments; cinq jours de jeûne améliorent le goût de n'importe quoi. Je sentais à quel point il était absurde d'accorder tant d'importance à la tenue vestimentaire, et mes yeux s'ouvraient à toutes les possibilités du monde carcéral. La réduction de l'espace physique n'entravait plus ma liberté. Il m'arrivait même de prendre goût à cette vie débarrassée de la pression et du stress suscités par les obligations sociales.

Vingt-cinq ans de conditionnement ne sauraient tout de même lâcher prise aussi facilement! La peur revenait frapper à ma porte, et je m'empressais d'ouvrir. La peur de l'inconnu, la peur de ces nouveaux sentiments de bien-être éprouvés au fond de ma cellule, la peur de courir vers une nouvelle

désillusion, tout cela me forçait à revenir en arrière, à fuir la réalité pour m'accrocher à cette souffrance que je connaissais bien, avec laquelle je cohabitais depuis si longtemps. Je retournais donc docilement à mes tourments et, plutôt que de profiter de tout ce temps dont on dispose en prison, je m'ennuyais et ressassais tous mes «beaux souvenirs passés». Dans ma tête, je reprenais le volant de mes voitures sports, je sautais dans l'avion pour Miami, Nassau ou n'importe quelle île des Caraïbes, je dînais dans les plus chics restaurants, toujours accompagné de jolies femmes, je courais les discothèques; je pressais tout le jus de mon passé, de ce passé qui ne m'avait pourtant apporté que du malheur.

Cette vaine tentative d'évasion me ramenait tout droit au bord du suicide, puis au jeûne, et enfin à quelques jours de repos et de paix. La spirale tournait, tournait, tournait. Chaque fois, cependant, l'arc de cercle s'agrandissait, de sorte que mes moments de sérénité se voulaient plus intenses et plus fréquents.

J'ai fini par comprendre que le seul et unique espoir de survie qui s'offrait encore à moi était de plonger vers l'intérieur de mon être.

Dès cet instant, j'ai pris la résolution de ne plus chercher à dénigrer le monde et de porter mes énergies sur le seul être vivant qui soit sous mon contrôle : moi-même. Évidemment, avant que cette timide résolution ne devienne une décision ferme et librement acceptée, il y eut de nombreuses chutes, de plus nombreuses rechutes encore, mais par la force de l'amour nouvellement découvert, je me suis toujours relevé plus fort, plus convaincu que jamais de la justesse de ma nouvelle orientation.

En cours de route, je me suis surpris à méditer une réflexion quelque peu spéciale. Je me disais alors : «Michel, si tu ne parviens pas à trouver le bonheur en prison, tu ne le trouveras jamais, où que tu sois dans le monde.» Je me suis tout d'abord révolté contre une telle aberration.

Comment pouvais-je raisonnablement croire que le cachot et ses misères m'ouvriraient les portes d'une vie nouvelle ou, à tout le moins, m'offriraient une nouvelle approche de la vie? En dépit de mes efforts

pour me délivrer de cette réflexion que je jugeais insensée, sa présence se faisait plus insistante et elle gagnait du terrain sur ma résistance. Finalement, je dus me rendre à l'évidence : il me fallait relever ce défi. C'était là un combat de taille. Je ne possédais pas la certitude que la victoire me sourirait un jour, mais je n'entretenais aucun doute quant à la puissance de l'instinct qui me poussait à l'action.

J'ai décidé de tenter l'expérience.

À partir de cet instant, l'évolution de ma vie a trouvé une vitesse de croisière impressionnante; la progression n'a jamais cessé jusqu'au jour où, à mon grand étonnement, j'ai définitivement basculé du côté du bonheur. Pas un bonheur béat, du genre «tout est beau, tout est gentil»; c'est la vie dans son intégralité qui est devenue belle, avec ses joies et ses peines, avec ses plaisirs et ses douleurs, avec ses dépôts et ses retraits.

Quand on vit réellement dans l'instant présent, au cœur de la réalité, le bonheur va de soi. Nos pensées, nos actions acquièrent leur véritable autonomie et nous mènent inéluctablement vers la liberté. Nous cessons de répéter; nous créons, nous inventons, nous innovons.

Parti avec l'espoir fragile de me libérer de ma geôle, je me suis un jour retrouvé affranchi de toutes les prisons qui hantaient mon existence. J'ai donc pris conscience de mes véritables besoins, suivant l'ordre de mes priorités, puis, tenant compte de la réalité, j'ai procédé à l'inventaire des disponibilités qui s'offraient à moi pour atteindre une satisfaction optimale. Comment y parvenir? Sûrement pas à l'aide d'une formule mathématique qui indiquerait ce qu'il faut faire et ne pas faire. Il revient à chacun, au fil de ses expériences personnelles, de découvrir celles qui lui apportent la plus grande satisfaction et répondent à ses goûts, ses inclinations, ses aptitudes. C'est là tout le charme de l'existence : se réaliser à travers une foule de choix.

Ainsi on ne s'obstinera pas à devenir pompier si on a peur du feu, ou médecin si la vue du sang nous fait défaillir. Par contre, on éprouvera une grande joie à enseigner au niveau secondaire si on aime le contact avec les adolescents.

À ce stade, cependant, vous ne pouvez compter que sur vous-même. Personne ne sait mieux que vous ce qui vous convient réellement, personne ne connaît vos aspirations profondes, vos élans intérieurs. En étant patient, attentif, persévérant, vous découvrirez le fil qui vous conduira au bout de vos possibilités. Vous apprendrez à vous affirmer en tant qu'individu unique, spécial, exceptionnel.

Rien ne vous oblige à aimer la carrière de votre père ou de votre mère. Les aptitudes de vos amis ne correspondent pas nécessairement aux vôtres. Chacun doit chercher ce qui lui appartient! Ce qui vous rendra heureux, ce n'est pas forcément ce que les autres veulent vous voir faire. Pour rien au monde, vous ne devez trahir votre personnalité, diluer la couleur de votre vie, changer le ton de vos vibrations. Si vous le faites, vous ne serez plus vous-même mais une pâle copie insignifiante et malheureuse.

La vie prend aujourd'hui tout mon temps. Quand je dors paisiblement après une excellente journée, je ne me sens pas en prison; quand je lis un bon livre, je ne me sens pas en prison; quand je joue au tennis ou à tout autre sport, je ne me sens pas en prison; quand je vibre à l'amour qui s'est installé dans mon cœur, je ne me sens pas en prison.

Je ne me sens jamais en prison parce que je n'ai plus le temps d'y être. Et je n'ai pas attendu qu'on daigne m'ouvrir les lourdes portes de fer, je me suis libéré moi-même, à partir de l'intérieur, là où se trouve la seule véritable liberté. Je n'ai que le temps d'être chaque jour plus heureux, comme si chaque jour était le dernier de ma vie.

Aucune prison ne peut retenir l'être humain.

Michel Dunn

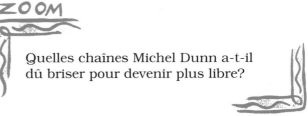

ZOOM

Quelles chaînes Michel Dunn a-t-il dû briser pour devenir plus libre?

SUR LA ROUTE

Je m'appelle Louise. Mon nom ne vous dit sûrement rien, mais peut-être qu'en lisant ces lignes, vous découvrirez une Louise en vous.

Je me souviens de ma grand-mère qui me berçait quand j'étais petite. Je me souviens de ses murmures comme le vent dans mes oreilles. La chaleur de son corps, la vie, quelle sérénité!

D'aussi loin que je me souvienne, j'ai toujours cru en l'amour qui est la plus belle manifestation de la liberté. Et j'ai toujours voulu être libre comme le vent! Adolescente, je passais des heures et des heures à regarder danser les feuilles au rythme du vent. J'avais tellement peur que la vie passe sans que j'aie le temps de la saisir au passage. Je ne tenais pas en place et ce tourbillon a duré un peu plus de vingt-deux ans, jusqu'au jour ou quelqu'un a mis une main sur mon épaule en me disant : «Ce sont souvent les gens qui parlent peu qui en auraient le plus long à dire.»

Vingt-deux ans à avoir le mal de l'âme, incapable de me situer dans l'univers, comme si les plus petites obligations de la vie venaient m'enlever ma liberté. Alors très jeune, je me suis bâti une prison dans laquelle tout était injuste et idiot. Pour y vivre, j'ai dû utiliser des substances qui changent le comportement comme la drogue et l'alcool qui, magiquement, me sortaient de ma réalité. Je m'isolais, je m'enfermais dans ma prison en rêvant qu'une personne réussirait à me comprendre.

J'étais convaincue de n'être pas normale; les filles de mon entourage et de cette époque rêvaient d'avoir une famille à elles, une maison et le confort matériel. J'étais incapable d'endosser pareils projets, persuadée qu'ils me limitaient beaucoup trop. Je voulais plutôt marcher sur chaque pierre de la terre et j'étais toujours envahie par la même peur, celle de voir la vie s'écouler sans pouvoir la saisir. J'aurais dû partager mes secrets, mais mes parents ont divorcé et je n'ai jamais réussi à me faire écouter comme j'en avais besoin. Plutôt que de regarder vraiment qui j'étais et de m'accepter, je me suis mise à me haïr du plus profond de mon cœur. Fatiguée des chicanes familiales, tannée de me faire dire par mes amies que j'étais une «accrochée», j'ai fui mon village natal à seize ans pour Vancouver. J'étais sûre que j'aurais ma liberté : des nouveaux paysages et surtout personne qui ne me connaissait. Hélas! Même au loin, j'avais toujours les mêmes problèmes de comportement et à l'intérieur de moi, c'était la tempête. J'ai pris bien du temps avant de comprendre que peu importe où je suis, ma seule vraie demeure c'est mon corps, ce corps que je ne peux pas quitter. Même avec la drogue, je finissais par revenir à ma réalité et, à la longue, rien ne pouvait geler mon corps. Pendant des années, j'ai pleuré sans jamais être capable de définir ma peine, sans me comprendre. J'aurais tellement voulu être comme les autres, mais j'étais différente et je ne pouvais pas l'admettre.

***

À vingt-et-un ans, j'ai donné naissance à une petite fille que j'aime beaucoup. Je croyais qu'un être humain pouvait mettre un terme à mes problèmes, à ma peine. Et vingt-trois mois plus tard, une autre petite fille est arrivée. J'étais heureuse et je sentais que j'étais une bonne maman. Mais le même cauchemar est revenu, cette peur de voir la vie passer à côté de moi sans que je puisse la saisir. Mère de deux enfants, ma liberté était limitée et je ne pouvais plus vivre dans cette réalité. C'était l'enfer, le mal de l'âme et toujours personne à qui en parler.

Cette fois-ci, j'ai trouvé des boucs émissaires et le premier sur ma liste a été le père de mes enfants qui ne comprenait pas du tout ce que je ressentais. Je l'ai quitté six mois après l'arrivée du deuxième enfant. J'ai repris la route et j'ai vécu dans ma prison faite de culpabilité, de remords, de rejet. Que de souffrance!

Souvent, je demandais à Dieu, celui dont on m'avait tant parlé à la petite école, de me venir en aide. Je lui disais : «Si tu existes, manifeste-toi et donne-moi ma liberté.»

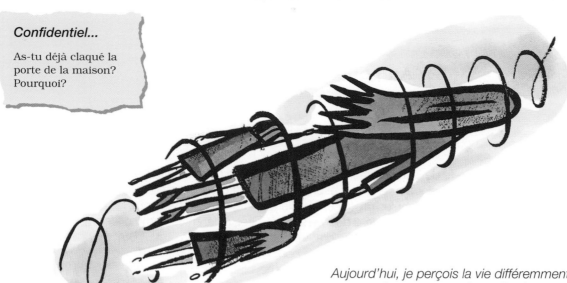

En juin 1988, ma grand-mère est morte, celle que j'aimais, celle qui, durant toutes ces années de folie, m'avait toujours accueillie. Elle est morte et moi je refusais de voir la réalité une fois de plus. Mais elle me parlait dans mon cœur et j'avais l'impression de l'entendre me dire : «Louise, ta souffrance est finie.» Ce fut comme un éclair qui me frappait en plein cœur. À ce moment-là, j'étais à Calgary et je vivais dans un chalet au cœur des Rocheuses. Ma vie n'avait plus aucun sens. Je refusais de reconnaître que j'étais alcoolique, comme mon médecin me le disait. J'étais en colère contre lui et un jour il m'a donné un miroir et m'a dit de me regarder. Ce que j'ai vu, c'est le visage d'une femme complètement éteinte. Pour la première fois, ce jour-là, je me suis mise à écouter un autre être humain me parler de liberté. J'ai suivi ses conseils et suis allée en cure de désintoxication. J'ai fait quatorze jours de suite d'isolement, soixante jours avec d'autres pensionnaires, vingt-huit jours de thérapie et neuf mois de réinsertion sociale.

***

Aujourd'hui, je suis libre et cela fait quatre ans que j'ai repris goût à la vie. Quand, pour la première fois, j'ai loué un appartement, personne ne m'a tendu un tapis rouge. J'ai dû me faire un univers, exprimer mes besoins et j'ai travaillé très fort. À trente-et-un ans, j'ai recommencé ma quatrième année du primaire et j'ai travaillé les fins de semaine pour subvenir à mes besoins. Depuis deux ans, j'ai obtenu la garde de mes deux enfants et je suis la femme la plus heureuse au monde. Petit à petit, je sors de ma prison et je vis vingt-quatre heures à la fois. Je fais de la méditation et je laisse mon cœur parler. J'observe ce que je veux vivre et j'essaie, plutôt que de me juger, de comprendre pourquoi j'ai tel et tel besoin. Je n'ai plus peur de changer les choses que je peux changer et je sais par expérience qu'avec le temps les choses peuvent changer.

Aujourd'hui, je perçois la vie différemment. Je crois en mes rêves, en mes rêves d'enfant, et plusieurs se sont déjà réalisés... dont celui de la liberté. Être libre, c'est être capable de vivre une journée sans consommer d'alcool, c'est d'avoir mes deux amours avec moi, elles qui sont le plus grand cadeau que la vie pouvait me faire. Quand j'ai cessé de boire, je voulais le bonheur et aujourd'hui je vis dans le bonheur. Il me reste à le reconnaître, à avoir de la gratitude et à rester dans le présent. En étant moi au présent, je peux tout. Chaque geste fait avec amour amène de l'amour et l'amour gagne toujours sur le mal. Il n'y a rien à craindre! Aime-toi et ton entourage t'aimera pour ce que tu dégages et n'aie jamais peur de dire ce que tu ressens. On est tous uniques et il y a toujours quelqu'un qui aura besoin de s'identifier à tes couleurs. L'Être suprême se manifeste à travers les gens.

La liberté, c'est un cadeau qu'on a en venant au monde. Elle est là et c'est quand on s'embarque pour la chercher ailleurs et en dehors de soi qu'on se met dans des ghettos. Définis toi-même la liberté et elle sera tienne dans la vie si tu n'oublies pas que chaque geste fait avec amour gagnera toujours sur le mal.

Louise Blain

ZOOM

- Quelle distinction faites-vous entre la liberté intérieure et la liberté de mouvement, de parole ou d'expression?

- Selon vous, de quoi Louise Blain s'est-elle libérée et pour quoi?

Au bout de mon âge

La peur brime la liberté d'action et de réflexion :
nous avons beaucoup de possibilités... ayons confiance!

Un des secrets de la liberté réside dans l'acceptation de ses petites limites
et dans le développement d'un esprit de solidarité dans le combat des
anti-libertés que sont les drogues, la violence, la guerre, la pauvreté, le
manque de tolérance à l'égard des personnes dites différentes comme les
personnes handicapées, les gens d'autres ethnies ou religions, etc. Bravo
aux jeunes pour l'intérêt qu'ils ou elles portent à la planète Terre! Bravo
aussi à tous ceux et celles qui font du bénévolat, qui combattent la
pauvreté ou l'injustice! Les jeunes nous donnent des leçons de morale sur
les grandes valeurs humaines.

Aujourd'hui, j'ai la conviction que la liberté est la plus
grande expression de l'amour. Dieu a créé les humains
et il leur a donné son étincelle de vie, c'est-à-dire
l'amour et l'espérance. Et parce qu'il croyait en
l'être humain, il lui a donné la liberté.

Je suis la sixième d'une famille de onze filles.
Une enfance heureuse, des parents intéressants.
À mon tour, je me suis mariée et nous avons eu cinq
enfants, quatre garçons et une fille. Tout allait bien
jusqu'au jour où le médecin m'a annoncé que j'avais
un problème cardiaque et que je devais faire moins
d'efforts physiques. Remplie de bonne volonté, mais
incrédule quant au verdict médical, j'ai continué mon
travail de mère de famille. À chaque malaise, je
prenais de bonnes résolutions que j'oubliais vite au
cœur des nécessaires tâches quotidiennes. Un jour,
j'ai accepté mes limites. J'ai décidé d'écouter le
médecin et de faire juste ce que je pouvais. Pour me
permettre de mieux m'organiser, j'ai pris une feuille
blanche que j'ai divisée en deux colonnes : dans la
première colonne, j'ai inscrit ce que j'avais le goût et
la capacité de faire; dans la deuxième colonne, j'ai
écrit «moins d'efforts». De façon spontanée, j'ai
rempli la première colonne comme suit :

1. *tenir le journal de famille, surtout ce qui est*
   agréable et important;

2. *écrire à ma famille, à ma belle-famille et aux amis;*

3. *étudier;*

4. *avoir beaucoup d'amis;*

5. *coudre modérément;*

6. *avoir des loisirs.*

J'ai révisé plusieurs fois la liste et j'ai ajouté des projets que j'ai concrétisés par la suite. Mes choix terminés, je n'avais plus peur... j'étais libre et emballée. Consciente de ma liberté, il me restait à croire en mes capacités comme m'y encourageaient mon mari et mes enfants. Doucement, j'apprenais à vivre et j'ai amélioré mon état de santé à la grande surprise du médecin. À cinquante-cinq ans, j'ai réussi à faire mon cégep en sciences humaines avec option en sciences religieuses. Je me suis libérée de cette vieille éducation de femme soumise à la grande joie de mon mari. J'ai perdu ma grande, ma trop grande timidité.

Quand je relis mon journal de famille, que j'écris encore, j'y retrouve toutes les belles fêtes de familles, les voyages, les grands événements. Je continue d'écrire des lettres à la famille et aux amis et mon goût d'apprendre est toujours aussi fort. Mon loisir préféré est le club de lecture auquel je participe une fois par mois. En 1984, j'ai fondé un club d'amis avec des personnes handicapées par l'arthrite. Ensemble, nous trouvons des solutions pour améliorer nos conditions de vie. Au printemps dernier, j'ai accepté de parler du pardon à un groupe de croyants et de croyantes. J'ai réalisé que j'avais oublié de me pardonner. Quelle chance d'avoir fait ce travail! Je me sens encore plus libre et heureuse. C'est facile de pardonner. Il s'agit de comprendre que la personne qui a fait une erreur a besoin de notre sympathie pour reprendre goût à la bonne vie. Par-dessus tout cela, j'ai un mari merveilleux qui a quatre-vingt-un ans (il vient justement de partir à bicyclette). Nous vivons côte à côte, chacun à notre rythme et chacun dans le respect de la liberté de l'autre.

Soyons heureux et heureuses!

Laetitia Blais Thouin

Confidentiel...

Que t'a appris madame Blais Thouin sur toi-même?

- Quelles ont été les conséquences des choix faits par Laetitia Blais Thouin?

- Quels autres choix aurait-elle pu faire et quelles conséquences ces choix auraient-ils pu avoir à court et à long terme?

Le bonheur et la liberté vont bien ensemble. Le philosophe espagnol José Ortéga y Gasset a dit : «Je suis moi et ma circonstance.» Il y a d'un côté «ma circonstance», c'est-à-dire tout ce qui conditionne ma vie : âge, santé physique, famille, profession, responsabilité, etc., et d'un autre côté «moi», c'est-à-dire ma liberté de choisir. Je ne suis pas totalement maître des circonstances et je ne suis pas, non plus, totalement «déterminé» par elles. Il y a toujours du «jeu», comme on dit en mécanique : sans un minimum de jeu, le mouvement serait impossible[22].

Un projet de liberté

Chacun est responsable de sa vie. La Création est remise à l'homme pour qu'il construise un monde habitable et fraternel. L'homme a même le pouvoir de mal utiliser sa liberté.

Dieu est tout sauf paternaliste. Il fait confiance à la créature. Il n'est pas un refuge facile qui éviterait à l'homme de prendre ses responsabilités. Il prend au sérieux la liberté humaine; il la respecte. Il veut être un partenaire discret.

Jacques Lacourt [23]

Au commencement

Le peuple d'Israël vit deux grandes expériences de libération à travers lesquelles il apprend comment vivre en relation avec Dieu et avec les autres : la libération d'Égypte et la libération de l'exil.

La libération d'Égypte

Vers 1700 avant Jésus Christ, une famine oblige les fils de Jacob à se réfugier en Égypte. Vers 1650, les Hébreux sont faits esclaves des Égyptiens. Inspiré par Dieu, Moïse aide le peuple d'Israël à se libérer.

Le peuple traverse la mer Rouge. Ce passage est raconté avec magnificence dans la Bible à l'aide de récits qui ont été rédigés «pour nous parler de Dieu. À travers ces récits, apparaît le visage d'un Dieu libérateur [24].»

> *Car lorsque la cavalerie de Pharaon avec ses chars et ses cavaliers était entrée dans la mer, Yahvé avait fait refluer sur eux les eaux de la mer, alors que les Israélites avaient marché à pied sec au milieu de la mer.*
> *(Ex 15, 19)*

Arrivé dans le désert, le peuple souffre de la soif et de la faim. Il murmure contre Moïse et en arrive à regretter le temps de son esclavage. Libéré de la domination, il doit apprendre à faire face au réel. Qu'il est difficile d'assumer sa liberté!

La libération se poursuit et cette fois par la loi. On peut lire le texte du Décalogue dans la Bible au livre de l'Exode, chapitre 20, versets 12 à 17.

Les «commandements» sont en fait des lois de liberté :

– libère-toi des faux dieux;

– libère-toi du travail en faisant relâche le jour du sabbat;

– libère-toi de toutes formes de domination;

– que chacun ou chacune honore son père et sa mère;

– que chacun ou chacune respecte la vie, le foyer, les biens de l'autre et sa réputation.

La Loi libère et elle devient oppressive lorsque ceux et celles qui l'appliquent sont animés par la volonté de dominer. Tout au long de son histoire, le peuple s'écartera de la Loi : des prophètes rappelleront l'Alliance et, à chaque fois, Dieu accordera son pardon, continuant ainsi de libérer son peuple.

La libération de l'exil

En 597 avant Jésus Christ, le roi Nabuchodonosor assiège Jérusalem. Après trois mois de siège, le roi d'Israël capitule, ce qui entraîne une première déportation à Babylone. En 586, la prise de Jérusalem et la destruction du temple sont suivies d'une nouvelle déportation à Babylone. La dernière déportation aura lieu vers 582. En exil, loin de Jérusalem et du temple, le peuple traverse une période de questionnement, de souffrance et de doute. Dieu les a-t-il abandonnés? Qui est Dieu? Qui est la personne humaine? L'exil ne prendra fin qu'en 538 par l'édit de Cyrus. Sauvé et libéré, le peuple rentre à Jérusalem, son petit coin de paradis.

À la suite de ces expériences, des sages mirent par écrit les deux récits de la création. On peut les lire aujourd'hui dans la Bible aux chapitres 1, 2 et 3 de la Genèse. Il va sans dire que le Dieu créateur qui est présenté est le Dieu libérateur que le peuple vient de rencontrer. Celui qui l'a sauvé de la servitude et de la mort, celui qui a marché avec lui dans le désert et qui ne l'a pas abandonné pendant l'exil.

Ces récits célèbrent le don de la vie et de la liberté à toute l'humanité et non au peuple d'Israël seulement.

L'épreuve
de la liberté

Yahvé Dieu prit l'homme et l'établit dans le jardin d'Éden pour le cultiver et le garder. Et Yahvé Dieu fait à l'homme ce commandement : «Tu peux manger de tous les arbres du jardin. Mais de l'arbre de la connaissance du bien et du mal tu ne mangeras pas, car, le jour où tu en mangeras, tu deviendras passible de mort.»
(Gn 2, 15-17)

Le précepte est très clair. L'arbre, en tant que symbole, ne signifie pas que la connaissance est interdite à la personne humaine. Cet arbre symbolise la limite humaine. Dans le jardin, l'être humain est appelé à vivre une relation d'Alliance avec le Créateur en respectant l'interdit.

Dépasser la limite, briser l'interdit, c'est du même coup refuser d'être homme ou femme et chercher à devenir Dieu. Il ne s'agit pas ici de la mort physique, mais plutôt de la mort intérieure qui se manifeste par l'angoisse ou l'absence de paix.

Le serpent était le plus rusé de tous les animaux des champs que Yahvé Dieu avait faits. Il dit à la femme : «Alors, Dieu a dit : Vous ne mangerez pas de tous les arbres du jardin?»
(Gn 3, 1)

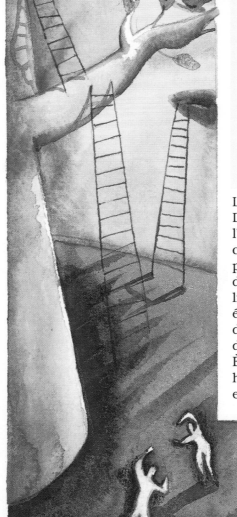

En Canaan, le serpent est lié à des pratiques de divination et de magie, à des rites de fertilité et de fécondité. Il représente le mal et peut-être aussi les cultes païens qui menacent la foi d'Israël. Les paroles du serpent sont mensongères : Adam et Ève peuvent manger de tous les arbres du jardin sauf d'un seul.

Le serpent, c'est le Menteur, celui qui déforme la réalité et l'intention de Dieu. Il met un doute dans l'esprit d'Adam et d'Ève : si Dieu interdit cet arbre, c'est qu'il a peur de voir l'être humain devenir lui-même un dieu.

La femme répondit au serpent : «Nous pouvons manger du fruit des arbres du jardin. Mais du fruit de l'arbre qui est au milieu du jardin, Dieu a dit : Vous n'en mangerez pas, vous n'y toucherez pas, sous peine de mort.»
(Gn 3, 2-3)

Le combat pour ou contre Dieu commence : c'est l'épreuve de la liberté, celle du choix. L'homme et la femme peuvent choisir d'accepter ou de refuser leur limite. Ils sont libres puisque Dieu n'a pas écrit pour eux un rôle et déterminé à l'avance la suite des événements. Adam et Ève, qui représentent tous les humains, doivent en délibérer en toute conscience.

Le serpent répliqua à la femme : «Pas du tout! Vous ne mourrez pas! Mais Dieu sait que, le jour où vous en mangerez, vos yeux s'ouvriront et vous serez comme des dieux, qui connaissent le bien et le mal.»
(Gn 3, 4-5)

La tentation est habile puisque le serpent vient toucher à un de nos plus lointains désirs. Le petit enfant désire tout et il espère même que le monde entier se mettra à son service. Au fil des jours, il apprend que sa mère ne lui appartient pas. Au milieu de ses larmes et de ses frustrations, il fait l'expérience de certains interdits et découvre que les autres ont aussi des besoins. Il n'est pas seul au monde. Il rencontre des limites qui lui sont enseignées par des personnes qui les lui apprennent en gestes ou en paroles.

Elle prit de son fruit et mangea. Elle en donna aussi à son mari, qui était avec elle, et il mangea.
(Gn 3, 6)

Après délibération, la décision est prise et Adam et Ève choisissent d'enfreindre la loi qui les gardait en alliance avec Dieu.

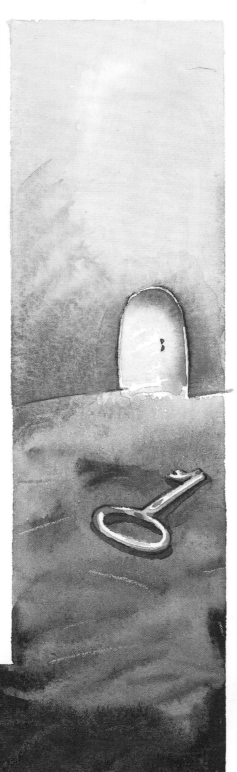

Les rédacteurs rapportent sans doute ici l'expérience même du peuple en ce qui a trait à la Loi de l'Alliance promulguée à Moïse. Que de fois le peuple d'Israël passe délibérément à côté, brise la relation, tout comme le font Adam et Ève dans le récit de la Genèse. C'est le sens du péché tel que révélé par les auteurs du récit.

Cette expérience révèle du même coup que la foi en Dieu ne nous épargne d'aucune responsabilité et prise en charge personnelle. L'être humain est libre de choisir.

Alors leurs yeux à tous deux s'ouvrirent et ils connurent qu'ils étaient nus; ils cousirent des feuilles de figuier et se firent des pagnes. Ils entendirent le pas de Yahvé Dieu qui se promenait dans le jardin à la brise du jour, et l'homme et sa femme se cachèrent devant Yahvé Dieu parmi les arbres du jardin.
(Gn 3, 7-8)

Le péché détruit du même coup l'harmonie entre l'homme et la femme et avec Dieu.

Yahvé Dieu fit à l'homme et à sa femme des tuniques de peau et les en vêtit.
(Gn 3, 21)

Dieu n'abandonne pas l'être humain qui a toute une vie pour faire un meilleur usage de sa liberté. Rien n'est facile et, tout comme le peuple d'Israël, il vivra des périodes de doute et d'incertitude.

Le péché originel prend naissance dans l'être humain et se manifeste de diverses manières. Voici un exemple qui vient du El Salvador. Dans ce pays, au-delà de soixante-quinze mille personnes, des civils pour la plupart, ont été assassinées par les forces armées. La répression sert, entre autres, à terroriser la population pour la maintenir dans un état de soumission.

«Quand vient la nuit, je voudrais être une colombe et m'enfuir très loin pour ne pas être obligée de rester à la maison durant ces heures-là.» Ainsi parle Jacinta, une femme de cinquante ans qui s'est sauvée de la répression en fuyant vers la campagne. Elle vit maintenant avec sa famille dans une banlieue pauvre de San Salvador.

Une nuit, six hommes d'une organisation paramilitaire sont arrivés chez elle. Ils cherchaient des fusils. «Si j'avais eu des fusils, dit-elle, je les aurais vendus pour m'acheter de quoi manger.» Les hommes ont fouillé la cabane. Ne trouvant rien, ils se sont jetés sur le mari de Jacinta. Ils l'ont assommé, lui ont marché sur le corps, lui ont donné des coups de pied et ont fini par lui casser le cou.

«Dieu voit ce que vous faites, leur cria Jacinta. Dieu vous

fera payer cet acte scandaleux.» «Dieu est mort, répliqua l'un des hommes, c'est nous maintenant qui sommes des dieux.»

Ils ont alors traîné au-dehors les deux filles aînées de Jacinta et les ont violées. Au moment de partir, ils ont menacé Jacinta : «Si tu parles de ça à qui que ce soit, nous reviendrons vous tuer tous.»

La plus jeune enfant de Jacinta, qui a cinq ans, a été témoin de toute cette scène. Depuis, elle ne parle presque plus. Les deux aînées sont devenues enceintes. Bien que le mari de Jacinta ait survécu, il est demeuré handicapé. La famille vit dans la peur.

De tels incidents sont courants à travers tout le pays. En se prenant pour des dieux, les soldats reconstituent le péché originel [25].

Confidentiel...

En quoi ressembles-tu à Adam ou à Ève?

- Selon vous, le Dieu du jardin de la création est-il un Dieu qui respecte la liberté des personnes? Justifiez votre point de vue.

- En vous basant sur l'expérience d'Adam et d'Ève, dites en quoi consiste le péché.

Jésus, un homme libre

Comment Jésus a-t-il relevé les défis de la liberté humaine? Les choix qu'il a faits favorisent-ils l'épanouissement, le bonheur de l'être humain? Jésus a-t-il vraiment été une personne libre?

Des valeurs fondamentales

Jésus a douze ans quand, après trois jours de recherches, ses parents le trouvent dans le Temple. Il leur dévoile clairement qu'il choisit de se mettre à l'écoute de son Père. Dès lors, sa liberté est engagée :

> *«Pourquoi donc me cherchiez-vous?*
> *Ne saviez-vous pas que je dois être dans la*
> *maison de mon Père?»*
> *(Lc 2, 49)*

On sait que des adversaires chercheront à le faire dévier de son choix fondamental. L'Évangile de Luc 4, versets 1 à 13 présente les tentations auxquelles Jésus a pu faire face. À travers ses réponses, Jésus réaffirme son choix fondamental qui est de mettre Dieu au cœur de sa vie.

Pendant sa vie, Jésus mettra de côté toute tendance à vivre replié sur lui-même : il choisit d'aimer en s'approchant des autres et plus particulièrement de ceux et celles qui réclament sa protection. Sur les routes de Galilée, il annonce le Royaume en mettant en pratique l'amour dont l'Ancien Testament parle abondamment :

> *Yahvé rend la vue aux aveugles*
> *Yahvé redresse les courbés,*
> *Yahvé protège l'étranger,*
> *il soutient l'orphelin et la veuve.*
> *(Ps 146, 8-9)*

La manière d'agir de Jésus ne plaît pas aux autorités en place. Il le sait et en assume les conséquences. Voyant sa mort venir, il prévient ses disciples qui refusent de le croire. L'heure de vérité arrive. Face à la mort, Jésus tiendra-t-il le coup? Face à la souffrance, reviendra-t-il sur ses paroles, changera-t-il de direction?

> *«Mon âme est triste à en mourir, demeurez*
> *ici et veillez avec moi.» Étant allé un peu*
> *plus loin, il tomba face contre terre en*
> *faisant cette prière : «Mon Père, s'il est*
> *possible, que cette coupe passe loin de moi!*
> *Cependant, non pas comme je veux, mais*
> *comme tu veux.»*
> *(Mt 26, 38-39)*

Sur la croix, à travers son cri et sa prière, on reconnaît ses deux amours.

> *«Père, pardonne-leur : ils ne savent ce qu'ils*
> *font.»*
> *«Père, en tes mains je remets mon esprit.»*
> *(Lc 23, 34. 46)*

Les défis de la liberté

Libre face au pouvoir de la loi

Jésus ne conteste pas l'importance de la loi, mais il libère l'être humain de l'étroitesse de celle-ci en mettant le bien de la personne au-dessus de tout. Par exemple, le jour du sabbat, il guérit l'homme qui avait la main paralysée. L'amour du prochain est un absolu et non la loi. S'il enfreint la loi, c'est pour aider quelqu'un.

Par conséquent il est permis de faire une bonne action le jour du sabbat.
(Mt 12, 12)

Jésus prend la liberté de modifier certaines prescriptions de la loi mosaïque; entre autres, la peine de mort pour les femmes prises en flagrant délit d'adultère.

Jésus dit : «Moi non plus, je ne te condamne pas. Va, désormais ne pèche plus.»
(Jn 8, 11)

Jésus accepte la loi qui permet de protéger et de promouvoir l'amour et repousse celle qui légitime l'esclavage et la domination, mais sans pour autant ouvrir la porte au libertinage et à l'irresponsabilité. Au contraire, il crée des obligations encore plus fortes : l'amour doit lier tous les êtres humains entre eux. C'est au nom de ces valeurs qu'il se prononce parfois contre quelque chose et ose le dénoncer publiquement. Les Pharisiens et les scribes *lient de pesants fardeaux et les imposent aux épaules des gens, mais eux-mêmes se refusent à les remuer du doigt* (Mt 23, 4).

Pour Jésus, le centre de gravité de la religion est le service concret du prochain : Dieu lui-même est servi dans le service de l'autre.

Si quelqu'un dit «J'aime Dieu» et qu'il déteste son frère, c'est un menteur : celui qui n'aime pas son frère, qu'il voit, ne saurait aimer le Dieu qu'il ne voit pas. Oui, voilà le commandement que nous avons reçu de lui : que celui qui aime Dieu aime aussi son frère.
(1 Jn 4, 20-21)

Jésus introduit une distance critique face aux pratiques traditionnelles sans en nier la valeur. La piété et les dévotions servent parfois d'excuses pour éviter les devoirs les plus importants :

Malheur à vous, scribes et Pharisiens hypocrites, qui acquittez la dîme de la menthe, du fenouil et du cumin, après avoir négligé les points les plus graves de la Loi, la justice, la miséricorde et la bonne foi; c'est ceci qu'il fallait pratiquer, sans négliger cela.
(Mt 23, 23)

Les préceptes n'ont de valeur que s'ils expriment le double amour de Dieu et du prochain. Un Pharisien lui demande :

«Maître, quel est le plus grand commandement de la Loi?» Jésus lui dit : «Tu aimeras le Seigneur ton Dieu de tout ton cœur, de toute ton âme et de tout ton esprit : voilà le plus grand et le premier commandement. Le second lui est semblable : Tu aimeras ton prochain comme toi-même. À ces deux commandements se rattache toute la Loi, ainsi que les Prophètes.»
(Mt 22, 36-40)

Libre face à la domination du savoir

Il fréquente les Pharisiens :

> *Tandis qu'il parlait, un Pharisien l'invite à déjeuner chez lui. Il entra et se mit à table.*
> *(Lc 11, 37)*

Sans s'attaquer à la valeur des individus, Jésus veut briser la domination des légistes, des scribes et des Pharisiens qui, du haut de leur savoir, privent les gens de leur liberté de pensée et de conscience.

> *«Malheur à vous, les légistes, parce que vous avez enlevé la clef de la science! Vous-mêmes n'êtes pas entrés, et ceux qui voulaient entrer, vous les en avez empêchés!»*
> *(Lc 11, 52)*

Libre face à certaines valeurs préconisées

Il ne se laisse pas impressionner par le rang social. Pour lui, la valeur d'une personne se situe à un autre niveau. Quand il le faut, il dénonce les gens qui sont au pouvoir.

> *À cette heure même s'approchèrent quelques Pharisiens, qui lui dirent : «Pars et va-t'en d'ici; car Hérode veut te tuer.» Il leur dit : «Allez dire à ce renard : Voici que je chasse des démons et accomplis des guérisons aujourd'hui et demain, et le troisième jour je suis consommé!»*
> *(Lc 13, 31-32)*

Il choisit des gens simples pour devenir ses disciples.

> *Comme il cheminait sur le bord de la mer de Galilée, il vit deux frères, Simon, appelé Pierre, et André son frère, qui jetaient l'épervier dans la mer; car c'étaient des pêcheurs. Et il leur dit : «Venez à ma suite, et je vous ferai pêcheurs d'hommes.»*
> *(Mt 4, 18-19)*

Il se fait proche des pauvres et des petits. Les foules le pressent, les malades le supplient, les exclus l'implorent, les enfants s'approchent. Il fréquente les pécheurs et les pécheresses au risque de déplaire aux autorités.

> *Cependant tous les publicains et les pécheurs s'approchaient de lui pour l'entendre. Et les Pharisiens et les scribes de murmurer : «Cet homme, disaient-ils, fait bon accueil aux pécheurs et mange avec eux!»*
> *(Lc 15, 1-2)*

Il abolit les barrières raciales et sexistes. Il ne supporte aucune discrimination.

> *Une femme de Samarie vient pour puiser de l'eau. Jésus lui dit : «Donne-moi à boire.» [...] La femme samaritaine lui dit «Comment! toi qui es Juif, tu me demandes à boire à moi qui suis une femme samaritaine?»*
> *(Jn 4, 7-9)*

Il se prononce contre la répudiation, libérant ainsi les femmes de l'inégalité. Dans le Royaume, la liberté et l'égalité fraternelle doivent régner.

> *S'approchant, des Pharisiens lui demandaient : «Est-il permis à un mari de répudier sa femme?» C'était pour le mettre à l'épreuve. Il leur répondit : «Qu'est-ce que Moïse vous a prescrit?» — «Moïse, dirent-ils, a permis de rédiger un acte de divorce et de répudier.» Alors Jésus leur dit : «C'est en raison de votre dureté de cœur qu'il a écrit pour vous cette prescription. Mais dès l'origine de la création Il les fit homme et femme. [...] Eh bien! ce que Dieu a uni, l'homme ne doit point le séparer.»*
> *(Mc 10, 2-9)*

Libre face à l'avoir

Sa manière de vivre ne plaît pas aux siens. Il résiste à sa famille qui l'accuse d'avoir perdu la tête. Il se libère des pressions familiales.

> *Et les siens, l'ayant appris, partirent pour se saisir de lui, car ils disaient : «Il a perdu le sens.»*
> *(Mc 3, 21)*

La richesse n'est pas un critère pour déterminer la valeur d'une personne.

> *«Attention! gardez-vous de toute cupidité, car, au sein même de l'abondance, la vie d'un homme n'est pas assurée par ses biens.»*
> *(Lc 12, 15)*

Jésus n'est pas contre la richesse, mais pour le partage. Que ceux et celles qui ont des biens les mettent au service des autres.

> *«Que celui qui a deux tuniques partage avec celui qui n'en a pas, et que celui qui a de quoi manger fasse de même.»*
> *(Lc 3, 11)*

Confidentiel...

En quoi les défis relevés par Jésus ressemblent-ils aux tiens?

La relation de Jésus avec Dieu, sa foi en Lui, ne le dispense pas d'affronter la réalité, de relever des défis et de prendre les décisions qui conviennent. Jusqu'au bout, il assume les conséquences de ses choix les plus fondamentaux. À propos du don de sa vie, il dira : *Personne ne me l'enlève; mais je la donne de moi-même (Jn 10, 18).*

À partir d'exemples, décrivez comment Jésus a relevé les défis de la liberté humaine.

À la suite de Jésus

Par sa manière d'être et de faire, Jésus nous dit en quoi consiste la liberté des enfants de Dieu. Par la suite, Paul parlera des signes par lesquels se manifeste cette liberté.

> *Mais le fruit de l'Esprit est charité, joie, paix, longanimité, serviabilité, bonté, confiance dans les autres, douceur, maîtrise de soi : contre de telles choses il n'y a pas de loi.*
> *(Ga 5, 22-23)*

La liberté des «enfants de Dieu» prend donc place au fond de l'être et se manifeste sous divers visages.

Aux trois niveaux de la liberté présentés plus tôt, s'ajoute le niveau théologal. Il est caractérisé par la joie et la paix intérieures de ceux et celles qui vivent leur liberté à la manière de Jésus. À travers les témoignages qui suivent, identifiez-en les traces.

Du Viêt-nam au Québec

Mon pays d'origine, le Viêt-nam, est situé dans le sud-est de l'Asie. Je suis née en 1965, mon nom est Hiêu (dans ma langue maternelle, il signifie «piété filiale»). Ma famille vietnamienne compte sept enfants. J'y occupe le quatrième rang. Mes parents ne sont pas chrétiens, ils pratiquent le culte des ancêtres, une philosophie de vie basée sur des préceptes moraux chinois de l'époque féodale. Cette façon de vivre est teintée de croyances bouddhistes : les gens s'efforcent de faire le bien et d'éviter le mal; ils vénèrent la mémoire des défunts et des ancêtres; ils implorent aide et protection des absents.

Dans mon enfance, heureuse et paisible, mes deux premières années scolaires se sont déroulées dans une école catholique. À ce moment-là, même non chrétienne, j'ai reçu l'enseignement religieux comme les autres élèves baptisés. Je me souviens particulièrement d'une religieuse qui, de façon toute simple et naturelle, m'a transmis l'amour de Jésus. À neuf ans, j'ai quitté ce milieu propice à l'éveil de la foi en Dieu. Tout ce que j'avais appris allait s'estomper. Le nom de Jésus n'avait plus une grande résonance pour moi et je devenais méfiante face à tout ce qui pouvait représenter l'autorité, celle-ci étant synonyme

de persécution, d'oppression et de contrainte. Pourquoi? Je vivais dans un pays où les droits fondamentaux de l'être humain n'étaient pas respectés : droit de voyager à l'extérieur du pays, droit à la propriété privée, droit de parole, droit de croyance. La situation politique a heureusement changé depuis ce temps!

Avant 1975, le Viêt-nam était séparé et avait deux gouvernements : au nord, les communistes et au sud, les capitalistes. Avec la chute de Saigon, la guerre civile, qui durait depuis trente ans, s'est terminée. Le Viêt-nam est unifié et gouverné par les communistes depuis le 30 avril 1975. Comme mon père vietnamien ne se dévouait pas à la même cause que ces derniers, il a été forcé de partir pour des «camps de rééducation». En réalité, c'était un lieu de torture, de lavage de cerveau et de travaux forcés dans la brousse. Les autorités nous ont dit que mon père partait pour un mois. J'avais alors dix ans. Les six premiers mois, nous étions sans nouvelles et le délai d'un mois s'est prolongé pendant huit longues années.

J'ai souffert de l'absence de mon père.

J'avais quinze ans quand ma mère a décidé de nous aider à fuir le pays par la voie des réfugiés de la mer. C'était en 1980. Et par un matin d'automne, grisâtre et frisquet, je suis arrivée en terre québécoise accompagnée de mon frère de treize ans, Liêm, et de ma sœur de onze ans, Binh. Ma mère n'a pas pu nous accompagner, attendant que mon père sorte du camp de concentration. Ce n'est qu'en 1991, soit onze ans plus tard, que nous les avons revus. Ils vivent maintenant à Montréal.

Au creux de ma misère et de l'insécurité qui me rongeait par en dedans comme de la rouille, Jésus m'a ouvert les bras en mettant sur ma route des personnes aimantes et généreuses pour m'accueillir. Quelque temps après mon arrivée, mon frère, ma sœur et moi avons été accueillis par un couple québécois, Monique et Denis et leurs trois enfants : Simon, dix-neuf ans, Isabelle, dix-huit ans, et Patrice, seize ans. Ils étaient inspirés par une parole de Jésus : «Ce que vous faites à l'un de ces petits, c'est à moi que vous le faites.»

Mon cœur blessé de jeune adolescente n'était pas habitué à tant de bonté en dehors du cercle familial. J'étais tourmentée. Dans mon pays, la loi du talion régnait, c'est-à-dire : «Œil pour œil, dent pour dent». Plus encore, si quelqu'un nous frappait, on nous enseignait à frapper deux fois : le premier coup pour remettre celui qu'on venait de recevoir et le deuxième, pour s'assurer que l'ennemi ne se relève pas. Quelle hostilité!

J'en parlais à ma mère canadienne, je lui faisais part de mon tiraillement intérieur. J'avais peur parce que j'en voulais aux communistes et j'étais incapable de franchir le pas vers le pardon. Monique me répondait tout simplement que Jésus m'invitait à leur pardonner et à les aimer. Je devenais intéressée à connaître ce Dieu qui m'invitait à aller au bout de moi-même. Intéressée, mais en même temps pleine de doute puisque Dieu avait la figure de l'autorité, une figure opprimante et très peu respectueuse de la vie et de la dignité humaine.

Pour parvenir à la liberté des enfants de Dieu, certaines libérations s'imposaient. Il me restait des plaies à panser, des blessures à guérir et Jésus m'a aidée. J'ai consenti à ce long travail intérieur. Après trois ans de prières et de réflexion, j'ai demandé à recevoir les sacrements du Baptême, de l'Eucharistie et de la Confirmation. La célébration a eu lieu à la veillée pascale au printemps de 1983 dans une petite ville du Québec. C'est ainsi que mon histoire d'amour avec Jésus a repris vie.

Plus je m'abandonne à Jésus, plus la confiance en moi-même grandit, plus je deviens solide et sereine. Je suis en paix malgré les tumultes de la vie. Avec mon époux, je suis contente d'éveiller nos trois enfants à l'amour de Dieu.

Hiêu Blanchette

L'APPEL DE LA LIBERTÉ

Un saule géant avait poussé tout près de notre maison, de sorte que je pouvais y avoir accès directement de la galerie. Pour en faciliter l'ascension, mon grand frère y avait cloué quelques planches transversales. C'est sur ses énormes branches que j'ai passé le meilleur des jours de mon enfance. J'y montais en tremblant et, de ce juchoir, avec une ivresse toujours nouvelle, je pouvais contempler, sous moi, le toit de la maison.

Est-ce là l'origine de mon incorrigible besoin d'espace et de liberté? D'où pouvait bien me venir cet indéracinable appétit de conquête et d'évasion? Pourquoi, à l'encontre de mes frères et de

mes sœurs qui s'amusaient plus volontiers autour de la maison, devais-je toujours obliger mon père à m'interdire ces courses exténuantes et ces ascensions périlleuses?

Plus tard, durant mes six années de collège, j'ai «brisé» douze paires de skis!... Les excès de vitesse, les arbres frôlés, les pentes vierges où la moindre pierre qui affleurait pouvait m'envoyer aux enfers, tout m'était occasion de provoquer le destin. Il me fallait défier tous les obstacles.

Je suis né avec une passion, la liberté, et je l'emporterai avec moi dans la tombe! Qui pourrait me ravir un tel bien? Comment

pourrais-je vivre, séparé de cette «compagne» à qui je dois les plus belles heures de mon existence? Pourquoi a-t-elle exercé sur moi une telle emprise?

Mais la liberté que j'ai connue dans mon enfance allait grandir avec moi, m'éduquer graduellement à sa profondeur et à son miracle.

Aux jours de ma «naïveté», la liberté consistait à pouvoir m'affranchir de toute entrave! Et je serais toujours demeuré avec cette illusion si des obstacles, sans cesse renaissants, n'étaient venus me répéter qu'une telle forme de liberté risquait de se voir anéantie à chaque tournant du chemin.

J'ai été bouleversé par le récit du témoignage d'une femme russe qui, sous Staline, avait passé vingt-cinq années dans les prisons de Sibérie. Après sa libération, quand on lui a demandé comment elle avait pu survivre dans de telles conditions, elle a répondu qu'elle serait devenue folle si elle avait cessé de se répéter qu'elle était libre. Elle choisissait de faire «librement» ce qu'un régime carcéral inhumain lui imposait d'accomplir chaque jour. Du fond même de sa prison, elle pouvait être plus libre que tous ceux qui la tenaient captive. La qualité de cette victoire m'avait gagné le cœur.

C'est là ce qui explique qu'au terme de mes études, au moment où je devais faire le choix d'une orientation qui engagerait ma vie entière, j'ai résolu d'enfermer au fond du cloître toutes mes juvéniles aspirations à la liberté.

Mais on ne mate pas facilement une nature rebelle à toute convention. C'est au prix d'une longue patience que doit s'enfanter la liberté. Aussi, quelle expérience que celle de pouvoir l'affranchir de toutes conditions et influences, au point où les personnes et les événements n'y peuvent plus rien!

Quand j'arrive à être libre jusque dans mes chaînes, j'ai la certitude que ma liberté est située au-delà de la malveillance des autres et à l'abri des tempêtes.

La liberté est une réalité spirituelle. Elle échappe à toute contrainte. C'est ainsi qu'un certain vendredi, un homme enchaîné faisait la navette entre Hérode et Pilate. À ce moment, dans tout Jérusalem, un seul être était vraiment libre, celui dont s'amusait la soldatesque et que bafouaient les grands de la terre. Les juges étaient esclaves de la peur; les scribes et les Pharisiens étaient vaincus par la haine et l'esprit de vengeance; les soldats étaient victimes de leur ignorance; la foule se laissait entraîner par la démagogie et le mensonge de ses chefs.

«La vérité vous rendra libres», disait le Christ. J'ai longtemps vécu en croyant que c'était l'absence de contrariétés qui favorisait ma liberté, mais voilà que c'est la vérité qui s'avère être son assise dernière. Ainsi, je ne puis être libre qu'en respectant mes mécanismes internes, qu'en m'affranchissant de mes esclavages et de mes illusions.

Je ne suis pas «libre» quand je prends «toutes mes libertés», mais seulement quand je respecte la vérité de mon être. Mon égoïsme «m'enchaîne». Il y a, inscrite au fond de moi, une loi qui m'invitait à me donner, à penser aux autres, à pardonner. Quand je cède à cette loi, je connais une qualité de joie bien supérieure à celle qui peut me venir de la satisfaction de mes besoins primaires et instinctifs.

Le malheur est que les joies immédiates, les satisfactions d'ordre sensible s'imposent à moi avec beaucoup plus d'évidence et de force que les joies plus raffinées du don de soi. C'est ce qui explique qu'un jour j'ai choisi de me protéger contre moi-même en m'obligeant à ce chemin de renoncement qu'est la vie du cloître. J'y ai enterré une multitude d'exigences humaines «légitimes» pour me retrouver en bout de ligne avec cette richesse inestimable qu'est la liberté intérieure.

J'avais toujours eu bien du mal à réciter mon Notre Père. J'étais profondément contrarié à la pensée que je devais faire la volonté du Père au détriment de la mienne. Un jour, j'ai compris que la volonté de Dieu n'était rien d'autre que l'accomplissement de ma propre volonté. Ma volonté, c'est-à-dire l'accomplissement de mes désirs les plus profonds et les plus vrais, ceux qui, dans le sacrifice des égoïsmes, peuvent me conduire à une joie qui ne déçoit pas. C'est de cette joie que Dieu veut me voir vivre. Je ne peux être libre qu'à l'intérieur de la volonté de Dieu.

Père Yves Girard,
moine cistercien

Confidentiel...

Es-tu d'accord avec le moine cistercien lorsqu'il dit que la liberté et la vérité sont inséparables?

Liberté et engagement

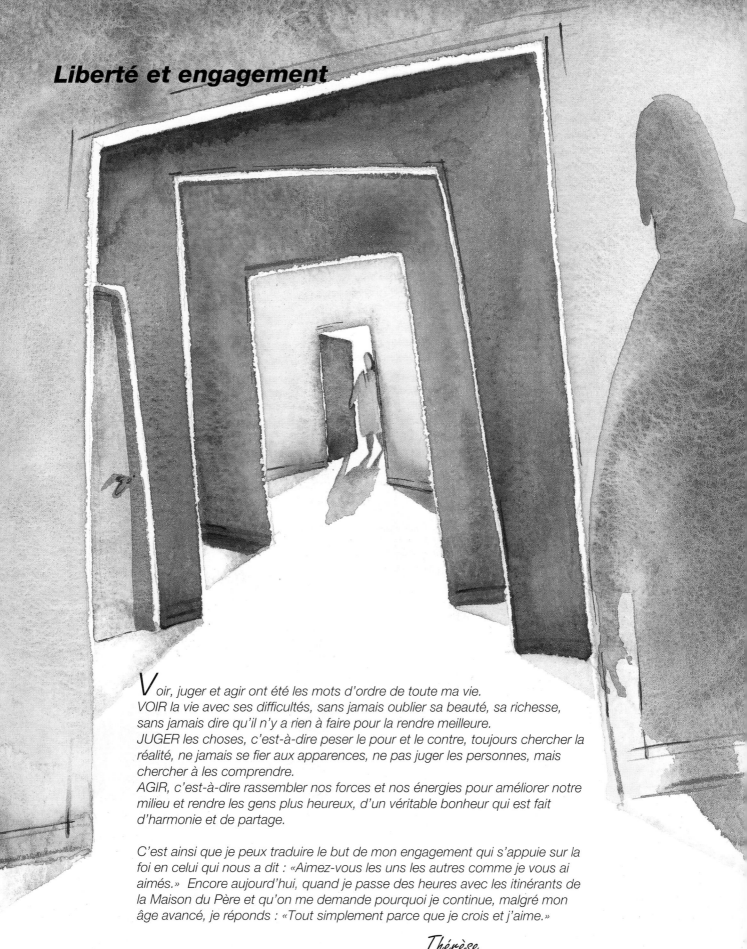

*V*oir, juger et agir ont été les mots d'ordre de toute ma vie.
VOIR la vie avec ses difficultés, sans jamais oublier sa beauté, sa richesse,
sans jamais dire qu'il n'y a rien à faire pour la rendre meilleure.
JUGER les choses, c'est-à-dire peser le pour et le contre, toujours chercher la
réalité, ne jamais se fier aux apparences, ne pas juger les personnes, mais
chercher à les comprendre.
AGIR, c'est-à-dire rassembler nos forces et nos énergies pour améliorer notre
milieu et rendre les gens plus heureux, d'un véritable bonheur qui est fait
d'harmonie et de partage.

C'est ainsi que je peux traduire le but de mon engagement qui s'appuie sur la
foi en celui qui nous a dit : «Aimez-vous les uns les autres comme je vous ai
aimés.» Encore aujourd'hui, quand je passe des heures avec les itinérants de
la Maison du Père et qu'on me demande pourquoi je continue, malgré mon
âge avancé, je réponds : «Tout simplement parce que je crois et j'aime.»

Thérèse

Née à Saint-Damien, dans le comté de Berthier, Thérèse Longpré devient une Montréalaise à l'âge de trois ans. À l'école primaire, elle se révèle tout de suite une élève surdouée. Pas une surdouée paresseuse ou médiocre. Non! Bien que consciente de ses dons, elle ne se complaît pas plus dans les attitudes narcissiques que dans les habitudes piégées de la facilité. D'instinct, elle aime étudier, travailler, distancer, vérifier ses possibilités. Aussi les résultats sont-ils époustouflants. Malheureusement, c'était l'époque où, surtout dans les grosses familles ouvrières, on préférait faire instruire les garçons plutôt que les filles.

Et Thérèse Longpré, par la force des choses, devient une travailleuse en usine. Son premier employeur : Imperial Tobacco. Les semaines de travail sont longues, dures, épuisantes, et les salaires sont minables : 17 $ par semaine, au début, pour une opératrice de machine à empaqueter les cigarettes. La syndicalisation s'impose pour changer radicalement toutes les conditions de travail. Thérèse Longpré s'implique. Dans toute la force du mot. Avec elle, dit-on dans son entourage, c'est toujours comme cela depuis toujours : jamais de demi-mesures, l'engagement n'est jamais fracassant, provocant, mégalomane, superficiel. Un modèle de force calme, rassurante, apaisante.

Dès son entrée en usine chez Imperial Tobacco, Thérèse Longpré s'intéresse aux organismes populaires, s'implique dans des essais de bénévolat, suit des cours d'animation sociale, des cours de Bible, des cours de technicienne en assistance sociale. Parce qu'elle n'a pas pu poursuivre ses études, elle lit énormément, devient peu à peu «une sorte d'autodidacte passionnée et insatiable».

Après vingt-trois ans en usine, elle abandonne Imperial Tobacco, de bons salaires, la sécurité, pour les Services familiaux du quartier Saint-Henri, une initiative des Sœurs de l'Assomption. «J'y allais par goût et par vocation», avoue-t-elle. Le salaire est ridicule, mais l'aventure est grande. Thérèse Longpré devient omniprésente dans les associations de parents, les services familiaux, les comités de citoyens, en bref, dans tous les organismes du quartier voués à la défense des plus démunis des citoyens.

Non seulement elle ne se défile jamais, mais elle se révèle continûment solidaire, sereine, efficace. Pour les familles en détresse, les mères démunies, les jeunes mal aimés et les couples en besoin, elle est, certes, la conseillère éminemment qualifiée, mais elle est d'abord l'amie sur laquelle on peut toujours compter, à laquelle on peut toujours en redemander. En fait, elle s'est toujours, et délibérément, présentée comme une amie avant d'offrir ses conseils et ses services.

Après cinquante ans de générosité continue, cette femme de soixante-dix ans, qui a aussi fait partie de l'équipe de fondation de la Maison du Père, est maintenant retraitée ou presque... Ce qui signifie qu'elle est toujours membre de plusieurs conseils d'administration d'organismes de défense et de promotion de citoyens défavorisés.

Aujourd'hui, elle avoue ne pas avoir le goût des anecdotes, des confidences, des mémoires. Elle dit plus simplement : «On n'a pas idée de tout ce qui s'est fait dans ce quartier depuis des décennies pour en finir avec les misères de toutes sortes. Une générosité carrément incommensurable et impliquant beaucoup de gens de très grande qualité! Ceux qui ont travaillé là ont dû d'abord croire aux gens, les écouter, comprendre leur rythme, vivre avec eux. Les théoriciens filandreux et démagogues y auraient lamentablement échoué... Quant au bénévolat, il est essentiel, irremplaçable, surtout dans nos sociétés où une majorité de citoyens n'ont ni les possibilités ni le temps de communiquer [...] [26]»

- À partir d'un des témoignages présentés et de certains passages de l'Écriture, décrivez en quoi consiste la liberté des enfants de Dieu.

- Selon vous, la manière d'exercer la liberté proposée par l'Évangile peut-elle favoriser l'épanouissement de la personne?

Il n'est pas toujours facile d'avouer ses peurs et ses limites, de résister aux pressions sociales pour rester fidèle à ce que l'on est, pour ne pas se trahir. C'est pourtant à cette seule condition qu'on devient libre intérieurement. Plus besoin de se défendre, plus besoin de se cacher derrière un masque.

Avec d'autres yeux

Toutes les religions ne tiennent pas le même discours sur la liberté. Elles se rejoignent cependant sur un point fondamental : elles parlent toutes de liberté intérieure. Interrogé sur le sens que sa tradition donne à ce mot, un chef spirituel mohawk répondit par la comparaison suivante : «La liberté pour nous, c'est comme l'animal de la forêt qui va et vient où il veut, qui n'est retenu par aucune entrave, ni corde ni clôture». En d'autres termes, cette liberté n'a de limites que celles qui lui viennent de la Terre Mère et des «instructions» données à l'origine par le Créateur. De sorte que vivre libre, c'est vivre dans la vérité de son être, tel qu'il est dans sa réalité primordiale, en complète harmonie avec l'univers.

Pour le bouddhiste comme pour l'hindou, la liberté consiste dans le «non-attachement» – l'Occident dirait le détachement – par rapport à la condition humaine et à ses limitations. Écoutons encore le Bouddha à propos des quatre nobles vérités :

Celui qui voit les choses ainsi, ô moines, est un sage, un noble auditeur de la parole : il se détourne de la corporéité, des sensations et des représentations, des formations et de la connaissance. En se détournant, il s'affranchit du désir, et par la destruction du désir il atteint la délivrance. Dans le délivré s'éveille la connaissance de sa délivrance. La renaissance est anéantie, la sainteté accomplie, le devoir rempli. Il n'y a plus pour lui de retour en ce monde : telle est la vérité qu'il connaît[a].

Cette purification du désir peut aller très loin, jusqu'à ce que le bouddhisme du Grand Véhicule appelle l'idéal du *bodhisattva* (l'Éveil). Le bodhisattva se libère de tout désir, même celui d'entrer en *nirvāna*, et ce pour aider les autres êtres, par tous les moyens, à progresser sur la voie qui mène à l'Éveil.

Cette liberté du bouddhisme face aux moyens de salut peut aller très loin. Face à l'absolu qu'est l'Éveil, les voies pour y parvenir sont tellement relativisées qu'il importe peu qu'elles soient bonnes ou mauvaises. Dans la tradition tantrique, comme dans le bouddhisme tibétain, le maître (le gourou) peut recourir aux moyens les plus inattendus.

Volontairement ils se font courtisanes pour attirer les hommes; mais les ayant séduits par le croc du désir, ils les établissent dans le savoir des Buddha[b].

Le célèbre moine traducteur Kumarajuva raconte à ce propos qu'un homme s'apprêtait à entraîner dans un bois une femme d'une grande beauté. Le bodhisattva Manjusri se transforma aussitôt en homme richement habillé. À sa vue, la femme conçut une pensée de désir.

Manjusri lui dit : «Si tu veux ce vêtement, produis la pensée de la bodhi [l'Éveil]». La femme demanda : «Qu'est-ce que la pensée de la bodhi?» Manjusri répondit : «C'est toi.» La femme reprit : «Comment cela?» Manjusri répondit : «La bodhi est vide de nature propre, et toi aussi tu es vide[c].»

Or cette femme avait autrefois, «planté les racines du bien» auprès du bouddha Kasyapa. En entendant Manjusri, elle comprit, confessa ses fautes et retourna auprès de l'homme qu'elle avait séduit. Aussitôt «elle se transforma en cadavre enflé et fétide». À cette vue, tout effrayé, l'homme se rendit auprès du bouddha. Et quand le bouddha lui eut prêché la loi, il comprit, lui aussi, et confessa ses fautes[d].

Cette parabole illustre la pédagogie bouddhique qui ne recule devant aucun moyen, même douteux, pour faire comprendre le message central du Bouddha : que notre vérité, la vérité – les chrétiens diraient le Mystère – est au-delà des apparences, de l'illusion. C'est le «vide» (l'au-delà de toute conception humaine).

Jacques Langlais

---

a   LANGLAIS, Jacques, *Le Bouddha et les deux bouddhismes*, Montréal, Fides, Coll. «Regards scientifiques sur les religions», Tome 2, 1975, p. 154.
b   *L'enseignement de Vimalakirti*, trad. par Étienne Lamothe, Louvain, Publications Universitaires / Institut Orientaliste, 1962, p. 298.
c   *Ibid.*, p. 128-129.
d   *Ibid.*

Pistes de lecture

DOLTO, Françoise *et al.*, *Parole pour adolescents*, Paris, Hatier, 1989, 160 pages.

Ce livre, qui s'adresse directement aux jeunes, présente les défis à relever pour passer de l'enfance à l'âge adulte. On comprend que des conflits de valeurs peuvent émerger et que des choix s'imposent.

NOLAN, Albert, *Jésus Christ avant le Christianisme : l'Évangile de la libération*, Paris, Les Éditions ouvrières, 1979, 192 pages.

Un regard sur les choix faits par Jésus dans son contexte historique permet d'apprécier sa manière d'exercer sa liberté.

STANKÉ, Alain, *Vive la liberté!*, Montréal, Les éditions internationales Alain Stanké, 1992, 192 pages.

Ce petit recueil présente des textes sur les dimensions historique et personnelle de la conquête de la liberté.

Notes

1   CHARPENTREAU, Jacques, *Paraphes*, Paris, Hachette, «Le livre de Poche Jeunesse», 1991, p. 75.
2   BRAULT, Jacques et Benoît LACROIX, *Saint-Denys Garneau. Oeuvres*, Montréal, Les Presses de l'Université de Montréal, 1971, p. 9.
3   *Poèmes d'adolescents*, Paris, Casterman, 1976, p. 7.
4   *Les plus beaux poèmes pour les enfants*, Paris, Saint-Germain-des-Prés : Cherche-Midi, 1982, p. 95.
5   HELLENS, Franz, *Poésie complète* (*1905-1959*), Paris, Éditions Albin Michel, 1959, p.302.
6   CHARPENTREAU, Jacques et Dominique COFFIN, *Demain dès l'aube...*, Paris, Hachette, 1990, p. 162-166.
7   Cité dans *La liberté en poésie*, Paris, Éditions Gallimard, 1979.
8   Les pensées précédentes sont citées d'après STANKÉ, Alain, *Vive la liberté!*, Montréal, Les éditions internationales Alain Stanké, 1992, 192 p.
9   *La Presse*, 7 décembre 1992.
10 CHOPINET, Anne *et al.*, *On n'arrête pas la liberté*, Paris, Éditions P. Lethielleux, 1985, p. 131-132.
11 «L'essentiel et meurtrier combat pour la liberté de s'informer», *Agir*, vol. 13, n° 1, mars 1992, p. 11.
12 *Loc. cit.* p. 12-13.
13 Cité d'après DUCAMP, Jean-Louis, *Les droits de l'homme racontés aux enfants*, Paris, Les Éditions ouvrières, 1983, p. 18.
14 «Où est le bonheur?», *Fêtes et Saisons*, n° 443, mars 1990, p. 14-15.
15 IMBERDIS, Pierre, *Je rêve d'amour*, Limoges, Éditions Droguet et Ardant, 1985, p. 25.
16 PIOTTE, Micheline, *Au-delà du mur*, Montréal, vlb éditeur, 1988, p. 67-75.
17 IMBERDIS, Pierre, *op. cit.* p. 29.
18 *Ibid.* p. 46-47.
19 DOLTO, Françoise *et al.*, *Paroles pour adolescents*, Paris, Hatier, 1989, p. 97-100.
20 MORIN, Dominique, *Pour dire Dieu*, Paris, Les Éditions du Cerf, 1989, p. 72.
21 SONET, Denis, *op. cit.* p. 61.
22 «Où est le bonheur?», *loc. cit.* p. 14.
23 Cité d'après MORIN, Dominique, *op. cit.*, p. 84.
24 CHARPENTIER, Étienne, *Pour lire l'Ancien Testament*, Paris, Les Éditions du Cerf, 1980, p.33.
25 *El Salvador. Un peuple crucifié, témoin de sa foi*, Montréal, Éditions Paulines FSP, 1990, p. 17.
26 BERNIER, Conrad, *La Presse*, 23 septembre 1990.

Chapitre 3
Le risque d'aimer

L'amour! Un désir, un besoin, un risque comme le chantent des poètes d'aujourd'hui et d'hier, comme en rêvent des jeunes d'ici. Chacun et chacune de nous pourrait sans doute raconter son histoire personnelle en évoquant sa quête d'amour, une quête traversée de joies et de peines, d'espoir et d'angoisse. Et quand de nouveaux liens se tissent, plusieurs pourraient parler de cette peur de l'abandon qui s'infiltre subtilement dans le cœur des amoureux, comme elle guette l'enfant au berceau et attriste la personne âgée. Le besoin fondamental d'aimer et d'être aimé traduit une expérience intérieure universelle et prend différents visages.

Et quand l'amour paraît, plus rien n'est pareil! Le mystérieux attrait vers l'autre annonce le début d'une aventure dont on prend librement le risque, l'aventure d'une rencontre, d'une relation qui s'établit lentement et dont les signes visibles s'appellent don et tendresse. Dans ce travail d'unification, le plaisir et la douleur se côtoient et s'entremêlent tant il est grand et difficile de respecter l'autre dans sa différence, d'aimer pour de vrai. Combien de fois souhaiterions-nous que l'autre ait été créé à notre image! L'Écriture contient de magnifiques pages sur l'amour, des paroles qui sont aujourd'hui traduites en actes de mille et une manières. Ces hommes et ces femmes qui vivent à la manière de Jésus sont-ils heureux?

Dans le domaine de la sexualité, il existe certains enjeux relatifs à l'agir sexuel, à l'orientation sexuelle et aux diverses formes de la vie commune. Que peut-on en penser?

Parlez-nous d'amour

L'amour et l'amitié sont des besoins qui n'ont pas d'âge, des biens qui n'ont pas de prix. Que d'heures passées au téléphone, que de lettres échangées, que de rires éclatés et de larmes versées en leur nom! Aujourd'hui, et malgré certaines déceptions, des jeunes continuent de croire en l'amour et en l'amitié et cherchent à bâtir des liens solides. Comment faire? Quelle est votre conception de l'amour? À votre tour de prendre la parole... ou le crayon!

Points de vue et découvertes

Au début, je trouvais mon ami fantastique. Mais plus les mois passaient, plus il me critiquait et il me maltraitait même. J'avais peur qu'il me batte. J'étais devenue un objet sexuel, bonne pour le satisfaire, mais comme je l'aimais, je restais avec lui. Un jour, le sommet a été atteint et je l'ai quitté. Avant d'entrer dans une relation intime, il faut être bien avec la personne et la connaître suffisamment.

Zoé

Je suis en train de vivre une très belle histoire d'amour. Notre relation est basée sur des valeurs extraordinaires : l'honnêteté, la gentillesse, la compréhension et la simplicité. Tout est bâti sur la confiance et c'est ce qui est de plus important au monde d'après moi. Je suis très heureuse!

Karoula

Au début, c'est le coup de foudre, on aime aveuglément, on s'en fait un idéal jusqu'au jour où on s'aperçoit que...

Chantal

Ne plus être aimé fait terriblement mal. Je veux aimer encore, mais j'ai mal. J'ai mal en pensant à l'amour parce que la douleur qui suit la rupture est plus grande que la douceur de l'amour.

Karim

Au début, on vit la peur d'être laissé, abandonné. Mais quand la peur tombe, on découvre à travers l'autre les valeurs de l'amour, les vraies cette fois : la confiance en l'autre et en soi, le respect de la liberté de l'autre, la communication intérieure et non superficielle, celle qui dit plus que des «je t'aime».

Mlle Paris

À quatorze ans, j'ai fréquenté un garçon que je n'aimais pas. Il m'aimait beaucoup et me le disait souvent, mais je ne me rendais pas compte qu'il était sérieux. Lorsque j'ai eu ce que j'ai voulu, je l'ai laissé tomber. Quelques semaines plus tard, je me suis rendu compte que ce garçon avait été trop bien pour moi : je ne l'avais pas mérité et je n'aurais pas dû lui faire ce coup. Cette expérience m'a déçue puisque je me suis découvert un grand défaut et j'ai eu honte de moi.

Charlotte

*M*on meilleur ami est un garçon extraordinaire! L'amitié avec lui est toute simple : on parle de tout et peu importe que l'on ne soit pas du même sexe. Il y a beaucoup de tendresse et de complicité entre nous. J'ai envie de reprendre les paroles du chanteur Jean-Jacques Goldman : «Il est de ma famille, bien plus que celle du sang...»

Flo

*A*vant de m'embarquer dans le même «bateau» avec une fille, je commence par être son ami pour voir si c'est mon «genre». Je cherche à savoir si elle est du style «un soir» ou stable. À notre âge, il ne faut pas prendre l'amour trop au sérieux, trop de problèmes peuvent en découler. On peut expérimenter, mais sans aller jusqu'à devoir se ramasser en petits morceaux.

Daniel

*J*e veux montrer à mes enfants ce qu'est une vraie relation d'amour avec ses obstacles et ses incidents, leur faire comprendre qu'abandonner devant les épreuves est un signe de lâcheté. La révolution sexuelle est terminée et, pour nous, faire l'amour, c'est l'épanouissement d'une relation amoureuse véritable. Nous avons assez de jugement pour peser les conséquences de nos actes. Oui, nous croyons à l'amour!

Michèle-Odile

*O*n ne réfléchit pas souvent à la question de l'amour et de l'amitié à l'intérieur d'une relation. On croit d'abord que ça doit être de la passion comme au cinéma et on s'entête à se fixer des objectifs trop élevés par rapport à une relation qui vient de commencer. L'adolescence chambarde nos valeurs, nos sentiments et notre vision de la vie. Projetés dans une grande insécurité, nous recherchons l'amour à titre de réconfort. Mais sommes-nous assez mûrs pour bien comprendre l'importance et les responsabilité que cela implique? Je ne le crois pas.

Seva

Nous voyons nos parents divorcer, nous regardons la violence à la télévision et dans la rue; on nous dit que l'amour vrai n'existe plus, que c'est une fable. On nous éduque à devenir hypermatérialistes et insensibles à tout ce qui touche aux sentiments. Mais dans le fond de notre cœur, nous sommes persuadés que l'amour vrai existe. Nous avons peur, peur de souffrir, de nous tromper, peur que les adultes aient raison de dire qu'il n'y a pas d'espoir, que le monde est sans issue. Personnellement, je cherche le partage avant tout, la complicité... Une relation idéale, c'est quand les deux personnes s'aident mutuellement à corriger leurs défauts, à atteindre leur plein épanouissement.

Andréane

L'amour, c'est beau, c'est gai, c'est merveilleux lorsqu'il est bien vécu. Mais l'amour est plus un idéal qu'une réalité.

Aglaé

Ce qui me fait le plus mal, c'est quand nos illusions meurent, quand on s'aperçoit que la fin d'un amour approche. C'est difficile d'avoir quinze ans! Je pense que j'aurais mieux fait de rester toute petite, comme dans le temps où une berceuse de ma mère pouvait calmer mes plus grosses peines et faire taire mes plus gros sanglots.

Élise

L'amour blesse, détruit et pourtant... sans amour la vie n'a plus de sens. Comment se fait-il qu'on nous explique la sexualité et l'orgasme, mais que personne ne définit clairement ce que sont le respect et l'amour? Ces deux réalités ne seraient-elles que des illusions engendrées par ce que nous appelons la tendresse? Malgré tout, à seize ans, le prince charmant ou la princesse charmante existe pour nous. On rêve de nuits au clair de lune, de soirées de bal, de promenades sur la plage à la brunante, de fleurs dans les prés... On y croit même après les larmes, les déchirures et les cris. On s'estime blessé et détruit à jamais, mais le temps cicatrise les blessures et tout peut recommencer.

Maude

«*Les femmes sont besoin d'une bonne raison pour faire l'amour, les hommes ont seulement besoin d'un endroit*», m'a dit un jour un ami très proche. Il disait fièrement appartenir à ce groupe d'hommes, tandis que je m'en détachais. Beaucoup d'hommes se disent plus attirés par la sexualité que par l'amour au vrai sens du terme. Je pense que cela est dû aux nombreux moyens de contraception. Ceux-ci donnent une plus grande liberté aux hommes et aux femmes, mais les femmes doivent être plus prudentes encore, la grossesse étant toujours dans le paysage. Voilà pourquoi elles veulent être sûres de leur partenaire. Toutefois, je pense que les hommes devraient se sentir aussi responsables que les femmes!

Éric

*J*e cherche un amour réciproque où les deux s'aiment également, sinon ça ne fonctionne pas. La communication est essentielle, de même que l'acceptation de ses fautes : il faut accepter d'avoir tort et de ne pas avoir le dernier mot. Je veux sortir avec un garçon qui soit mon meilleur ami pour pouvoir tout lui dire.

Catherine

*D*ernièrement, je suis allée au cinéma avec un bon ami. Dès le début du film, il voulait toujours m'embrasser, mais je ne voulais pas. Je ne me sentais pas prête. Je l'ai laissé faire jusqu'à une certaine limite, mais j'aurais dû l'arrêter dès le début. La pression de mes amies a été plus forte (elles ont presque toutes un amoureux et moi je n'en ai jamais eu de vraiment sérieux). Cette expérience m'a rendue très exigeante dans mes choix de garçons et je suis la première à en souffrir. J'ai réalisé qu'on doit se sentir prête pour sortir avec quelqu'un et non seulement pour avoir un «chum».

Caroline

*O*n s'attend trop à ce que l'autre soit parfait. Cela m'est souvent arrivé de laisser tomber un garçon parce qu'il y avait quelque chose qui m'énervait chez lui. Personne n'est parfait! Après quelques expériences semblables, j'en suis venue à exiger beaucoup moins de l'autre. Je demande le respect, la communication et la tendresse. J'apprends à accepter l'autre avec ses défauts.

Naïla

- Choisissez le billet qui rejoint le plus votre expérience personnelle.

- Avec lequel ou laquelle des signataires êtes-vous le plus en désaccord? Pourquoi?

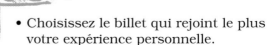

À l'écoute des poètes

Légende

Deux amants sont devenus arbre
Pour avoir oublié le temps

Leurs pieds ont poussé dans la terre
Leurs bras sont devenus des branches

Toutes ces graines qui s'envolent
Ce sont leurs pensées emmêlées

La pluie ni le vent ni le gel
Ne pourront pas les séparer

Ils ne forment plus qu'un seul tronc
Dur et veiné comme du marbre

Et sur leurs bouches réunies
Le chèvrefeuille a fait son nid

Marcel Béalu [1]

La blessure

Un homme
une femme
un enfant
l'enfant dans un coin
les parents dans l'autre
que font-ils?
L'enfant s'effraye et se blottit
et c'est la guerre entre les parents
c'est la blessure pour l'enfant
l'enfant pleure et se meurt

Denise [3]

La mésentente

Quelquefois, malgré nous, la porte s'ouvre
et la mésentente entre et s'installe. Nous
n'avons rien vu, rien entendu.
L'orgueil donne ses ordres.
L'égoïsme brandit son miroir.
L'ergotage salit les murs et les carrelages.
La mésentente, bête comme un gallinacé,
folle comme le poison du seigle, ricane en
silence.
Et nous nous retrouvons sur les versants
opposés de montagnes ravinées.
Il nous faut alors de longues marches pour
nous retrouver, meurtris, assoiffés,
heureux.

Gabriel Cousin [2]

Si un jour vous le voyez

L'enfant mal aimé
* se sent délaissé.*
Il se sent repoussé
* de ceux qui l'ont élevé.*

Il est craintif et plein de timidité.
* Oh! comme il fait pitié!*

Si un jour vous le voyez,
* allez donc l'aider.*
Il se sentirait plus aimé
* et vous créeriez un lien d'amitié.*

Il sera tellement touché
* qu'il ira vous embrasser.*
Et toujours il reverra dans ses pensées
* cette petite touche d'amitié.*

Mélissa[4]

L'amour est comme...

L'amour est comme la mer :
il efface le passé
telle la marée éphémère
balayant le sable mouillé.
* L'amour est comme l'oiseau*
* qui va, qui vient,*
* symbole de liberté et de renouveau,*
* il se laisse guider par l'instinct.*
L'amour est comme la perle
qui, dans l'huître cachée,
parfois se révèle,
si longuement désiré.
* L'amour est comme le sourire de l'enfant*
* aussi frais que la brise printanière :*
* il renouvelle les sentiments*
* et efface les chimères.*
L'amour est comme un long voyage :
jusqu'à la fin, il fait rêver.
De fidélité il est le gage
lorsqu'il fait preuve de sincérité.

Nathalie[5]

Jacques Payette
Quatre nids, 1989
Acrylique sur papier Rives
132 cm x 132 cm
Michel Tétreault Art International

*A*ccueil

Moi ce n'est que pour vous aimer
Pour vous voir
Et pour aimer vous voir

Moi ça n'est pas pour vous parler
Ça n'est pas pour des échanges conversations
Ceci livré, cela retenu
Pour ces compromissions de nos dons

C'est pour savoir que vous êtes
Pour aimer que vous soyez

Moi ce n'est que pour vous aimer
Que je vous accueille
Dans la vallée spacieuse de mon recueillement
Où vous marchez seule et sans moi
Libre complètement

Dieu sait que vous serez attentive
Et de tous côtés au soleil
Et tout entière en votre fleur
Sans une hypocrisie
en votre jeu

Vous serez claire et seule
Comme une fleur sous le ciel
Sans un repli
Sans un recul de votre exquise pudeur

Moi je suis seul à mon tour
autour de la vallée
Je suis la colline attentive
Autour de la vallée
Où la gazelle de votre grâce évoluera
Dans la confiance et la clarté de l'air

Seul à mon tour j'aurai la joie
Devant moi
De vos gestes parfaits
Des attitudes parfaites
De votre solitude

Et Dieu sait que vous repartirez
Comme vous êtes venue
Et je ne vous reconnaîtrai plus

Je ne serai peut-être plus seul
Mais la vallée sera déserte
Et qui me parlera de vous?

Saint-Denys Garneau[6]

Jacques Payette
Le baiser d'Italie, 1986
Acrylique et crayon sur toile
150 cm x 250 cm
Michel Tétreault Art International

Quand on n'a que l'amour

Quand on n'a que l'amour
À s'offrir en partage
Au jour du grand voyage
Qu'est notre grand amour
Mon amour toi et moi
Pour qu'éclatent de joie
Chaque heure et chaque jour
Quand on n'a que l'amour
Pour vivre nos promesses
Sans nulle autre richesse
Que d'y croire toujours
Quand on n'a que l'amour
Pour meubler de merveilles
Et couvrir de soleil
La laideur des faubourgs
Quand on n'a que l'amour
Pour unique raison
Pour unique chanson
Et unique secours

Quand on n'a que l'amour
Pour habiller matin
Pauvres et malandrins
De manteaux de velours
Quand on n'a que l'amour
À offrir en prière
Pour les maux de la terre
En simple troubadour
Quand on n'a que l'amour
À offrir à ceux-là
Dont l'unique combat
Est de chercher le jour
Quand on n'a que l'amour
Pour tracer un chemin
Et forcer le destin
À chaque carrefour
Quand on n'a que l'amour
Pour parler aux canons
Et rien qu'une chanson
Pour convaincre un tambour

Alors sans avoir rien
Que la force d'aimer
Nous aurons dans nos mains
Amis le monde entier

Jacques Brel[7]

Le doux chagrin

J'ai fait de la peine à ma mie
Elle qui ne m'en a point fait
Qu'il est difficile...

Qu'il est difficile d'aimer
Qu'il est difficile...

Elle qui ne m'en a point fait
Et moi qui tant en méritais
Qu'il est difficile...
[...]

Et moi qui tant en méritais
Je sais ma mie, vous m'en ferez
Qu'il est difficile...
[...]

Je sais ma mie, vous m'en ferez
Car depuis long de temps je sais
Qu'il est difficile...
[...]

Car depuis long de temps je sais
Que sans peine il n'est point d'aimer
Qu'il est difficile...
[...]

Que sans peine il n'est point d'aimer
Et sans amour, pourquoi chanter
Qu'il est difficile...
[...]

Gilles Vigneault[8]

ZOOM

Quel poème traduit le mieux votre
conception de l'amour?

Des pensées sur l'amour

Deux forces nous attirent comme des aimants. L'une pousse vers ce que j'appelais l'idolâtrie : «Moi, moi, moi, moi seul.» L'autre pousse au partage. Ces pulsions s'aggravent avec l'âge adulte.

Abbé Pierre[9]

Je te sais gré de me recevoir tel que je suis.
Qu'ai-je affaire d'un ami qui me juge?
Si j'accueille un ami à ma table, je le prie de s'asseoir,
s'il boite, je ne lui demande pas de danser.

Antoine de Saint-Exupéry[10]

Il y a dans les hommes plus de choses à admirer que de choses à mépriser.

Albert Camus[11]

L'amitié disparaît où cesse l'égalité.

Proverbe indien[12]

Ce que nous faisons de plus sérieux sur cette terre, c'est d'aimer, le reste ne compte guère.

Julien Green[13]

Une sexualité décapitée de sa dimension humaine évacue toute possibilité de tendresse.

Docteur Paul Chauchard[14]

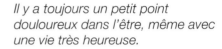
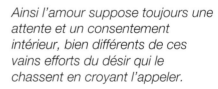
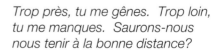
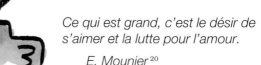

L'amour d'un être humain pour un autre, c'est peut-être l'épreuve la plus difficile pour chacun de nous, c'est le plus haut témoignage de nous-même; l'œuvre suprême dont toutes les autres ne sont que les préparations.

Rainer-Maria Rilke[15]

Le difficile est de faire communiquer deux vies intérieures d'une manière qui ne soit pas superficielle, de les faire communiquer par leurs profondeurs.

Bourbon Busset[16]

Il y a toujours un petit point douloureux dans l'être, même avec une vie très heureuse.

Madeleine Renaud[17]

Ainsi l'amour suppose toujours une attente et un consentement intérieur, bien différents de ces vains efforts du désir qui le chassent en croyant l'appeler.

Louis Lavelle[18]

Trop près, tu me gênes. Trop loin, tu me manques. Saurons-nous nous tenir à la bonne distance?

Denis Sonet[19]

Ce qui est grand, c'est le désir de s'aimer et la lutte pour l'amour.

E. Mounier[20]

La confiance que nous avions l'un en l'autre, c'était la confiance que le croyant a en son Dieu, la certitude de n'être jamais abandonné par celui à qui on a donné sa foi.

Bourbon Busset [21]

Donner sa parole est le plus grand des dons. Aussi faut-il se garder de la donner à la légère. Quand on la donne inconsidérément, on ne la tient pas. Une certaine camaraderie facile est la mort de l'amitié et de l'amour.

Bourbon Busset [22]

Le respect n'est pas la fuite dans l'obscurité, c'est la volonté de laisser l'autre libre de dévoiler ou non son mystère.

Bourbon Busset [23]

Personne n'a complètement tort. Même une horloge arrêtée a raison deux fois par jour... [24]

La tendresse d'une écoute, c'est de permettre à l'autre, non seulement de se dire, mais aussi de s'entendre.

Jacques Salomé [25]

L'amour est un acte de foi et qui a peu de foi, a peu d'amour.

Erich Fromm [26]

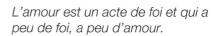
ZOOM

Choisissez la pensée qui traduit le mieux votre conception de l'amour.

SUR LE BONHEUR

À l'adolescence, on est en amour avec l'amour, on est en amour avec le fait qu'on aime donner des baisers, qu'on aime être accompagnés, qu'on aime parler, qu'on aime se regarder... Mais sommes-nous vraiment amoureux de la personne ou bien du fait qu'elle nous plonge dans un monde de câlins? Je crois que cela prendra du temps avant de «s'aimer» vraiment : il faut de la maturité, de la patience, de la confiance et un sens du partage. À notre âge, on arrive difficilement à croire qu'on peut donner quelque chose puisqu'on ne s'aime pas soi-même.

Nelson

Entre l'angoisse et l'espoir

L'amour est un besoin fondamental, vital même. On a besoin d'aimer comme de respirer et de manger. Il suffit de rencontrer des personnes qui sont privées d'amour pour deviner leur solitude et leur douleur. Perdre l'amour fait peur tandis qu'aimer donne une profondeur et une légèreté à la vie quotidienne. Quand on est amoureux, les gestes les plus ordinaires prennent un sens. D'où vient ce besoin d'aimer?

Une expérience intérieure

Ainsi donc, le besoin le plus profond de l'homme est de surmonter sa séparation, de fuir la prison de sa solitude.

Erich Fromm [27]

Naître, c'est se séparer, c'est vivre en dehors du corps maternel. Naître, c'est se détacher, c'est se retrouver seul ou seule. Même si on ne s'en souvient pas, cette expérience universelle et unique est aussi extraordinaire que douloureuse.

Un besoin fondamental

Depuis le moment de notre naissance, nous faisons l'expérience d'un manque, celui du lien fusionnel avec la personne qui nous aimait sans même nous connaître. Qu'on habite en Amérique ou en Afrique, qu'on soit jeune ou non, on cherche tous et toutes à surmonter cette première séparation et à combler ce manque. À travers nos relations humaines, on espère retrouver ce paradis de tranquillité et d'harmonie auquel il nous faut cependant renoncer pour naître au monde réel qui est traversé par des contradictions et des frustrations de toutes sortes.

Ce manque est à la fois une force et une faiblesse. Une force, parce qu'il est le point de départ de la recherche de l'autre, du désir de connaître l'autre : c'est une force de rencontre. Une faiblesse, parce qu'il révèle nos limites, notre incapacité à combler par nous-mêmes ce besoin fondamental d'aimer et d'être aimé.

À l'adolescence, le corps change, il devient prêt à rencontrer l'autre. C'est toute la personne qui se transforme et l'impression du manque peut devenir plus intense encore :

J'avais l'habitude de sortir avec plein de garçons. J'étais heureuse, mais je sentais toujours un manque en dedans de moi. Je sentais le besoin d'être aimée et d'aimer. À la maison, on m'aime comme fille et sœur, mais je voulais quelqu'un qui m'aime pour ce que je suis. J'ai rencontré Jeremy. De jour en jour, j'apprends à le connaître et je découvre le sens de ma vie, et qui je suis vraiment. Notre amour se développe. Sans lui, je ne sais pas ce que je ferais. Il est mon ami, pour toujours, mon amour.

Johanne

La peur de l'abandon

On trouve ou on pense trouver, on séduit, on se confie, on s'engage, on fait confiance. Ces premières expériences amoureuses s'avèrent heureuses ou malheureuses, pleines d'espoir ou de désillusion. Une question revient sans cesse : quelqu'un pourra-t-il un jour me comprendre parfaitement? Quand une relation commence, quand l'amour apparaît, on n'échappe pas à la peur de perdre la personne aimée ou d'être rejeté par elle :

Avant de s'engager le moindrement, il est très important de s'assurer qu'il n'y a pas de danger de rejet. Les jeunes de ma génération sont terriblement insécures et timides; ils recherchent l'amitié et l'amour de tout le monde.

Pierre-Marc

Cette peur, qui rejoint notre peur d'enfant et qui réapparaît en force quand les parents divorcent, guette sournoisement les personnes âgées. Leur peur d'être abandonnées remonte à la surface quand les enfants négligent de les visiter. L'amour est un besoin fondamental : il est inscrit dans notre chair, se manifeste à tous les âges de la vie. Plusieurs cherchent éperdument l'amour et certains ont si peur de le perdre qu'ils et elles deviennent possessifs et envahissent les autres dès qu'il y a un signe d'affection. Pourquoi?

Apparemment, ce qui manque à beaucoup d'hommes et de femmes, c'est la conscience de la «vraie présence» des autres, c'est-à-dire de l'autre qui m'accepte tel que je suis, dont je suis sûr et certain qu'il m'accepte, quelqu'un qui est là et que je sais être là. Ils cherchent dès lors presque désespérément à vérifier cette «vraie présence», étouffant par le fait même le peu qu'ils en peuvent trouver. Ils sont affamés de relations personnelles profondes; ils en sont si avides qu'ils en écrasent les premiers bourgeons. Ils exigent à l'excès de ceux qu'ils appellent leurs amis et ouvrent ainsi la voie à l'amertume et à l'hostilité, alors que ces «amis» se montrent impuissants et impuissantes à répondre à leurs attentes peu réalistes. Tout ceci engendre de profondes souffrances qu'il n'est vraiment pas rare de voir déboucher sur un sentiment de désespoir[28].

L'amour rend la vie précieuse. Quand quelqu'un nous aime vraiment, on expérimente que la vie a de la valeur, qu'elle est bonne, qu'elle vaut la peine d'être vécue. C'est ce qu'exprime madame Simonne Monet-Chartrand dans son journal intime.

Montréal, le 21 mars 1937

J'ai été éduquée par les religieuses et par ma mère à devenir une fille raisonnable, une fille de devoir. Mais comment être raisonnable en amour? Désirer être avec l'autre, sans raisonner, sans calculer. Nous sommes si bien quand nous sommes ensemble. Est-ce ça l'amour? Mes parents veulent mon bien. Ils veulent tout essayer pour me sauver physiquement et mentalement, je l'apprécie bien. Mais ils ne peuvent vivre à ma place. Vivre! Vivre! Qu'est-ce que c'est sinon d'aimer. Ces pages sont le cri d'un cœur qui bat vite et tout croche. L'arythmie, m'a dit le cardiologue ami de ma famille. Est-ce une maladie? L'important, c'est qu'il batte, même à tout rompre.

Cependant, il est difficile pour une personne qui ne s'aime pas elle-même d'accepter l'amour des autres ou d'en lire les signes. De ne pas s'aimer la conduit souvent à se croire indigne d'être aimée. Doutant de sa valeur personnelle, elle se sent menacée par la présence des autres : seront-ils ou seront-elles plus compétents, plus intéressants, plus beaux et conséquemment, plus appréciés que moi?

L'expérience de la foi

Pour les croyants et les croyantes, la relation à Dieu répond à ce besoin profond du cœur humain, celui d'être accepté et aimé infiniment. L'amour de Dieu est inconditionnel : il ne cherche pas à faire du chantage, du genre : «Si tu m'aimais vraiment, tu ferais ceci et cela...» Dieu aime indépendamment des circonstances et de l'accueil qu'on lui fait. Il ne nous aime pas pour nos qualités ou pour nos réalisations, il nous aime pour ce que nous sommes. On peut se rappeler ici la rencontre de Jésus avec la Samaritaine racontée dans l'Évangile selon saint Jean (chapitre 4, versets 1 à 42).

Avoir la foi, c'est avoir la certitude que nous sommes aimés de Dieu d'une manière intime et personnelle, comme l'exprime cette prière :

> *Yahvé, tu me sondes et me connais;*
> *que je me lève ou m'assoie, tu le sais,*
> *tu perces de loin mes pensées :*
> *que je marche ou me couche, tu le sens,*
> *mes chemins te sont tous familiers.*
>
> *La parole n'est pas encore sur ma langue,*
> *et voici, Yahvé, tu la sais tout entière;*
> *derrière et devant tu m'enserres,*
> *tu as mis sur moi ta main.*
> *Merveille de science qui me dépasse,*
> *hauteur où je ne puis atteindre.*
> *(Ps 139, 1-6)*

Le psalmiste traduit ainsi sa foi en un Dieu qui se soucie de lui, qui saisit ses besoins les plus profonds.

Demeurez en mon amour, dit Jésus (Jn 15, 9). Il nous invite ainsi à vivre avec cette conviction que nous sommes aimés et que nous sommes aimables, à vivre de son amour comme de l'air qu'on respire. Son amour est le roc sur lequel on peut bâtir notre maison, c'est-à-dire notre vie tout entière (Lc 6, 47-48).

La foi serait-elle magique? La foi ferait-elle éclater nos limites et nous garantirait-elle l'amour des autres? Il n'en est rien. On fait tous et toutes l'expérience des limites de l'amour humain et nos chagrins d'amour ou d'amitié en sont la preuve.

Entre l'acceptation humaine et l'acceptation divine, il y a parfois une grande différence et même une opposition : une mauvaise expérience de l'amour de mon père ou de ma mère ne m'empêche pas de vivre une relation de confiance avec Dieu, laquelle peut me donner la force intérieure de dépasser la rancune que j'entretiens envers mes parents. La foi ne nous écarte pas du monde réel et ne nous épargne pas des souffrances de la condition humaine. Elle nous permet seulement de les traverser avec Dieu, en sa présence.

ZOOM

- À partir de l'expérience humaine, montrez pourquoi l'amour est un besoin fondamental.

- L'amour de Dieu rencontre-t-il le besoin d'amour de l'être humain?

Sens humain et chrétien de la sexualité

Les discours sur la sexualité varient : certains parlent en termes de plaisir et d'érotisme, d'autres en termes de rencontre et de don de soi. Et la manière d'en parler traduit la conception qu'on se fait de la personne humaine, du sens qu'on entend donner à son existence. L'analyse qui suit s'inspire, en partie, du livre d'Albert Donval intitulé *La sexualité*[29], et vous invite à réfléchir au sens humain et chrétien de la sexualité.

La dimension corporelle

À l'adolescence, les garçons et les filles doivent s'habituer à leur nouvelle apparence et retrouver une certaine confiance en eux-mêmes, se réconcilier avec leur image corporelle, sans quoi la rencontre avec l'autre risque d'être plus difficile.

Le corps est une manifestation de notre particularité : il est impossible de trouver un sosie ou d'être soi-même la copie parfaite d'une autre personne! Cependant, le corps est plus qu'un ensemble d'éléments matériels. Le corps raconte notre histoire, il nous renvoie à des événements heureux ou malheureux. Nos cicatrices et nos blessures sont des traces visibles de la vie. Le corps porte des signes du passé, de notre hérédité : nous ressemblons au grand-père ou à la tante, nous réagissons comme notre mère ou nos cousins et cousines. Plus encore, il laisse traverser quelque chose de notre intériorité : l'expression de notre visage révèle nos états d'âme, notre angoisse, notre confiance, notre inquiétude, nos rêves, notre peine, notre joie. Et s'il exprime notre manière d'être, il n'est pas pour autant un miroir parfait. Chacun et chacune se souvient d'avoir déjà contrôlé ses réactions ou de les avoir habilement dissimulées : le corps peut mentir ou mettre un voile, un écran entre des personnes.

L'aspect physique, une façade? Le corps, c'est presque un instrument de l'intérieur, c'est l'intérieur qui essaie, qui doit pouvoir en faire ce qu'il veut, dans les limites évidemment de ce qui est possible. Par exemple, les gestes, la façon de parler, de rire, de bouger la tête, c'est beaucoup intérieur. Il y a une chose qui est assez bizarre : si brusquement on se regarde dans le miroir, on ne se reconnaît pas. Il y a deux façons de voir, en fait. Il y a une façon personnelle, et puis il y a la deuxième façon, qui devrait avoir moins d'importance, mais qui, en général, en a plus, c'est : comment nous voient les autres, comme sur une photo. Mais une photo, ça n'a pas de vie. Un corps, c'est mort, et quand on est vivant, c'est différent. C'est toute la différence entre le corps et puis la vie. Le corps, il faut l'habiter, s'en servir au mieux. Et puis, il y a une autre question : comment on se sent?

Hervé[31]

Ce corps, c'est le mien... Ma phase de puberté a été extrêmement difficile. Je savais que ça allait m'empêcher de faire les mêmes choses que je faisais avant. J'ai été extrêmement complexée. Je n'ai pas supporté ma poitrine, je n'ai pas supporté ce corps féminin. J'ai dû me réhabituer, me dire : ce corps, c'est le mien, il est à moi. J'avais beaucoup de mal à aimer les autres. J'étais tracassée par ce problème. Donc j'étais enfermée en moi-même. Je ne m'aimais pas. Avant le puberté, j'avais beaucoup de garçons comme amis. Et mon corps a commencé à devenir un obstacle. J'ai commencé par grossir, par ne pas accepter. Il y a beaucoup de filles de douze-treize ans ou même plus vieilles qui s'obstinent à porter des trucs très larges. Je faisais ça pour cacher ce que j'étais. Je voulais rester la petite fille plate...
À l'âge de la puberté, on cherche une apparence. On veut ressembler à tel ou tel modèle. Et on ne se connaît pas, parce que finalement, on ne sait pas qu'on est capable de certaines qualités, de certaines performances. C'est un passage tellement difficile... qui prête à une autodestruction pas possible. On est tellement influencé...

Corine[30]

119

Les différences

Le sexe manifeste notre condition masculine ou féminine. Le récit biblique de la création exprime cette dualité et raconte, d'une façon imagée, le début de notre aventure d'ouverture et de rencontre de l'autre : *Dieu créa l'homme à son image, à l'image de Dieu il le créa, homme et femme il les créa (Gn 1, 27).*

Homme et femme, nous sommes différents et appelés à vivre ensemble :

> *Yahvé Dieu dit : «Il n'est pas bon que l'homme soit seul. Il faut que je lui fasse une aide qui lui soit assortie.» [...] Puis, de la côte qu'il avait tirée de l'homme, Yahvé Dieu façonna une femme et l'amena à l'homme.*
> *Alors celui-ci s'écria :*
> *«Pour le coup, c'est l'os de mes os et la chair de ma chair!*
> *Celle-ci sera appelée "femme", car elle fut tirée de l'homme, celle-ci!»*
> *C'est pourquoi l'homme quitte son père et sa mère et s'attache à sa femme, et ils deviennent une seule chair.*
> *Or tous deux étaient nus, l'homme et sa femme, et ils n'avaient pas honte l'un devant l'autre.*
> *(Gn 2, 18. 22-25)*

Ce texte, écrit dans un style poétique, parle à la fois de notre différence et de notre attirance mutuelle. L'enfant qui naît de cette rencontre vit «le plaisir d'être tour à tour séduit par une mère et un père, par des hommes et des femmes qui prennent plaisir à son plaisir. Dès le berceau, l'enfant apprend à être "homme" ou "femme", car notre sexualité est une composante fondamentale de notre personnalité; c'est une façon d'exister, de se manifester, de communiquer avec les autres, de ressentir, d'exprimer et de vivre l'amour humain. Semblables, nous sommes différents. Quelle joie de découvrir notre univers par la sensibilité autre d'un homme ou d'une femme [32]!»

Mais cette aventure merveilleuse et qui semble aller de soi ne se vit pas sans tension comme le confirme notre expérience familiale ou amoureuse. Attirés l'un vers l'autre, l'homme et la femme doivent bâtir ce lien, le consolider jour après jour dans la patience et la sollicitude. Et malgré toutes nos bonnes intentions, nous devons souvent résister à la tentation de nier nos différences mutuelles.

Que de fois aurait-on le goût de claquer la porte, de tourner le dos à l'autre, de suivre ses tendances et d'oublier l'autre, le différent. Tout serait tellement plus facile si nous avions les mêmes goûts, si nous voulions les mêmes choses, si l'autre était fait à notre image! Il existe pour ainsi dire une tension continuelle entre le désir de s'ouvrir et de rencontrer l'autre et celui de se fermer et de renoncer à toute rencontre. Mais aujourd'hui plus que jamais, les jeunes et les adultes ont faim de rencontres et les relations sexuelles précoces en sont peut-être un indice.

Les pièges

Pour surmonter cette tentation d'oublier l'altérité, il nous faut constamment éviter deux pièges.

Le premier est celui de la «complémentarité immédiate» qui nous fait dire, par exemple, que l'homme est actif et que la femme est passive. On divise l'être humain en deux, perpétuant ainsi le mythe de l'androgyne hérité de l'Antiquité. Pour expliquer l'attrait des sexes, les anciens ont inventé une légende qui raconte que le premier être humain aurait été créé avec les deux sexes, mais qu'un dieu jaloux l'aurait séparé en deux parties : une des parties est devenue l'homme et l'autre, la femme. Les deux parties se cherchent pour refaire le tout originel. Il est important de noter ce que ce mythe enseigne et continue de perpétuer : la fusion serait première et non la dualité, telle que présentée dans le livre de la Genèse. Quelle manière subtile de résoudre le mystère de la différence!

En réalité, la femme n'est pas le complément de l'homme ni l'homme le complément de la femme. Ils sont l'un à l'autre, l'un pour l'autre, pure différence qui est à vivre comme l'épreuve enrichissante de leur rencontre. Ce que la femme est, elle le découvre dans sa rencontre avec l'homme; ce que l'homme est, il le découvre dans sa rencontre avec la femme [33].»

Le second piège est celui de l'intolérance face à la différence, comme en fait mention le récit de la création : *Ta convoitise te poussera vers ton mari et lui dominera sur toi (Gn 3, 16).*

Une intolérance qui se manifeste aujourd'hui par des actes de violence et d'agression divers. Une intolérance qui brime tout espace de liberté. En résistant à ce piège, l'homme et la femme deviennent des partenaires capables de respecter ce qui les unit et les sépare à la fois.

ZOOM

Selon vous, les deux pièges présentés correspondent-ils à la réalité?

L'attrait

Comme le dit l'expression populaire, «les contraires s'attirent». L'homme et la femme sont attirés l'un vers l'autre. Le corps a des pulsions et, entre l'homme et la femme, un attrait s'exerce, c'est-à-dire un élan, une force pour unir ce qui est différent. L'appel des corps répond à un besoin génital profond «qui s'exprime par un regard, un sourire, un baiser, mais qui aspire en fait à connaître le plaisir que procure l'acte sexuel, et qui répond ainsi à l'appel puissant et ancien de la vie qui veut la continuation de l'espèce [34].»

Mais dans l'attrait sexuel, il n'y a pas qu'un besoin physique. Sinon, les partenaires ne seraient l'un pour l'autre qu'un moyen ou qu'un objet pour se satisfaire.

La seule chose que je cherche dans une relation, c'est la compréhension. Parler à quelqu'un et être compris, voilà tout ce que je demande.

Jean

L'attrait sexuel répond à un désir d'être ensemble, un désir de rencontre et de partage. Si leurs corps sont présents l'un à l'autre, l'homme et la femme veulent aussi que leurs cœurs se rejoignent.

Personnellement, avant de commencer une relation, je me demande si je suis prêt à m'abandonner à l'autre, si je peux lui faire confiance. J'ai besoin de savoir qu'on peut partager des peines, des joies et les choses simples de la vie. La communication faite de franchise et de sincérité est primordiale.

Mehdi

L'attrait pour l'autre est aussi fait du désir de fusion. Quand on tombe amoureux ou amoureuse, on cherche instinctivement à briser les barrières qui se dressent entre deux êtres : on parle de soi, on se confie, on devient intime. Mais cette rencontre et cette ouverture, si authentiques et si merveilleuses soient-elles, ne peuvent venir à bout de notre solitude. Quelle que soit la grandeur de l'amour, chacun et chacune doit assumer sa vie et la diriger selon ses valeurs et ses principes. Chacun et chacune est responsable de son bonheur. Quelle que soit la force de l'amour, l'autre ne peut réussir à nous connaître parfaitement et à combler tous nos besoins : même follement amoureux ou amoureuse, on éprouve des insatisfactions, des heurts ou des incompréhensions. On ressent toujours une distance et, tôt ou tard, on doit redescendre des nuages, renoncer à l'entente parfaite, et travailler à consolider l'union. Ce travail de vérité n'est pas facile et des couples préfèrent parfois se briser et recommencer leur quête d'unité parfaite avec un autre partenaire.

Le risque d'un mirage

Pour surmonter la souffrance reliée à
l'expérience de la solitude ou de la séparation,
des jeunes et des adultes s'unissent
sexuellement sans avoir pris soin d'établir des
liens. Ils et elles demandent alors à l'union
corporelle de réaliser l'union des cœurs. Très
souvent, ils arrivent à la proximité et non à
l'intimité, c'est-à-dire à être proches de corps,
mais rien de plus. La complicité n'y est pas.
Que de désillusions et de douleur lorsque, hors
de la relation sexuelle, ils et elles se retrouvent
seuls puisque l'union n'était qu'à fleur de
peau! Séparés, les deux partenaires se
retrouvent étrangers l'un à l'autre.

Le plaisir

Pendant un certain nombre d'années, on a
entretenu une méfiance à l'égard du corps.
Des philosophes de l'Antiquité, entre autres,
Platon et Plotin, ont considéré que l'amour
humain dans sa dimension charnelle était
impur, qu'il était une dégradation pour l'âme.
Par conséquent, il fallait ignorer les sens ou du
moins arriver à les contrôler, à les dominer.
Pendant des siècles, on a pour ainsi dire divisé
la personne en deux mondes, celui du corps et
celui de l'âme. Le premier était considéré
comme mauvais, alors que le second était
présenté comme noble et capable de créer le
bien. Les plaisirs du corps, mauvais en eux-
mêmes, étaient tolérés pour ce qui a trait à la
procréation.

Aujourd'hui, le mépris du corps a disparu.
Heureusement, d'ailleurs! Le corps est bon, et
la personne est considérée comme un tout.
Cependant, on assiste à une autre sorte de
division : d'un côté, les sentiments, et de
l'autre, l'amour physique. Beaucoup d'œuvres
cinématographiques, littéraires ou autres
présentent la relation sexuelle en dehors d'un
contexte d'amour. On propose des techniques
pour «faire l'amour» sans susciter une réflexion
sur le «comment vivre en amour».

Le plaisir fait partie intégrante de la vie : plaisir
des yeux (voir un paysage), plaisir des oreilles
(écouter de la musique), plaisir de l'odorat
(sentir une fleur), plaisir du toucher (être
caressé), plaisir du goûter (déguster un bon
vin).

*Dans la relation sexuelle, chaque partenaire est
immédiatement présent à l'autre dans la totalité
de son corps. On prend et on reçoit du plaisir
comme un effet de la rencontre. Là est son enjeu
et son sens humain. [...] Sa qualité dépend, pour
une large part, de la qualité du lien qui se noue
entre un homme et une femme, sous l'effet d'une
attention mutuelle et d'un don réciproque. [Il
s'ensuit que le plaisir est] l'effet, toujours
inattendu et surprenant, intense et passager,
d'une rencontre entre deux êtres ouverts l'un à
l'autre, jusque dans leur corps* [35].

En fait, c'est la joie d'être ensemble qui donne
au plaisir tout son sens. Le plaisir comporte
un risque, celui d'oublier l'autre en le
réduisant à un «objet» qui donne et provoque le
plaisir.

Maîtrise et liberté

L'attrait sexuel enlève-t-il toute marge de liberté individuelle? En d'autres mots, sommes-nous conduits et conduites par nos pulsions, comme c'est le cas pour l'animal?

Chez l'animal, l'attrait sexuel est périodique et déterminé par un changement hormonal chez la femelle. Tous les animaux de la même espèce sont en chaleur à la même époque. On parle alors de la «saison des amours». Aussi, l'attrait se manifeste quand la femelle est en période de fertilité de sorte que la sexualité animale est liée et réduite pour ainsi dire à la procréation. Et la manière de faire l'amour est stéréotypée, c'est-à-dire identique pour tous les animaux de la même espèce. L'animal est donc totalement «déterminé».

Par contre, l'être humain ressent l'attrait ou le désir à n'importe quelle période de l'année et à n'importe quel moment du cycle de la femme. Et les comportements amoureux varient selon les individus. Cette comparaison permet de faire deux distinctions. Tout d'abord, la sexualité humaine n'est pas uniquement un phénomène biologique ou instinctuel. L'homme et la femme ne sont pas des automates, des marionnettes dirigées par des pulsions : une part importante de liberté leur est laissée et des décisions personnelles leur reviennent. Le biologiste et écrivain français Paul Chauchard se plaît à dire que le premier organe sexuel chez l'être humain est le cerveau! Qui dit liberté, dit choix et choisir, c'est se référer à des valeurs. On ne choisit pas dans le vide.

Qui dit liberté, dit capacité de maîtrise, sinon c'est la soumission à des contraintes. Et la maîtrise des désirs est le propre de la personne humaine. Maîtriser ses désirs, c'est respecter l'autre dans sa différence, c'est éviter de tomber dans le piège de l'amour égoïste préoccupé de son seul bien-être. Si la sexualité humaine est liée à la procréation, elle est tout autant liée au désir de relation. «Elle est moins au service de l'espèce qu'à celui de l'individu. Elle est moins référence à l'enfant que référence au partenaire; relation, langage, communion, engagement[36].»

Une nécessaire parole

On ne peut pas vivre sans amis. L'amitié, tout comme l'amour, est très importante, vitale même. Sortir avec quelqu'un ne signifie pas seulement avoir des relations sexuelles : cela veut dire qu'il faut échanger des mots d'amour et des petits gestes qui ne servent qu'à embellir la relation. Le mot d'ordre dans une vraie relation est «tolérance».

Candy

La communication par la parole, le geste ou le sentiment est la caractéristique de l'être humain. Il ou elle peut «dire» de diverses manières ce qu'il vit intérieurement, ce qui le tracasse, ce qui fait sa joie. Quand on vit une difficulté, on cherche une personne à qui parler, à qui se livrer sans gêne et sans cachotterie. Le téléphone pourrait à ce propos livrer quelques secrets! Parler permet de sortir de l'angoisse, de jeter hors de soi ce qui nous étouffe, alors que la souffrance accumulée et tue a bien des chances de se traduire en agressivité ou en amertume.

Parler, c'est se révéler, c'est permettre à l'autre de nous connaître, c'est construire un pont entre les autres et soi. Dans le domaine sexuel, le désir (qui est parfois fort et même violent) peut, par la parole, se transformer en échange plutôt qu'en agression. Le viol est l'expression d'un désir qui ne recherche pas la rencontre. C'est une agression, un acte inhumain.

Que dit l'Écriture?

Dans la Bible, le Cantique des Cantiques présente la rencontre de l'homme et de la femme. C'est un recueil de chants divisé en cinq poèmes qui célèbrent la bonté et la dignité de l'amour humain : le Bien-aimé et la Bien-aimée se cherchent et se trouvent. Et tout cela est raconté dans un langage d'amour, un langage érotique, qui en étonne plusieurs. L'origine de ces textes n'est pas certaine, mais on pense que l'auteur s'est inspiré des chants d'amour de l'Égypte ancienne.

> *Qu'il me baise des baisers de sa bouche.*
> *Tes amours sont plus délicieuses que le vin;*
> *l'arôme de tes parfums est exquis;*
> *ton nom est une huile qui s'épanche,*
> *c'est pourquoi les jeunes filles t'aiment.*
>
> *— Que tu es belle, ma bien-aimée,*
> *que tu es belle!*
> *Tes yeux sont des colombes.*
>
> *— Que tu es beau, mon bien-aimé,*
> *combien délicieux!*
> *Notre lit n'est que verdure.*
>
> *Sur ma couche, la nuit, j'ai cherché*
> *celui que mon cœur aime.*
> *Je l'ai cherché, mais ne l'ai point trouvé!*
> *Je me lèverai donc, et parcourrai la ville.*
> *Dans les rues et sur les places,*
> *je chercherai celui que mon cœur aime.*
> *Je l'ai cherché, mais ne l'ai point trouvé!*
>
> *Les gardes m'ont rencontrée,*
> *ceux qui font la ronde dans la ville :*
> *«Avez-vous vu celui que mon cœur aime?»*
> *(Ct 1, 2-16; 3, 1-3)*

Le Nouveau Testament célèbre l'ouverture du cœur sans jamais mépriser l'amour charnel. Jésus invite les disciples à ne pas séparer ce que Dieu a uni. S'il ne dit rien sur l'attraction sexuelle comme telle, il condamne la domination mutuelle, la supériorité des uns et la soumission des autres et invite au respect, à l'amour fraternel.

La droiture du cœur semble primordiale, cette droiture qui transparaît dans le regard tout autant que dans la justesse des gestes et des paroles.

Confidentiel...

Selon toi, la sexualité est-elle davantage rencontre ou recherche de soi?

ZOOM

- Expliquez, dans vos mots, en quoi la sexualité humaine est désir et rencontre.

- Chez les jeunes de votre âge, la rencontre sexuelle est-elle vécue comme un moyen d'échapper à la solitude?

L'amour, art et mystère

Si l'amour est un mystère, peut-on connaître quelques-unes de ses caractéristiques? Si l'amour est un art, un apprentissage est donc nécessaire.

Le sens de l'amour

Depuis notre plus tendre enfance, la société nous présente un amour très superficiel : «J'aime l'autre parce que cela me fait, à moi, plaisir.» Évidemment, être heureux est important, mais il faut aussi que l'autre personne soit heureuse. Une relation doit, selon moi, favoriser l'émancipation réciproque des êtres dans les joies et les peines, «pour le meilleur et pour le pire», comme le dit une formule consacrée.

Agathe

L'amour, un don et un besoin

Lorsque le désir arrive au goût de partager, au souci de rendre l'autre heureux ou heureuse, de le soutenir et de l'encourager, il permet la rencontre et il s'appelle «amour». L'amour est une force qui unit à l'autre, qui surmonte l'isolement tout en permettant de rester soi-même. L'amour n'est pas synonyme de fusion. Aimer, c'est se réjouir de l'existence de l'autre, comme le dit Saint-Denys Garneau dans son poème *Accueil* : «C'est pour savoir que vous êtes, Pour aimer que vous soyez». Tout en répondant à un besoin personnel profond, l'amour se caractérise par une certaine gratuité, un oubli de soi au profit de l'autre. Quand on aime, on donne de soi-même, c'est-à-dire sa joie, son savoir, ses intérêts, ses déceptions, son enthousiasme. Et le plus grand don est sans doute celui de faire confiance à l'autre au point de lui exprimer ses besoins, de dévoiler ses peurs, en un mot, de se montrer vulnérable, sans crainte du ridicule ou du rejet.

Les signes de l'amour

Quelles sont les manifestations de l'amour?
On reconnaît l'amour à la sollicitude, cette
qualité qui garde le cœur en alerte, attentif à
l'être aimé et empressé à «se donner de la
peine» pour elle ou lui. Cette qualité
s'accompagne de discrétion : ne faut-il pas
renoncer parfois à certaines questions et
respecter des silences pour ne pas blesser?
Il ne sert à rien d'insister, la curiosité se
transformant si vite en brusquerie. Tout cela
n'est pas facile parce que nous avons du mal à
vivre avec la distance, avec la différence : on
voudrait tout savoir, on voudrait tout régler
très vite. Mais la souffrance et l'amour sont
des alliés comme le confirme notre expérience
et comme le chante Gilles Vigneault dans
Le doux chagrin : «Car depuis long de temps je
sais [...] Que sans peine il n'est point d'aimer».

L'amour se reconnaît également au respect,
cette capacité d'admirer une personne et
d'apprécier ce qui la rend unique. Ainsi, la
personne aimante n'exploite pas, elle a le souci
d'aider l'autre à s'épanouir selon ses intérêts et
ses ambitions personnelles, et non parce
qu'elle pourra mieux la servir. Le respect
permet ainsi de surmonter la tendance à la
domination et à la possessivité. L'amour se
reconnaît aussi au désir de connaître l'autre,
de percer son secret, son mystère. Même s'il
est impossible de comprendre parfaitement la
personne aimée, il est possible d'apprendre à
mieux la percevoir pour interpréter
correctement ses réactions, pour deviner sa
peine ou sa colère. Que de disputes ou de
blessures pourraient être ainsi évitées!

La tendresse

La tendresse traverse l'amour, circule entre deux êtres et prend mille visages. C'est un geste, une parole, un regard, des petits riens qui traduisent l'affection et l'attention désintéressée.

Un mot qui nous touche au cœur, car il évoque les moments où nous sommes merveilleusement bien, détendus, confiants, joyeux d'aimer et d'être aimés...

Un mot qui voisine avec affection, chaleur, réconfort, douceur. C'est la tendresse des parents pour leurs enfants, des époux entre eux, des frères et des sœurs, des amis...

Un mot dont on a parfois peur, car on ne connaît pas quelle sera la réaction de l'autre. Et si on se moquait de nous, parce que trop sentimentaux, trop romantiques!

Une valeur, la tendresse, aussi nécessaire à notre vie que l'air ou la nourriture. Des petits riens qui viennent du cœur, mais une richesse qui tient à peu de choses : un regard, une main, un sourire, un geste, un mot...

Une valeur presque impossible à traduire si on a la nuque raide et le cœur de pierre, si on se laisse aller à la mollesse ou à la passivité, si ce n'est qu'une flambée épidermique ou la toccade d'un moment fugitif...

Une porte ouverte aux souffrances les plus intimes, les plus secrètes, les plus cachées, celles qu'on ose à peine balbutier...

Une joie, création durable d'un amour qui grandit, d'une amitié qui se construit...

La tendresse, un risque à courir?
Oui, le risque de la gratuité [38].

La fidélité

La fidélité n'est pas une attitude passive, mais plutôt l'engagement conscient de tout faire pour rester ensemble, pour faire triompher l'amour. Elle est fidélité à la parole donnée et par le fait même, fidélité à soi-même. Bien sûr qu'il y aura des doutes, et même le goût de tout laisser tomber, mais le goût de continuer le projet d'amour librement choisi l'emporte. Et pour continuer, l'ouverture à l'autre est nécessaire. Pas moyen de se reposer! Il faut sans cesse s'adapter aux nouvelles circonstances, aux besoins de l'un et l'autre.

Je reviens donc à l'idée de fidélité que je ne conçois pas comme un carcan imposé de l'extérieur mais comme une exigence profonde, jaillissant de l'intérieur de nous-mêmes, et qui donne à la relation de couple toute sa consistance.

Steven [39]

La fidélité ne cesse jamais d'inviter au don de soi et à la confiance en l'autre. Qui a dit que l'amour était chose facile? La fidélité est une lutte au service de l'amour.

Pourtant, bien des gens l'ignorent! Ils se rencontrent un soir, bavardent un peu, se revoient le lendemain et, à l'intérieur d'une semaine, ils s'aiment pour la vie. Alors survient sournoisement une petite difficulté qui ébranlera le nouveau couple, puis une divergence d'opinion sur quelque chose de plus sérieux... Et hop! c'est fini! Les gens ne sont plus habitués à lutter pour vrai. L'amour, c'est une conquête hors des sentiers battus, un peu comme escalader une montagne qui ne cesse de pousser. C'est plus qu'une simple visite touristique en minibus avec guide! Lutter pour aimer, lutter pour se faire aimer, lutter pour révéler à l'autre son vrai «moi»... Aimer, c'est bouleverser sa vie pour y faire entrer un autre être sensible que l'on a choisi [40].

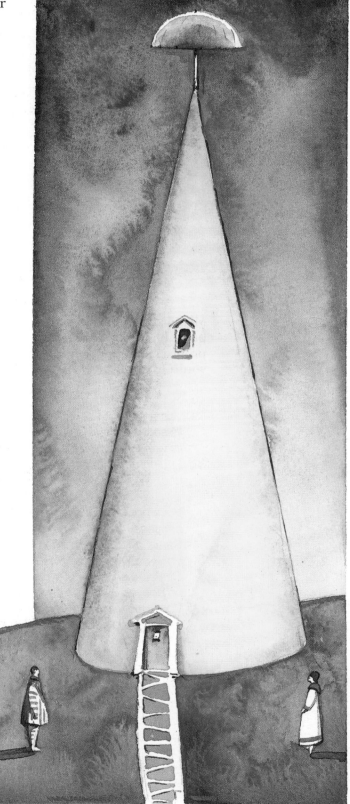

La fécondité

L'amour est fécond en ce qu'il est d'abord une création constante du lien entre deux personnes. Et l'amour cherche à se prolonger, à se rendre visible. Mettre un enfant au monde répond au désir de donner la vie.

Autour du berceau, les conjoints se découvrent père et mère, «serviteurs du grand mystère de la vie» (Gaudium et Spes, 50,1). La venue de l'enfant fait de l'union d'un homme et d'une femme une véritable famille. D'une certaine manière, l'enfant «fonde» le foyer. Il sera d'autant mieux accueilli que les parents s'accueillent mutuellement dans toute la profondeur de leur être. Donner la vie à un enfant implique qu'on refuse que cet enfant devienne un jour «ton» ou «mon» enfant. L'enfant à naître doit être «nôtre», désiré et adopté tel qu'il sera. La question de l'enfant n'est donc pas d'abord une question de fécondité du couple, mais celle de la relation des futurs parents à l'enfant qui va naître. Cette relation doit prolonger la relation amoureuse qui unit les époux [41].

Même si les enfants sont l'expression du lien qui unit les parents, ils et elles doivent s'en séparer. Ils ont leur propre vie à rendre féconde! C'est ce que Khalil Gibran a voulu exprimer.

Vos enfants ne sont pas vos enfants.
Ils sont les fils et les filles de l'appel de la Vie à elle-même.
Ils viennent à travers vous mais non de vous.
Et bien qu'ils soient avec vous, ils ne vous appartiennent pas.

Vous pouvez leur donner votre amour mais non point vos pensées,
Car ils ont leurs propres pensées.
Vous pouvez accueillir leurs corps mais pas leurs âmes,
Car leurs âmes habitent la maison de demain, que vous ne pouvez visiter, pas même dans vos rêves.
Vous pouvez vous efforcer d'être comme eux, mais ne tentez pas de les faire comme vous.
Car la vie ne va pas en arrière, ni ne s'attarde avec hier.
Vous êtes les arcs par qui vos enfants, comme des flèches vivantes, sont projetés.
L'Archer voit le but sur le chemin de l'infini, et Il vous tend de Sa puissance pour que Ses flèches puissent voler vite et loin.
Que votre tension par la main de l'Archer soit pour la joie;
Car de même qu'Il aime la flèche qui vole, Il aime l'arc qui est stable [42].

Une croissance

L'homme et la femme désirent se rencontrer et être ensemble.
Mais les liens établis au départ se transforment, comme
le montre le témoignage suivant.

Un jour, il y a eu rencontre et estime réciproque. Quelque chose s'est produit qu'il est bien difficile de définir. C'était une sorte d'attirance, un étonnement, un désir d'établir des liens durables, l'envie de se revoir...

Tout semble simple, spontané, direct. On peut tout se dire, sans crainte d'être jugé; on peut se confier sans fausse honte, poser simplement ses questions, «vider son sac» à cœur ouvert. On est à l'aise, on se sent bien. Ainsi, l'amour, dans ses commencements, apparaît comme un nouvel espace de vie, à la fois protecteur contre les agressions extérieures et gardien d'une certaine unité intérieure, surtout aux heures de grandes difficultés. Une phase idyllique, penseront certains, une espèce d'euphorie qui nous envahit tout entier. L'ami est idéalisé; toute agressivité à son égard se trouve abolie. Je ne perçois que ses qualités, j'ignore ses limites, ses failles, ses défauts. Sans doute parce que le sentiment d'être estimé et apprécié pour moi-même m'apporte une joie profonde, celle de vivre. [...]

Arrive un jour ou l'autre une étape importante dans l'amour, celle du passage au réel. Les amoureux finissent par se voir tels qu'ils sont, dans leurs richesses comme dans leurs insuffisances. C'est le temps de l'épreuve des sentiments que nous portons l'un envers l'autre. Une épreuve normale, naturelle, nécessaire. Nous ne pouvons pas vivre dans le rêve entre nous. Il nous faut vivre sur des bases moins imaginaires. Si des amoureux s'accordent à vivre cette étape de vérité, ils accèdent à une certaine maturité de leurs sentiments mutuels et à une ouverture de leur relation.

Ce dépassement opéré de commun accord, cette distance mise entre eux, les aident à mieux se comprendre dans leurs aspirations différentes. Ils ont alors la possibilité d'exister par eux-mêmes et de s'enrichir. Cette épreuve de vérité débouchera sur une meilleure acceptation de l'originalité de l'autre. L'amour, plus fort parce que plus lucide, peut durer; il est richesse de vie [43].

ZOOM

- Les images de l'amour proposées par le cinéma ou la télévision sont-elles les mêmes que celles proposées dans les textes précédents?

- Est-il juste de dire que l'amour est un risque?

131

La loi de l'amour

C'est lui qui fait droit à l'orphelin et à la veuve, et il aime l'étranger, auquel il donne pain et vêtement.
(Dt 10, 18)

Toute l'Écriture est une grande histoire d'amour entre Dieu et l'humanité. Et cette histoire est traversée d'épreuves et de joies : l'être humain se lie et se délie mais l'alliance lui est toujours offerte. De quoi est donc fait cet amour? Que nous en dit Jésus?

Selon l'Ancien Testament

Dans l'Ancien Testament, Dieu se présente comme un Dieu qui veut faire alliance avec l'être humain. Il vient à la rencontre d'Abraham et lui tient cette promesse :

«Je suis El Shaddaï, marche en ma présence et sois parfait. J'institue mon alliance entre moi et toi, et je t'accroîtrai extrêmement.»
(Gn 17, 1-2)

Il reviendra vers Moïse et s'alliera avec lui pour délivrer le peuple. Il l'accompagnera et deviendra une «présence» sur laquelle Moïse pourra s'appuyer pour accomplir sa tâche : *«Je serai avec toi»*, lui dit Dieu. Tout au cours de l'histoire, les prophètes rappelleront l'alliance, rappelleront l'amour de Dieu pour son peuple qui prend diverses facettes.

La miséricorde

Yahvé est tendresse et pitié,
lent à la colère et plein d'amour;
elle n'est pas jusqu'à la fin, sa querelle,
elle n'est pas pour toujours, sa rancune;
il ne nous traite pas selon nos fautes,
ne nous rend pas selon nos offenses.
(Ps 103, 8-10)

La fidélité

J'établirai ma demeure au milieu de vous et je ne vous rejetterai pas. Je vivrai au milieu de vous, je serai votre Dieu et vous serez mon peuple.
(Lv 26, 11-12)

La tendresse

Quand Israël était jeune, je l'aimai,
et d'Égypte j'appelai mon fils.
Mais plus je les appelais,
plus ils s'écartaient de moi;
aux Baals ils sacrifiaient,
aux idoles ils brûlaient de l'encens.
Et moi j'avais appris à marcher à Éphraïm,
je le prenais par les bras,
et ils n'ont pas compris que je prenais soin
d'eux!
Je les menais avec des attaches humaines,
avec des liens d'amour;
j'étais pour eux comme ceux qui soulèvent
un nourrisson
tout contre leur joue,
je m'inclinais vers lui et le faisais manger.
(Os 11, 1-4)

La loyauté

Une femme oublie-t-elle son petit enfant,
est-elle sans pitié pour le fils de ses
entrailles?
Même si les femmes oubliaient,
moi, je ne t'oublierai pas.
Vois, je t'ai gravée sur les paumes de mes
mains, tes remparts sont devant moi sans
cesse.
(Is 49, 15-16)

La protection

Car tu comptes beaucoup à mes yeux,
tu as du prix et je t'aime.
Aussi je livre des hommes à ta place
et des peuples en rançon de ta vie.
Ne crains pas, car je suis avec toi,
du levant je vais faire revenir ta race,
et du couchant je te rassemblerai.
(Is 43, 4-5)

Selon le Nouveau Testament

Jésus parlera aussi d'alliance et continuera de révéler l'amour de Dieu aux multiples visages.

La tendresse

Puis, prenant un petit enfant, il le plaça au
milieu d'eux et, l'ayant embrassé, il leur
dit : «Quiconque accueille un enfant comme
celui-ci à cause de mon nom, c'est moi qu'il
accueille.»
(Mc 9, 36-37)

La compassion

Quand il fut près de la porte de la ville,
voilà qu'on portait en terre un mort, un fils
unique dont la mère était veuve; et il y
avait avec elle une foule considérable de la
ville. En la voyant, le Seigneur eut pitié
d'elle et lui dit : «Ne pleure pas.»
(Lc 7, 12-13)

Jésus nous appelle à aimer

Dans son enseignement, Jésus nous appelle à aimer. Comment pouvons-nous répondre à cet appel?

L'accueil

Mais lorsque tu donnes un festin, invite des pauvres, des estropiés, des boiteux, des aveugles; heureux seras-tu alors de ce qu'ils n'ont pas de quoi te le rendre! Car cela te sera rendu lors de la résurrection des justes.
(Lc 14, 13-14)

Le pardon

Alors, se redressant, Jésus lui dit : «Femme, où sont-ils? Personne ne t'a condamnée?» Elle dit : «Personne, Seigneur.» Alors Jésus dit : «Moi non plus, je ne te condamne pas. Va, désormais ne pèche plus.»
(Jn 8, 10-11)

Lorsqu'ils furent arrivés au lieu appelé Crâne, ils l'y crucifièrent ainsi que les malfaiteurs, l'un à droite et l'autre à gauche. Et Jésus disait : «Père, pardonne-leur : ils ne savent ce qu'ils font.»
(Lc 23, 33-34)

Le service

Aussi bien, le Fils de l'homme lui-même n'est pas venu pour être servi, mais pour servir et donner sa vie en rançon pour une multitude.
(Mc 10, 45)

Le don de sa vie

Personne ne me l'enlève;
Mais je la donne de moi-même.
(Jn 10, 18)

La tolérance

Lui, le Jésus des prostituées et des excommuniés, des lépreux, des boiteux et des sourds; lui le Jésus des pauvres. Il apportait la liberté, il apportait l'amour, il apportait, avec une prodigieuse fraîcheur, la tendresse du Père... Il a dû affronter les puissants, il a déchaîné leur colère. A-t-il hésité un temps devant les risques que cela comportait, lorsqu'il se retire dans les pays voisins de Tyr et de Sidon? En tout cas, on le voit vite décidé, résolu; il tient tête, affronte, crie, fixe son regard; il se retourne pour faire face, ici passionné, là, debout et furieux. Il est traqué, et lit dans les yeux de ses adversaires la certitude de sa mort prochaine; et son âme en est troublée. Incompris par les foules, pis, abandonné par ses amis, il est arrêté, insulté, torturé, condamné à mort, crucifié comme un bandit. Eh bien! même là, il n'a jamais douté, ni de sa mission, ni de son Père, même lorsqu'à bout de forces, il pousse ce cri terrible : «Mon Dieu, pourquoi m'as-tu abandonné?» Il est toujours là, avec nous, jusqu'à la fin du monde; il nous en a donné la garantie, parce qu'il sait que le monde continue de souffrir. Il a prié pour que nous soyons, à notre tour, des «seigneurs», jusque dans la mort, pour que nous restions des hommes debout, qu'aucune puissance ne pourra jamais asservir. Il n'y a donc plus de mal absolu, de situation totalement bloquée, de fermeture définitive. Une force nous est offerte, nouvelle, inouïe, qui a commencé dans les profondeurs du monde. Et de façon décisive, définitive, irréversible.

Gérard Marle[44]

L'apôtre Paul fait l'éloge de l'amour tel que mis en pratique par Jésus et qu'on peut appeler «charité». Il en décrit les qualités et les signes visibles.

Quand je parlerais les langues des hommes et des anges, si je n'ai pas la charité, je ne suis plus qu'airain qui sonne ou cymbale qui retentit. Quand j'aurais le don de prophétie et que je connaîtrais tous les mystères et toute la science, quand j'aurais la plénitude de la foi, une foi à transporter des montagnes, si je n'ai pas la charité, je ne suis rien. Quand je distribuerais tous mes biens en aumônes, quand je livrerais mon corps aux flammes, si je n'ai pas la charité, cela ne me sert à rien.

La charité est longanime; la charité est serviable; elle n'est pas envieuse; la charité ne fanfaronne pas, ne se gonfle pas; elle ne fait rien d'inconvenant, ne cherche pas son intérêt, ne s'irrite pas, ne tient pas compte du mal; elle ne se réjouit pas de l'injustice, mais elle met sa joie dans la vérité. Elle excuse tout, croit tout, espère tout, supporte tout. La charité ne passe jamais. Les prophéties? elles disparaîtront. Les langues? elles se tairont. La science? elle disparaîtra. Car partielle est notre science, partielle aussi notre prophétie. Mais quand viendra ce qui est parfait, ce qui est partiel disparaîtra. Lorsque j'étais enfant, je parlais en enfant, je pensais en enfant, je raisonnais en enfant; une fois devenu homme, j'ai fait disparaître ce qui était de l'enfant. Car nous voyons à présent, dans un miroir, en énigme, mais alors ce sera face à face. À présent, je connais d'une manière partielle; mais alors je connaîtrai comme je suis connu.

Maintenant donc demeurent foi, espérance, charité, ces trois choses, mais la plus grande d'entre elles, c'est la charité.

(1 Cor 13, 8-13)

La camionnette du père Johns («Pops»), de l'organisme Le Bon Dieu dans la rue, parcourt les rues de Montréal pour apporter un peu de réconfort, de chaleur et de nourriture aux jeunes itinérants et itinérantes.

Confidentiel...

Quel passage biblique sur l'amour préfères-tu? Pourquoi?

ZOOM

- Quelles sont les caractéristiques de l'amour dans l'Ancien Testament? dans le Nouveau Testament?

- Montrez comment Jésus a manifesté son amour envers les autres.

À la suite de Jésus

Ici et ailleurs, des personnes mettent en pratique l'amour de Jésus. Certaines sont connues et d'autres resteront toujours incognito. Les témoignages ci-dessous vous permettront peut-être d'identifier des témoins qui vivent dans votre entourage. Le premier témoin est l'abbé Pierre, fondateur du groupe «Les Chiffonniers d'Emmaüs», qui a commencé très humblement.

Amour, toujours!

Il n'est pas rare que l'on me dise : «Est-ce que tu parles de Dieu avec tes compagnons?» Je réponds alors : «Mes compagnons, souvent. Mais moi pas.» Quand un compagnon me demande : «Mais Dieu, qu'est-ce que cela veut dire?» Pour dire : «C'est l'amour infini, au-delà de toute mesure, de toute limite», je prends toujours cet exemple : «Rappelle-toi, il n'y a pas longtemps, toi et moi, on est rentrés crevés, un soir. On avait froid, on n'avait même pas mangé. On ne rapportait rien à la communauté. Et tu m'as dit : "Père, je suis heureux de ma journée." Parce que nous avions passé tout ce temps à dépanner des personnes âgées, à leur aménager un habitat, à installer pour eux des rideaux aux fenêtres, à mettre des fleurs et à les amener dans leur logement pour qu'ils s'y sentent bien.» Et je lui dis encore : «N'oublie jamais l'espèce de joie pas comme les autres, cette joie à proprement parler ineffable, indicible, qui chantait dans ton cœur à ce moment ingrat où on avait froid, où on avait faim, et où on avait travaillé pour rien. N'oublie jamais cette intensité de joie incomparable, pour laquelle il n'y a pas de mots. On sait par un simple regard ce que l'on a partagé. Sans cette expérience unique d'un plein instant de vie, on ne comprend pas. Ne l'oublie jamais parce qu'alors tu recevais le don le plus merveilleux que l'on puisse avoir dans sa vie, que les savants appellent "la sagesse".»

La sagesse, ce n'est pas être sage, ne pas faire de sottises. Être sage, ne pas faire de sottises sera le fruit de la sagesse. Mais la sagesse, c'est sapere, le mot latin «savourer»; c'est recevoir le goût de savourer. Parce que c'est bon, d'aimer. Je dis alors à mon compagnon : «Tu pourrais connaître toute la science des bibliothèques du monde entier sur Dieu, tu aurais des idées de Dieu. Tu n'en aurais aucune connaissance. Car, à ce moment-là, tu as rencontré Dieu.»

Abbé Pierre [45]

Heureuse et difficile différence!

Pour en arriver à comprendre la vie, j'ai lu, j'ai réfléchi, j'ai écouté une foule de personnes. Cependant, je dois dire que mes meilleurs maîtres, ce furent les Papous, parmi lesquels j'ai vécu pendant près de deux ans. Ce sont des gens qui habitent une des régions les moins développées du globe : pas de routes sauf les rivières, pas d'énergie sauf le soleil, pas d'outils sauf ceux que l'on fabrique avec des matériaux de brousse (pieu, flèche, arc). Imaginez vivre dans un monde où il n'y a pas de commerce, pas de salaire, pas de taxes, pas de magasin. Ainsi, si tu vis dans un village et que tu décides de bâtir ta maison, tu choisis ton terrain, et tu vas chercher tes matériaux dans le bois... Ça ne coûte rien, le terrain du village, la forêt, appartenant à la tribu.

Ce qui m'a frappé en revenant au Québec, c'est qu'ici, tout le long du fleuve, tout est pris par l'homme, sauf quelques petites enclaves où s'est réfugiée la nature. En Papouasie, dans la Western Province où je demeurais, tout est pris par la nature, sauf quelques petits trous dans la jungle où l'homme s'est aménagé un petit espace. La jungle, c'est elle qui fournit tout. Mais c'est elle aussi qui cache les serpents venimeux, les grands lézards et les crocodiles qui attaquent l'homme, les moustiques qui transmettent la malaria.

Contrairement aux Papous, nous sommes marqués par la pensée scientifique où il faut tout couper pour analyser. Alors, nous coupons tout : notre temps est coupé (heure, semaine, mois), nos activités sont coupées (loisir, travail, repos), nos relations sont coupées (parents, amis, connaissances), notre vision du monde et de nous-mêmes est donc tout en petits morceaux. Voilà pourquoi souvent, nous avons mal à l'âme : nous sommes des êtres en mille miettes. Pour le Papou, tout est un : le monde des esprits et des humains, l'homme et la nature, le passé et le présent. Pour eux, le temps coule comme un fleuve qu'on ne peut couper. (Avez-vous déjà

essayé de couper de l'eau?) Le Papou se sent partie prenante d'un grand courant de vie qui le porte avec toute la planète et avec les autres, en simplifiant mon existence. Mais je dois vous avouer que cet apprentissage n'a pas été facile.

Pour illustrer le travail qui s'est fait en moi pendant mon séjour en Papouasie, je vous laisse lire un extrait d'une lettre que j'ai écrite à un ami, environ six mois après mon arrivée chez les Papous.

Arrêter de se prendre pour la source!

Kiunga, Western Province

Parfois, le soir, je me couche et je me demande : «Qu'est-ce que je fais ici?» J'ai souvent le sentiment d'être superflu, que tout fonctionnerait très bien sans moi. En poussant plus loin l'analyse, je crois que ce sentiment me vient du fait qu'ici, je souffre d'être incompétent! Et tu sais combien la compétence c'est important pour moi! Je travaille dans une langue qui n'est pas la mienne. Tous mes repères habituels ont disparu. Les ressources sur lesquelles je pouvais compter au Canada sont inaccessibles. Disons que je vis une expérience de pauvreté. Découvrir qu'on est loin d'être indispensable. Apprendre à se décentrer de soi, à recevoir de l'autre, à découvrir que les gens d'ici ont vécu sans toi et le feront par la suite... Découvrir aussi que notre être et notre histoire ne peuvent survivre que s'ils s'enracinent en Celui qui veut bien se souvenir de nous. Découvrir qu'on est dans l'histoire un battement d'aile, un clignement de l'œil. Et sentir confusément que seules les vibrations d'amour seront retenues pour résonner encore dans la symphonie de l'Au-delà. Comme le chante Vigneault : «Le temps que l'on prend pour dire je t'aime est le seul qui reste au bout de nos jours». Sentir aussi que je ne m'approche de l'Essentiel qu'à mesure que le tapage s'apaise dans mon cœur – ce tapage que j'identifiais à la vie –. Une autre voix se fait entendre... et réapprendre, comme un enfant, à écouter et à recevoir. En t'écrivant, je réalise comment toute ma vie, ces quinze dernières années, ç'a été de donner. J'étais toujours la personne-ressource... C'est seulement en arrêtant d'être ressource qu'on arrête de se prendre pour la source!

Georges Madore

Toujours amoureux!

En regardant le chemin parcouru depuis vingt-cinq ans, nous nous retrouvons étonnés et réjouis. À dix-sept, dix-huit, dix-neuf ans, nous avons découvert la fraternité, l'amitié, le plaisir d'être avec d'autres, la force du groupe, le besoin des uns et des autres, la communion fraternelle.

Nous avons dit oui à des appels, à des engagements nous permettant de mettre au service d'un groupe nos talents et d'en découvrir d'autres. Ces engagements nous ont ouverts à des jeunes de partout à travers le Québec qui, comme nous, par des moyens concrets, s'efforçaient de bâtir un monde plus juste, plus humain, à vivre debout, quoi! Nous avons goûté à la force de la communauté et de la solidarité.

Deux personnes-ressources nous ont accompagnés dans notre cheminement chrétien. Elles étaient des témoins et des prophètes dans le temps. Ensemble, nous avons rencontré Dieu, un Dieu créateur, libérateur, amoureux des pauvres, des petits, des gens ordinaires. Un Dieu qui nous invite au service et à la gratuité à l'intérieur de son évangile. Ensemble, nous avons célébré et su dire merci pour le beau, le bon et le meilleur en dedans de nous et autour de nous.

À vingt ans, nous nous retrouvons étonnés d'être amoureux l'un de l'autre, prêts à risquer d'aimer, de vivre à deux, ouverts sur le monde. «Regarde-moi bien dans les yeux et tout ce monde à rendre heureux.» Les enfants arrivent, chargés de promesses... Julie, Nicolas, Céline. Notre sensibilité nous fait accueillir des êtres qui souffrent : Benoît, Danielle, Anouk, Marie-Sophie, Micheline, Manuelle. Ces personnes nous ont permis de passer de la parole aux actes.

Toutes ces valeurs proposées dans les Actes des apôtres 2, 42-47, ont été vécues au quotidien en connivence et au cœur d'une communauté... à travers les joies, les peines, la mort, la maladie, les anniversaires et la vie. Les membres de cette communauté se veulent toujours en recherche pour bâtir cette solidarité aux choses nouvelles, pour répondre aux urgences de notre temps.

Après vingt-cinq ans d'engagement, nous voulons rester témoins de Jésus Christ dans le temps et faire exister l'amour.

Lorraine Decelles et Normand Picard
Groupe Service de préparation à la vie (S.P.V.) [46]

Confidentiel...

Ressembles-tu à l'un ou l'une des témoins? En quoi?

ZOOM

Choisissez un ou une des témoins. Comment la loi de l'amour est-elle mise en pratique?

Quelques enjeux

Il n'y a qu'à ouvrir les yeux, qu'à observer les gens et notre milieu pour nous rendre compte que les manières de vivre la sexualité sont multiples. Les opinions varient suivant les expériences des gens, leur âge, leur culture et leur foi. Plusieurs questions se posent face à l'agir sexuel, à l'orientation sexuelle et aux diverses formes d'engagement. Dans le développement qui suit, nous analyserons quelques-uns de ces enjeux. À l'aide des points de repère fournis, vous pourrez résoudre les problèmes qui vous seront présentés.

L'agir sexuel

Comment vivre la sexualité de manière épanouissante? Comment agir pour assurer un peu mieux notre bonheur? Est-il souhaitable de dire «oui» à tous les plaisirs? Les comportements sexuels que nous adoptons traduisent notre conception de la sexualité et nos valeurs. Dans le développement qui suit, nous analyserons certains agirs sexuels en nous demandant s'ils favorisent ou non l'épanouissement de la personne. Les questions de la masturbation, des relations sexuelles précoces, du viol et de la prostitution seront traitées.

La masturbation

La peur du sida, l'insatisfaction sexuelle, la solitude, sont sans doute des facteurs qui expliquent l'attrait de la masturbation. Les magazines érotiques présentent ce que l'industrie développe à cet égard : films, vidéos, lignes téléphoniques, magazines pornographiques, accessoires, télévision en circuit fermé, etc. Tous ces moyens mis sur le marché pour faire de l'argent invitent à la masturbation. Serait-ce la peur d'attraper des maladies, de s'engager ou d'avoir des enfants qui conduit à agir ainsi? Si la masturbation chez le petit enfant qui se touche pour découvrir son corps est acceptable, l'est-elle pour les adolescents ou adolescentes? pour les adultes? Cette forme d'agir sexuel favorise-t-elle l'épanouissement de la personne?

Des questions et des réactions

Je me demande si c'est normal de se masturber.

J'ai honte, mais c'est plus fort que moi!

Je ne peux pas m'en empêcher!

Je peux rêver à mon goût!

C'est le meilleur moyen d'enlever mes tensions, de me relaxer.

Est-ce que ça va me passer? J'ai peur que non.

Est-ce particulier aux jeunes de mon âge?

Pourquoi ai-je besoin de me masturber?

Je me console comme ça!

Pourquoi est-ce que je me sentirais coupable, c'est naturel, après tout!

C'est mieux que de faire l'amour avec n'importe qui!

Je me protège des maladies transmissibles sexuellement.

J'ai déjà entendu dire que c'était nuisible pour la santé!

Qu'est-ce que je pourrais faire pour me contrôler?

Confidentiel...

Laquelle de ces réactions partages-tu?
Laquelle ajouterais-tu?

Analyse de la situation

Définition

La masturbation consiste en l'autostimulation des organes sexuels dans le but d'atteindre la satisfaction sexuelle par l'orgasme. L'effet recherché est la détente sexuelle [47]. Certaines personnes se masturbent d'une manière occasionnelle et d'autres d'une manière obsessionnelle, c'est-à-dire de façon répétée. La masturbation devient alors une habitude.

Composantes

Le plaisir

Comme on l'a vu, le plaisir corporel est une composante importante de la sexualité humaine : plaisir des yeux, des oreilles, de l'odorat, du goûter et du toucher. La découverte de son corps comprend le plaisir de se regarder et de se toucher. L'ouverture aux autres comprend l'expérience du plaisir de regarder les autres, et particulièrement l'autre qui nous attire, celle du plaisir de toucher et de s'embrasser. Les organes génitaux sont des sources de plaisir et de satisfaction intenses. La masturbation est un moyen d'arriver, sans partenaire, au sommet du plaisir sexuel, c'est-à-dire à l'orgasme.

Une décharge de tension

La masturbation procure une décharge de tension sexuelle et cause un bien-être, une détente physiques. La tension sexuelle peut être provoquée par des films érotiques, des lectures et des rêveries de toutes sortes. Elle peut venir aussi de problèmes affectifs vécus à l'école, dans la famille ou dans son milieu. Des mésententes avec ses parents, des disputes avec son ou sa partenaire, la peur d'entrer en relation avec les autres, la difficulté de communiquer avec des personnes de l'autre sexe, l'ennui, par exemple, peuvent accentuer la tension sexuelle.

La rêverie

La rêverie accompagne très souvent la masturbation : on s'imagine être avec telle ou telle personne, on rêve d'une relation avec une vedette ou une personne rencontrée à l'école ou au travail, on rêve d'être dans ses bras, on rêve de bonheur. On laisse pour ainsi dire libre cours aux constructions de l'imagination; celles-ci varient selon la personnalité et l'expérience des personnes.

À l'adolescence

Une étape

Des jeunes et des adultes touchent à leurs organes génitaux pour se procurer du plaisir. À l'adolescence, lorsque le corps se transforme et que les pulsions se réveillent, lorsque les tensions surviennent, le désir de se masturber peut apparaître. On peut dire que la masturbation est une étape dans le développement sexuel et cette tendance, quasi «naturelle», peut ou non faire passer à l'acte lui-même. Dans ce contexte de croissance, la masturbation occasionnelle, qui apporte plaisir et détente, comporte une part de découverte de son corps, un apprentissage de son fonctionnement génital, une connaissance de soi comme être capable de plaisir sexuel. Pour reprendre les paroles du moraliste Rey-Mermet, la masturbation adolescente «constitue un pont entre les jouissances égoïstes de l'enfant et l'érotisme partagé entre adultes de sexe différent[48].»

La maturité sexuelle

Cependant, cette étape n'est pas indispensable pour arriver à une maturité sexuelle. En ce qui concerne la masturbation pratiquée de façon obsessionnelle, celle-ci est une manière de fuir une réalité difficile à supporter, d'éviter de faire face à son ou sa partenaire ou de rencontrer des personnes de l'autre sexe. Elle est donc le symptôme d'un problème plus sérieux qu'il faudra tenter de résoudre afin de ne pas compromettre son bonheur.

Des risques

La masturbation entraîne un repli sur soi et non une ouverture à l'autre. Le plaisir qu'elle procure est d'ordre génital et non relationnel. Elle a un caractère narcissique, c'est-à-dire égocentrique. La masturbation favorise la fuite dans l'imaginaire, dans le monde irréel du rêve et des fantasmes. On peut comprendre aisément qu'il existe certains risques rattachés à cette tendance : celui de s'enfermer en soi-même, celui de se satisfaire de plaisirs détachés de l'amour qui est une communication de tout l'être humain, au niveau du corps, du cœur et de l'esprit. La masturbation, surtout dans le cas d'un comportement obsessionnel, peut faire naître chez la personne un sentiment de culpabilité. Ce sentiment vient du fait que l'acte ne rejoint pas le sens de la sexualité humaine qui est d'être une ouverture et une rencontre de l'autre.

Le plaisir que la masturbation procure peut créer une insatisfaction profonde en privant la personne qui y a recours des caresses, des baisers et des émotions qui caractérisent une relation vraie.

Autres conduites

Il est possible de se libérer des tensions en choisissant des moyens qui ne sont pas des fuites de la réalité, mais des voies de solutions. Par exemple, rencontrer un conseiller ou une conseillère, choisir une activité pour relaxer, changer de travail, fuir la compagnie des gens qui causent des conflits, éviter les sources d'excitation érotique. Il est surtout important de se demander pourquoi on a besoin de recourir à la masturbation.

La maîtrise des pulsions est un élément important dans la conduite humaine. Comme on apprend à maîtriser ses colères et son agressivité, on peut apprendre à contrôler ses pulsions, en acceptant que ses désirs ne soient pas réalisés tout de suite, tout le temps. Maîtriser ses pulsions, c'est renoncer du même coup à la satisfaction pleine et entière que nous avons connue dans notre vie fœtale.

Points de repère

REPÈRES MORAUX

Valeurs
La maîtrise des pulsions.
Faire la vérité sur ses motivations.
Le sens de l'amour et de la sexualité.

L'enseignement de l'Église catholique
La masturbation ne conduit pas à la rencontre de l'autre, mais au repli sur soi. Elle s'éloigne donc du sens humain de la sexualité qui implique le don et la réciprocité. L'idéal est d'adopter des comportements sexuels qui sont des gestes de relation et d'amour plutôt que des gestes génitaux seulement. Cependant, il faut reconnaître que des adolescents et des adolescentes, comme certaines personnes adultes d'ailleurs, ne sont pas capables de maîtriser leurs pulsions sexuelles. La responsabilité morale est ainsi diminuée.

Zoom sur le réel

Des problèmes à résoudre

En vous basant sur des points de repère, évaluez (en bien et en mal) l'agir sexuel présenté dans les cas suivants :

a) Sylvain a vécu un divorce et ne veut plus revivre une pareille expérience. Il a peur de nouer des relations qui vont conduire à l'échec. Il s'enferme chez lui et loue régulièrement des films pornographiques qui le conduisent à la masturbation. Il satisfait ainsi ses besoins sexuels.

b) Esther vit dans un milieu familial où les tensions sont grandes. De plus, on s'attend à ce qu'elle réussisse ses études haut la main. Elle se sent «pressée comme un citron». Pour fuir ses problèmes, elle lit des revues érotiques en cachette de ses parents et de ses sœurs. Elle ne peut résister à sa tendance masturbatoire et cela, malgré tous ses principes religieux. Elle a honte et elle devient de plus en plus malheureuse.

Démarche

1. Quels sont les choix qui s'offrent à chacune des personnes? Quelles conséquences ces choix entraînent-ils?

2. Quelles valeurs sont en jeu?

3. Que disent la psychologie et l'enseignement de l'Église sur chacun de ces choix?

4. Quel est le sens de l'enseignement de l'Église?

5. Évaluez en bien et en mal chacun des choix identifiés. Sur quels points de repère vous appuyez-vous?

6. Analysez la situation.

   – Quelle est la situation des personnes?

   – Y a-t-il des conflits de valeurs?

7. Quelle conduite favoriserait le mieux-être des personnes? Justifiez votre point de vue.

Les relations sexuelles précoces

Les statistiques montrent que les jeunes font leurs premières expériences sexuelles à un âge précoce. Des facteurs sociaux et psychologiques peuvent en partie expliquer cette tendance. Ceux et celles qui préfèrent ne pas avoir de relations sexuelles passent parfois pour être vieux jeu!

Des expériences et des opinions

Selon bien des jeunes, la sexualité est la première étape de l'amour. En ce qui me concerne, j'en ai assez des petites histoires d'un soir. Je voudrais quelque chose de vrai!

Donatelo

De nos jours, les pressions sociales, surtout à l'égard de la sexualité, s'avèrent extrêmement fréquentes chez les adolescents. La majeure partie des jeunes, âgés de treize à seize ans, vivent leur première relation sexuelle à la suite d'influences exercées non seulement par leur «chum» ou leur amie, mais également par la télévision. Tout d'abord, coucher avec son ami aussitôt qu'il en fait le demande ne signifie pas que tu le garderas plus longtemps. D'après moi, lorsque ton copain passe son temps à te demander de faire l'amour, c'est parce qu'il veut seulement ton corps et qu'ensuite, il te laissera tomber. Probablement qu'il aura fait le coup à bien d'autres filles. Autant les filles que les gars se vantent d'exploits sexuels qu'ils n'ont jamais réalisés. Les adolescents cherchent à savoir ce que représente faire l'amour, au lieu de laisser le temps s'occuper d'eux et de se réserver pour une personne qu'ils aiment. Ils se jettent dans les bras de n'importe qui et un jour ils le regretteront.

Martine

Avant, je ne voulais que des «histoires d'un soir» ou sortir avec un garçon deux semaines tout au plus. Je me fatiguais d'être toujours avec la même personne. Après, j'allais voir ailleurs et tout recommençait... J'ai terminé cette course folle, je veux quelque chose de plus sérieux et cela est très difficile à trouver.

Ronda

Je crois qu'avec les problèmes auxquels il faut faire face aujourd'hui, tel le sida, il faut être très responsable. C'est la seule manière de survivre. Il faut se protéger et aucune excuse n'est valable. Il ne faut surtout pas laisser nos amis nous intimider sinon on le paiera de sa vie. C'est vraiment ridicule : un jour d'irresponsabilité peut éliminer tous les autres jours de la vie.

Julien

Il m'a dit qu'on devrait rester amis seulement car il ne voulait pas sortir avec une fille qui n'acceptait pas de coucher avec lui. Cette expérience rejoint ma conviction et mes valeurs : je ne veux pas faire l'amour avant d'être fiancée, je veux être aimée pour moi et non pour mon corps.

Lorena

*L'*amour exige de la maturité. Je trouve que nous, les jeunes, sommes trop précoces à ce niveau : le respect est de mise.

Pietro

*Q*uand deux jeunes se sentent prêts, pourquoi pas? Après tout, ils sont assez intelligents pour savoir ce qu'ils font!

Robert

*J*e me demande s'il y a un adolescent qui ne désire pas faire l'amour avant le mariage? Sûrement pas la majorité. Qui peut résister à la tentation de la chair et appliquer les nombreuses règles imposées par l'Église? Pas moi en tout cas. Je trouve cela très naturel. Je suis croyant, mais je crois que certaines choses doivent se faire. On ne vit qu'une fois, mieux vaut en profiter lorsqu'on est jeune.

Pam

*J*e sors avec mon ami depuis six mois. Je suis allée chez le médecin et il m'a donné des pilules anticonceptionnelles. C'est la meilleure solution, la plus sûre à ce qu'on m'a dit. J'ai tellement peur de devenir enceinte! Et je sens que mon ami est tanné de m'attendre. J'en ai parlé à ma mère et elle trouve que je vais trop vite en affaires. Elle est d'une autre génération, faut bien le dire. Je vais suivre mon idée malgré sa non-approbation.

Miche

*C*hez les jeunes, les relations sexuelles permettent une meilleure communication. Mais je suis contre quand des gens abusent des autres.

Aecha

*J*e préfère attendre avant d'avoir des relations sexuelles. Mon amie aussi. Mais cela ne nous empêche pas d'exprimer notre affection.

Jim

*L*es relations sexuelles sont correctes si les jeunes sont responsables et assez mûrs pour savoir ce qu'ils et elles font et vivre avec les conséquences de leurs actes. Après tout, c'est leur vie!

Célia

*A*vant tout, il serait bien que de nombreuses personnes cessent de croire que la nouvelle génération des jeunes est une bombe sexuelle prête à exploser à tout moment. Ces pensées sont probablement dues à la libération sexuelle qu'a connue la société ces dernières années. Nous ne sommes pas des assoiffés de sexe, mais plutôt des jeunes qui se découvrent et qui évoluent avec la société.

Annie

ZOOM

À partir des témoignages, dites quelles sont les conduites possibles dans le domaine sexuel.

Si je dis non, est-ce qu'il va me laisser tomber?

Si je ne le lui demande pas, va-t-elle me trouver arriéré?

J'ai juste besoin de me faire cajoler un peu!

Je ne peux pas l'amener chez moi. Où aller?

Est-ce que je suis prête? J'ai peur.

Et si je devenais enceinte?

Tout le monde de mon âge l'a déjà fait! Pas de raison d'attendre.

J'espère qu'elle prend la pilule, je n'ai pas de condom.

Je ne l'aime pas, mais j'ai de l'affection pour elle.

Moi, j'aime mieux attendre.

Rien de plus normal qu'un peu de plaisir...

Pour une première expérience, c'est la personne idéale!

On ne se connaît pas très bien, mais on a juste à se protéger.

ZOOM

Que répondrais-tu aux questions posées?

Confidentiel...

Quelle est ton opinion sur les relations sexuelles précoces?

147

Analyse de la situation

Le contexte social

La mixité

Quels éléments du contexte social favorisent cette manière de vivre la sexualité? Autrefois, les garçons et les filles étaient davantage séparés et particulièrement à l'école : on retrouvait des classes de filles et des classes de garçons. Aujourd'hui, les classes sont mixtes et cela influence le comportement amoureux des jeunes qui, de fait, accordent une importance beaucoup plus grande aux rencontres entre amis qu'aux relations familiales. Certains jeunes en viennent même à penser qu'ils ou elles doivent absolument avoir un ami ou une amie pour être heureux ou normaux.

La liberté

On accorde maintenant une plus grande place à la liberté individuelle dans le domaine sexuel comme dans les autres domaines : la possibilité de faire des choix personnels l'emporte sur la soumission et l'obéissance. On n'obéit plus aveuglément à l'autorité; on remet plutôt en question ses opinions. Certains jeunes travaillent pour assurer une partie de leur subsistance et cette indépendance financière semble leur conférer une autonomie qui s'étend à l'ensemble de leur vie. Le droit d'avoir, dès l'âge de quatorze ans, un dossier médical secret, n'est-il pas la confirmation sociale de la liberté sexuelle des adolescents et des adolescentes? Une jeune fille de cet âge peut obtenir, après un examen médical, une ordonnance pour des pilules anticonceptionnelles et cela, sans que ses parents ne soient mis au courant. La décision lui revient.

Les médias

Si la liberté sexuelle est facilitée par l'utilisation de moyens contraceptifs, elle est aussi fortement encouragée par les médias. Les films présentent des scènes érotiques, les «clubs vidéos» annoncent des films pornographiques, les affiches publicitaires et les revues invitent au plaisir charnel en dissociant pour ainsi dire l'amour et la sexualité. On n'entend pas ou presque jamais de paroles sur l'importance de faire l'amour quand on est en amour seulement. Au contraire, tout invite au plaisir charnel immédiat sans engagement, sans responsabilité et sans attachement. Les interdits n'existent plus et tout laisse croire que le plaisir charnel est magique, que lui seul peut satisfaire le besoin fondamental d'aimer et d'être aimé.

Le plaisir immédiat

Dans notre monde matérialiste, la satisfaction immédiate de tous les désirs est à l'honneur : le goût de faire un voyage est vite satisfait avec une carte de crédit, le goût de changer de voiture est satisfait grâce à un mode de paiements échelonnés, etc. Pourquoi attendre? «Tout, et tout de suite», semble devenir une règle d'or. Dans le domaine sexuel comme dans les autres.

Le contexte psychologique

Comme on l'a vu, le corps qui se transforme fait ressentir d'une façon plus forte le désir de s'unir avec un ou une partenaire, de refaire le lien brisé lors de la première séparation. L'union physique peut-elle répondre à ce besoin profond d'affection, de tendresse et de compréhension? Peut-on demander à la relation sexuelle de créer la relation interpersonnelle?

L'estime de soi

À l'adolescence, on se cherche, on se pose des questions sur sa valeur personnelle. On doute de soi et on ne s'estime pas toujours. On a peur de ne pas être accepté par les autres. La relation sexuelle est un moyen de donner et de recevoir de l'affection, de s'entendre dire qu'on est beau ou belle, qu'on est bon ou bonne. Et quand les frustrations apparaissent, qu'elles soient causées par des tensions familiales ou qu'elles surviennent à la suite d'échecs scolaires, par exemple, on cherche à tout oublier en se procurant du plaisir. La relation sexuelle peut ainsi devenir une recherche égoïste de plaisir et non une attention portée à l'autre. Dans ce cas, c'est Narcisse qui fait son travail!

La recherche de l'identité

Aussi paradoxal que cela puisse paraître, la recherche de l'identité rend conformiste, même si on cherche à s'en défendre. On s'habille «comme» les autres, on veut fréquenter les mêmes endroits, on ne veut pas «être à part» et faire rire de soi. Aussi, quand les autres sont actifs ou actives sexuellement, ne doit-on pas l'être aussi? N'est-ce pas un peu gênant d'avouer sa continence, c'est-à-dire son inactivité sexuelle, à ceux et celles qui racontent leurs aventures? Il faut dire aussi que la curiosité est grande, que les pulsions sont fortes et que la maîtrise de soi n'est pas favorisée par le contexte social.

La solitude

Même si les amis et amies deviennent plus importants que la famille, il reste que plusieurs jeunes, et vous en connaissez peut-être, vivent une très grande solitude. Cette solitude s'explique dans certains cas par le divorce des parents, par des carrières qui absorbent beaucoup de leur temps, par le souci de fournir aux adolescents et adolescentes ce dont ils ont besoin sur le plan matériel, sans se préoccuper suffisamment de leurs besoins affectifs. Bien des jeunes sont seuls quand ils et elles reviennent de l'école, seuls pour manger, seuls pour faire face à leurs problèmes. La communication n'est pas nourrie et une telle situation isole, ne donne pas au jeune la preuve qu'il ou elle est aimé pour ce qu'il est. Alors quand une main se tend... on en profite, on va jusqu'au bout.

Des conflits

Même quand le dialogue est possible, les affrontements entre les parents et les adolescents et adolescentes sont fréquents. Comme le souligne le docteur Jean Wilkins, spécialiste en médecine adolescente, «pour les parents, l'inquiétude qu'ils ont à vivre est d'autant plus lourde qu'entre eux et leur enfant c'est l'affrontement entre la pensée logique et la pensée catégorique. L'adolescent a une pensée catégorique, qui se limite à l'instant et qui n'accepte pas facilement la discussion. Les parents, eux, ont une pensée logique, qui est plus complexe et qui prévoit les conséquences à long terme. Les parents savent que tel amour ne durera pas et que la rupture sera douloureuse pour leur enfant. Mais comment voulez-vous qu'un adolescent voie son plaisir comme le point de départ d'une catastrophe [49]?» On peut être ou non d'accord avec cette déclaration, mais il reste que les discussions entre jeunes et adultes sont souvent marquées par une vision à court ou à long terme. Les premiers accordent de l'importance au présent et les seconds regardent vers l'avenir. Il en est de même dans le domaine sexuel : c'est aujourd'hui qui compte et non demain. Quelle vision importe-t-il d'avoir?

Quelles motivations?

À la suite de ce portrait social et psychologique, on pourrait ainsi résumer les motivations les plus fréquemment invoquées pour ce qui a trait aux relations sexuelles précoces : la conformité sociale (la continence n'étant pas encouragée), la curiosité, le besoin de s'affirmer, la recherche d'affection, de tendresse, d'intimité, la libération de ses pulsions, le plaisir.

Des pour et des contre

Avantages

Certaines personnes pensent que les relations sexuelles précoces favorisent la sociabilité, c'est-à-dire le contact avec les autres. La gêne tombe, on apprend à devenir à l'aise avec son corps, à s'aimer soi-même, à approcher les autres sans difficulté, sans douter de soi. Selon ces personnes, c'est une bonne façon d'arriver à la connaissance de soi et à la découverte de l'autre sexe. Pour elles, les relations sexuelles précoces sont un apprentissage de l'amour.

Risques

La peur de la grossesse, des maladies transmissibles sexuellement et du sida peuvent créer de l'angoisse et de l'inquiétude. Malgré toutes les précautions qu'ils pourraient prendre, les filles et les garçons savent qu'il y a toujours des dangers possibles. Une autre peur, plus profonde celle-là, peut remonter à la surface. À leur insu, un attachement s'est créé et la crainte d'être abandonné, celle-là même qui peut-être les a poussés à consentir à ces relations sexuelles, réapparaît. Si la relation se déroule mal, si le garçon et la fille ne sont pas parvenus à l'orgasme ou n'ont pas satisfait leur partenaire, ils peuvent douter d'eux-mêmes et se dévaloriser. Les conditions dans lesquelles leur rencontre s'est déroulée peuvent être une source d'insatisfaction. Par exemple, profitant de l'absence des adultes à la maison, ils ont dû se précipiter, faire vite, négligeant ainsi d'être attentif ou attentive à l'autre, de poser les gestes de tendresse qui donnent au plaisir charnel tout son sens. Tout s'est fait vite, à la dérobée, réduisant ainsi la qualité de la rencontre sexuelle.

Une désillusion

On pourrait mentionner aussi qu'une mauvaise connaissance de l'autre, le sentiment de n'être qu'un objet de satisfaction physique, l'insécurité face à un rejet possible, le manque de paroles et l'absence de liberté peuvent exercer une influence néfaste sur toute une vie.

Faire l'amour, cela peut être une rencontre authentique, qui vous change. Mais cela peut être aussi une occasion manquée que chacun vit tout seul de son côté en guettant son plaisir sans s'occuper de celui de l'autre. Ce qui, finalement, vous éloigne l'un de l'autre [50].

La rencontre sexuelle perd ainsi de sa grandeur. Elle est banalisée par le souvenir de la déception. En fait, le danger d'illusion reste l'un des plus grands risques de la rencontre sexuelle : on attendait trop de cette relation, on espérait l'union des cœurs et non seulement l'union des corps. Il y a un écart entre ce qu'on cherchait et ce qu'on a obtenu vraiment. On s'est découvert devant l'autre sans se révéler vraiment.

L'importance du temps

Bâtir une relation, bâtir un lien prend du temps.

Le fondement de l'amour, c'est l'amitié... on ne connaît jamais trop une personne. Je ne crois pas aux «chums» qu'on se fait dans un «party» : comment l'amour peut-il éclater entre deux personnes qui se connaissent à peine? L'amour durable, une solide amitié, telles sont les deux plus belles choses sur terre à mes yeux.

Andréane

Poser des gestes sexuels peut précipiter les étapes. Les gestes peuvent même dépasser ce qu'on ressent vraiment, les pulsions ayant le premier rôle. Il est facile d'aller trop loin trop vite et combien difficile alors de reculer, de revenir en arrière pour rebâtir à neuf. On peut perdre toute distance critique et, inconsciemment, continuer de sortir ensemble parce qu'on fait l'amour ensemble, et non parce qu'on s'aime vraiment.

Hier soir, nous sommes presque allés trop loin... Je t'en prie, essaie de me comprendre. Crois-moi, lorsque je te dis que c'est parce que je t'aime tellement que je veux que les choses restent dans l'ordre. Or aller «jusqu'au bout» [...] serait pour moi comme si l'on voulait mettre le toit sur une maison avant d'avoir fini de poser les fondations et de construire les murs. Je t'en prie, ne me demande pas de faire ce qui me semble déplacé de peur que j'accepte. Et que ce consentement n'altère pas notre amour... il faut rester fidèle envers soi-même. Prenons tout notre temps pour construire notre amour, afin qu'il soit durable. Alors, le moment venu, nous pourrons sans regret prendre possession de la maison et en jouir ensemble pour toujours.

Marion [51]

Il arrive aussi que des relations sexuelles précoces empêchent les personnes d'atteindre leur maturité. Comme on l'a vu, l'amour est fortement narcissique à l'adolescence, de sorte que des jeunes, tout comme certaines personnes adultes, ont tendance à continuer de vouloir trouver le plaisir dans des relations qui ne sont que passagères et nullement engageantes. On sautille d'une personne à l'autre, tirant d'elles ce qu'on peut pour repartir ailleurs quand le plaisir n'y est plus.

Autre conduite

La continence

La continence, c'est l'abstention de toute relation sexuelle. Elle ne ferme pas la porte à d'autres formes d'expression de l'affection et de la tendresse.

Tout amour exige un oubli de soi, un regard sur l'autre et une appréciation de ses besoins. Sans maîtrise, les pulsions peuvent nous envahir et nous faire passer à côté de la personne de l'autre, nous pousser à la dominer. La maîtrise, c'est un respect profond qui est à l'extrême opposé de toute forme d'exploitation. La maîtrise est en soi un renoncement.

Points de repère

REPÈRES MORAUX

Valeurs
La protection de sa santé.
Le respect de la liberté de l'autre.
La liberté face aux contraintes sociales.
Le sens du plaisir.
Le sens de l'amour et de la sexualité.

L'Écriture
L'Écriture ne dit rien sur les relations sexuelles précoces comme telles. Cependant, les textes sur l'amour sont nombreux. Ils appellent à l'amour de soi et à l'amour des autres. Le lien entre sexualité et amour est souligné par le cri de joie d'Adam lorsqu'il reconnaît en Ève une compagne.

**L'enseignement de
l'Église catholique**

Les rapports intimes doivent avoir lieu seulement dans le cadre du mariage, parce que c'est seulement alors que se vérifie le lien indissoluble, voulu par Dieu entre la signification unitive et la signification procréative de ces rapports ordonnés à maintenir, confirmer et exprimer une communion de vie définitive – «une seule chair» – par la réalisation d'un amour humain, total, fidèle, fécond, c'est-à-dire l'amour conjugal[52].

Quel est le sens de cette affirmation? L'Église rappelle que la relation sexuelle comme telle peut devenir l'expression de l'amour et non la seule satisfaction des pulsions ou la recherche du plaisir pour soi seulement. Le plaisir charnel vient du plaisir d'être ensemble, de se donner l'un à l'autre. Soulignant le lien entre la sexualité et l'amour, l'Église affirme sa conviction que c'est à l'intérieur de l'engagement mutuel que les relations sexuelles atteignent leur plein sens.

L'approche pastorale

Compte tenu des contextes social et psychologique, on propose, dans l'approche pastorale, des lignes de conduite pour ceux et celles qui ont une activité sexuelle précoce.

1. Réfléchir à ses motivations : qu'est-ce qui me pousse à rechercher des relations sexuelles? En identifiant les causes, on parvient parfois à cerner un problème de fond (le manque d'estime de soi ou le manque d'affection, par exemple).

2. Réfléchir aux sentiments éprouvés lors de ces relations : dévalorisation personnelle, bien-être, peur, domination, don, amour, tendresse, agressivité, violence, etc. Les sentiments éprouvés favorisent-ils mon bonheur et celui de l'autre?

3. Peser les pour et les contre de ces activités sexuelles : ai-je besoin d'aller jusqu'au bout? Ai-je besoin de tendresse? Est-ce un apprentissage de l'amour?

4. Accepter de remettre en question sa manière de vivre la sexualité et envisager d'autres conduites.

Zoom sur le réel

Des problèmes à résoudre

En vous basant sur des points de repère, évaluez (en bien et en mal) l'agir sexuel présenté dans les situations suivantes.

a) Carmen fréquente Martin. Ils font l'amour régulièrement et ont soin d'utiliser un condom, mais ils ne s'aiment pas vraiment. Il lui donne du plaisir, un point c'est tout. Une histoire qui prendra fin dans quelques semaines. Dès qu'un autre lui conviendra mieux, Carmen laissera tomber Martin et partira de nouveau à l'aventure. Elle a si peur de se retrouver sans amour, elle qui ne se trouve pas assez belle à son goût.

b) André et Julie sortent ensemble depuis bientôt six mois. Ils vont au cinéma, à la discothèque, et font un peu de sport ensemble. Tous les deux croient en l'amour comme union des corps et des cœurs. Ils posent des gestes d'affection, mais ils ont décidé de ne pas aller jusqu'au bout avant d'être sûrs l'un de l'autre. Un soir, André propose à son amie de faire l'amour. Elle ne veut pas. Il insiste. Elle ne veut pas lui déplaire. Elle continue de refuser et André la quitte de très mauvaise humeur.

Démarche

1. Quels sont les choix qui s'offrent à chacune des personnes face à l'agir sexuel? Quelles conséquences ces choix entraînent-ils?

2. Quelles valeurs sont en jeu?

3. Que dit la psychologie sur chacun de ces choix?

4. Que disent l'enseignement de l'Église et l'approche pastorale sur chacun de ces choix? Quel est le sens de cette position?

5. Évaluez en bien et en mal chacun des choix identifiés. Sur quels points de repère vous appuyez-vous?

6. Analysez la situation.

   – Quelle est la situation des personnes? Quel âge ont-elles? Depuis combien de temps se fréquentent-elles?

   – Quelles sont les motivations des personnes?

   – Leur manière de vivre la sexualité est-elle en accord avec le sens humain et chrétien de la sexualité?

7. Quel choix favoriserait le mieux-être des personnes? Justifiez votre point de vue.

Le viol

Les journaux rapportent des cas de viol et encouragent les victimes à dénoncer les coupables ou l'événement comme tel. Malheureusement, bien des cas restent secrets à cause de la honte ou de la culpabilité, de la gêne ou de la peur des représailles. Des préjugés continuent toujours de circuler.

Par exemple : «Les femmes aiment qu'on les force à faire l'amour»; «Tous les hommes sont des violeurs potentiels»; «Les vraies responsables sont les victimes elles-mêmes»; «Le violeur est l'esclave de ses pulsions». En quoi consiste le viol? Que faire en pareille circonstance?

Analyse de la situation

Quelques faits

Les personnes responsables de viol n'ont pas toutes la même personnalité. Certaines sont des obsédées sexuelles et d'autres des personnes ayant des problèmes mentaux, mais le plus grand nombre paraissent être normales. Beaucoup d'entre elles connaissent déjà la victime. En général, le viol est un acte prémédité et non le résultat de pulsions sexuelles incontrôlables. Il peut se produire à différents endroits : dans la maison de la victime, dans celle de la personne qui agresse, dans une automobile, à l'extérieur, etc. La victime peut être de n'importe quelle ethnie, avoir n'importe quel âge, avoir n'importe quelle apparence, mais le plus souvent, elle a entre dix et vingt-neuf ans.

Définition

On considère comme un viol «toute forme de rapport sexuel imposé par la force à une personne par une autre [53]».

Cette définition mentionne ce qui caratérise le viol, c'est-à-dire la violence et le non-consentement à l'acte. Le viol peut être possible entre deux hommes, entre deux femmes, ou entre un homme et une femme. La personne qui agresse n'est pas nécessairement un homme, bien que ce cas soit nettement plus fréquent.

Les droits fondamentaux

À plusieurs égards, le viol est «un crime contre les droits fondamentaux de l'être humain. Plusieurs éléments peuvent en être distingués.

– Crime contre l'intégrité physique et morale.

– Crime contre le droit à l'autodétermination, puisqu'il brime la liberté de l'autre.

– Crime contre le droit à la libre circulation, parce que la peur du viol empêche les femmes de faire certaines sorties désirées.

– Et, enfin, crime contre le droit à l'existence, si on réfléchit bien à l'aspect sexiste que la grande majorité des viols illustrent [54].»

Les victimes

La dénonciation d'un viol est essentielle pour mettre un terme à des actes inhumains et pour venir en aide à la victime qui doit recevoir un soutien ajusté à ses besoins. Actuellement, il existe des services d'aide tels des centres d'accueil et des services de thérapies individuelle et de groupe.

Points de repère

Valeurs La vie et la sécurité de la personne.
La liberté.
Le respect de la personne.
Le sens de la sexualité humaine.

L'Écriture et l'enseignement de l'Église catholique L'Écriture ne dit rien sur le viol comme tel, sauf qu'elle invite au respect le plus total des autres. Il en est de même pour l'enseignement de l'Église catholique qui rappelle constamment la nécessité de protéger et de promouvoir la vie et la liberté. Toutes deux invitent à fournir aux personnes responsables de tels actes l'aide dont ils ou elles ont besoin pour se réhabiliter.

REPÈRES LÉGAUX

Le droit Le Code criminel condamne l'agression sexuelle (communément appelée viol). L'infraction générale est prévue à l'Article 271 du Code criminel. De plus, le Code criminel prévoit des types d'agressions sexuelles plus spécifiques, comme l'agression armée ou l'agression grave.

Zoom sur le réel

Un problème à résoudre

En vous basant sur des points de repère, évaluez (en bien et en mal) la situation suivante.

Je suis devenue amoureuse du cousin de ma meilleure amie. Il avait cinq ans de plus que moi. J'étais très intéressée à lui et prête à faire n'importe quoi pour lui plaire. Je le trouvais très beau. Un soir, nous sommes sorties tous les trois. À notre retour, je croyais pouvoir dormir chez mon amie, mais sa mère n'a pas accepté. Je suis allée dormir chez le cousin qui habitait à l'étage inférieur. Pendant la nuit, il s'est glissé dans mon lit et m'a demandé de faire l'amour avec lui. Il ne m'a pas laissé le temps de répondre. Il arriva ce qui devait arriver. Après une heure très souffrante émotivement et physiquement, il a quitté ma chambre. Je ne pouvais plus dormir. Je pensais à ce qui venait juste de se passer et je me suis mise à pleurer silencieusement.

Raphaële

Démarche

Analysez la situation.

– Dans quelles circonstances s'est déroulé l'événement?

– Y a-t-il eu violation de certains droits, de certaines valeurs?

– L'acte commis est-il bon ou mauvais? Justifiez votre point de vue.

La prostitution

De tout temps, des hommes et des femmes ont consenti à vendre leurs corps pour donner aux autres quelques plaisirs sexuels. Pour certaines personnes, la prostitution devient un travail à plein temps; pour d'autres, c'est un travail occasionnel qui leur procure un salaire d'appoint. Que penser de cette manière de vivre la sexualité?

Des opinions

La prostitution n'est pas une bonne façon de faire de l'argent ni de faire l'amour. C'est de la pure saloperie!

Claire

Vendre son corps, c'est se considérer comme un objet, rien de plus. Les personnes qui se prostituent doivent se sentir très moches à un moment donné : elles ne peuvent pas se marier ou vivre un amour sérieux. En fait, elles n'arrivent pas vraiment à aimer et à être aimées.

Mélissa

Je ne sais pas comment les femmes font pour se mettre nues devant des hommes qu'elles ne connaissent pas et qui ne sont pas toujours très ragoûtants.

Aecha

Je ne comprends pas que des jeunes doivent se prostituer pour gagner de l'argent. Je crois que ça cache souvent un problème de drogue.

Robert

C'est une perte totale de sa liberté et un danger pour sa vie. Qui parmi ces hommes et ces femmes va pouvoir échapper au sida?

Natacha

Certaines femmes se sentent sûrement forcées de se vendre, à cause de besoins financiers ou d'une faiblesse psychologique. Elles ont peut-être une très mauvaise image d'elles-mêmes, elles ont été rudoyées pendant leur enfance ou traitées comme une chose. Sinon, elles ne pourraient pas accepter pareil travail.

Stéphane

C'est désolant de constater que des gars et des filles en soient rendus là. Si je pouvais les aider à sortir de leur milieu, je le ferais.

Marie-Jo

Ça me révolte. C'est contre toutes mes valeurs, l'amour, la liberté, le sens de la vie. Je ne comprends rien à tout ça. Il y a toujours moyen de faire autrement.

Caroline

ZOOM

Que pensez-vous de la prostitution?

Confidentiel...

As-tu tendance à condamner les personnes qui se prostituent?

Analyse de la situation

La prostitution concerne les jeunes et les adultes, les personnes hétérosexuelles comme les personnes homosexuelles. Certaines personnes se prostituent pour gagner de l'argent, boucler les fins de mois ou payer leurs études. D'autres en font un métier.

Dans la réflexion qui suit, la question de la prostitution sera abordée en grande partie sous l'angle de la prostitution féminine. Il est à noter cependant qu'il est tout de même possible d'effectuer certains recoupements avec ce que vivent les prostitués.

Définitions

La prostitution est généralement considérée comme la vente du sexe, c'est-à-dire comme un commerce. Quatre-vingts pour cent des vendeurs sont des femmes. Les acheteurs, eux, sont presque toujours des hommes. La majorité des prostituées ont moins de vingt-et-un ans, et le nombre de celles qui ont moins de seize ans augmente de façon alarmante. Selon la loi, ce n'est pas un crime, pas plus qu'il n'est un crime d'être prostituée. Par contre, certaines activités liées à la prostitution sont illégales, par exemple la sollicitation dans un lieu public, le service d'entremetteur[55].

La prostitution consiste à livrer son corps aux plaisirs sexuels d'autrui en échange d'un montant d'argent et d'en faire un métier. Et quand on dit métier, on parle d'un commerce établi entre un milieu de proxénètes et de filles qui s'offrent à des clients comme partenaires sexuelles en échange d'un montant d'argent déterminé à l'avance.

Certaines femmes, pour qui c'est un métier, travaillent de façon autonome, mais la plupart appartiennent à un réseau, un milieu, dont il est très difficile de sortir.

Portrait des personnes qui se prostituent

1. Certaines ont été ou sont encore victimes de rejet. Dans le milieu de la prostitution, elles sont accueillies. Plusieurs jeunes prostituées, provenant de milieux familiaux difficiles, cherchent à combler un besoin d'affection et de tendresse.

   «Partout où on va, on nous demande ce qu'on fait. Alors on ment toujours ou on ne sort plus», explique Joanne qui ne se sent respectée nulle part. Diane confirme : «Partout où on va, on n'est pas acceptée. On va se faire regarder de travers, on va se faire juger tout de suite. [...][56].»

2. Certaines jugent très durement les hommes.

«Je rêve que je suis une grosse vague et que je balaie tous les hommes de la surface de la terre.» Elles constatent que l'amour, «c'est pas de l'amour, c'est l'amour du sexe, c'est le sexe[57]».

3. Elles ont souvent été exploitées dans leur famille immédiate.

Les hommes, c'est aussi le père qui enchaîne et viole Sylvie. C'est le père qui trouve normal de coucher avec Marielle, de sorte que «chaque fois qu'il s'approche, tu penses que c'est pour le sexe... Comment alors trouver ton corps correct ou l'aimer?» La marque du père est restée, douloureuse et culpabilisante sur le corps de cette femme comme sur celui de bien d'autres[58].

4. Certaines ont des tendances suicidaires quand elles voient que leur avenir est bloqué.

«On marche, on souffre, mais ça avance pas. Comme si ça reculait toujours, ça change jamais. On a un espoir qui se concrétise jamais, c'est un espoir qu'on a dans le vide, on l'obtient jamais. On l'obtient mais on le garde pas... Je suis toujours au même niveau. Demain, après-demain, y a pas de changement...» Et Sophie conclut un soir : «C'est quelque chose en nous jusqu'à notre mort.» Malgré tout, plusieurs gardent l'espoir que leur vie change, non pas d'elle-même, mais de la rencontre d'un homme qui, enfin, les aime[59].

5. Certaines sont en recherche d'amour, mais sont souvent déçues.

Être acceptées et, quand elles osent, être aimées. Voilà leurs grands rêves, des mots-clés où s'expriment leur solitude et leur image de soi. Elles souhaitent être aimées pour elles-mêmes, mais s'interrogent sur leur capacité d'être aimées et d'aimer. Elles arrivent finalement à en douter, «à force de ne rien sentir et de se comporter comme un robot avec les clients», à force aussi d'aller de rejet en rejet. En deçà de l'amour, il y a l'acceptation qu'elles considèrent comme un préalable. Mais trop d'expériences négatives les ont marquées sur ce plan : une prostituée n'est pas acceptable et, a fortiori, pas aimable[60]!

6. Elles sont parfois méfiantes face à l'amour et vivent dans la solitude.

En quête désespérée d'amour et d'acceptation, elles craignent toujours d'être abandonnées. [...] «Seule entre mes quatre murs, (elle vit cependant avec ses deux enfants), je m'ennuie. Je n'ai rien à faire, nulle part où aller. Alors je sors, je marche, puis je me ramasse sur Saint-Laurent, et je me fais ramasser[61].»

Des facteurs qui expliquent la prostitution

1. Le plaisir

   La liberté sexuelle et le climat érotique de certains milieux tendent parfois à normaliser certains comportements sexuels. Sollicitées par des clients et des patrons, hommes et femmes, certaines personnes finissent par se dire : «Tant qu'à coucher avec lui, tant qu'à coucher avec elle, pourquoi ne pas me faire payer?»

2. L'argent

   Les psychologues croient que l'attrait de l'argent est un élément déclencheur et non une cause profonde. L'argent permet de manger, de se loger, de s'habiller et de consommer ce que la société axée sur les biens matériels propose. Et l'argent est si vite gagné!

3. La domination

   Moi, ça fait dix-neuf ans que je fais ce métier, et je dis que si les hommes vont voir les prostituées, c'est pour avoir un sentiment de puissance. Ils présentent l'argent, alors c'est eux qui commandent. Tu es à lui pendant une demi-heure ou vingt minutes, ou une heure. Ils t'achètent tout simplement, ils n'ont aucune obligation, tu n'es pas une personne, tu es juste une chose qu'on utilise [62].

4. L'exploitation des femmes

   La cause immédiate vient du fait qu'en période de chômage élevé, de difficultés économiques et d'intensification des tensions sociales, nombreuses sont les femmes qui doivent utiliser tous les moyens possibles pour gagner leur vie [63].

5. La pornographie

   La prédominance de la pornographie renforce l'idée selon laquelle les femmes sont des objets sexuels voués au plaisir des hommes. D'autres affirment que, dans l'esprit des personnes qui consomment de la pornographie, les prostituées sont les personnes qui peuvent le plus facilement se livrer aux actes sexuels qu'elle présente. L'une promet, l'autre exécute [64].

Des conséquences possibles

Les personnes qui se livrent à la prostitution sont particulièrement exposées aux maladies transmissibles sexuellement et au sida. Graduellement, elles éprouvent le sentiment d'être exploitées et perdent ainsi le sens de leur valeur personnelle. L'estime de soi est morte. Pour sortir de cette détresse, le recours à la drogue est la voie toute choisie! La drogue leur permet d'oublier ce qu'elles font, de sortir de leur détresse, ne serait-ce que temporairement.

Une expérience

La maison Passages

«As-tu besoin d'aide, d'une place pour dormir, de condoms?»

Dans la rue, les filles les appellent «les Madames Condoms». Depuis maintenant un an, Francine Dorval et Odette Cloutier arpentent ensemble les rues du centre-ville à la recherche des jeunes filles qui en auraient assez de leur vie de prostitution ou de ces autres qui y tomberont bientôt si quelqu'un ne leur tend pas la main. Ce qu'elles leur offrent, ces Madames Condoms, c'est une alternative, une porte d'entrée vers le système. Cette porte d'entrée, elle s'appelle Passages, un organisme subventionné par Centraide et qui aide les jeunes prostituées désireuses d'en sortir. Passages, c'est aussi une petite maison rénovée, en plein centre-ville, qui offre une atmosphère familiale à treize ou quatorze pensionnaires. Les filles peuvent y rester une seule nuit ou jusqu'à deux ans selon leurs souhaits, selon leurs besoins. Si elles le désirent, on les accompagnera en Cour, à l'hôpital.

Leur clientèle a entre quatorze et vingt-deux ans. Parfois, il s'agit de jeunes de douze ans. Des petites filles, presque des enfants. Dans 98 % des cas, elles ont subi l'inceste ou une agression sexuelle dans leur enfance.
[...]

Au-delà des diplômes, les deux femmes doivent surtout avoir du flair, un instinct sûr pour découvrir les filles qui, tannées de se faire agresser, tannées des pressions de leur souteneur, seraient prêtes à en sortir. Elles doivent aussi identifier rapidement celles qui hésitent mais qui, faute de moyens, succomberont bientôt si on ne les récupère pas bien vite.
[...]

Ce qu'on offre à Passages, ce n'est pas un miracle, ce n'est pas le paradis terrestre, c'est seulement une alternative. On commence tout doucement. «Il faut d'abord que la fille réapprenne à vivre le jour, à manger trois fois par jour. On va vers le pratique, on lui demande de participer à la vie commune. Parfois, après quelques jours ou quelques semaines, certaines repartent dans la rue. Souvent, elles reviennent plus tard.» Éventuellement, on leur apprendra comment monter un budget, comment remplir un curriculum vitæ, comment trouver un emploi. «Quand t'as un trou de trois ans dans ton CV, c'est dur. Elles savent qu'elles ont le mot prostituée écrit dans le front.»

Y a-t-il quelque part des prostituées heureuses de l'être et satisfaites de cette vie marginale? Les deux femmes hochent la tête : «Il y en a seulement qui sont moins malheureuses que d'autres [65]».

Confidentiel...

Que dirais-tu à ces deux femmes?

161

Points de repère

REPÈRES MORAUX

Valeurs

La dignité de la personne.
La protection de la santé.
L'égalité de l'homme et de la femme.
Le sens de l'amour et de la sexualité.

L'enseignement de l'Église catholique

Dans ses discours, l'Église rappelle la dignité de la personne humaine :

Malheureusement, le message chrétien sur la dignité de la femme est contredit par la mentalité persistante qui considère l'être humain non comme une personne mais comme une chose, comme un objet d'achat ou de vente, au service de l'intérêt égoïste et du seul plaisir. La première victime d'une telle mentalité est la femme. Cette mentalité produit des fruits très amers, comme le mépris de l'homme et de la femme, l'esclavage, l'oppression des faibles, la pornographie, la prostitution – surtout quand elle est organisée – et toutes les formes de discrimination que l'on trouve dans le domaine de l'éducation, de la profession, de la rétribution du travail, etc.

Jean-Paul II
(Familiaris Consortio, n° 24)

L'Église rappelle que c'est l'amour qui donne tout son sens à la relation sexuelle. Le plaisir sexuel est aussi le plaisir d'être ensemble, d'exprimer sa tendresse et son attachement. La prostitution centre chaque personne sur elle-même. Dans la prostitution, il y a domination et exploitation de l'autre : on tire profit de sa misère financière et affective. Les témoignages des personnes qui se prostituent montrent aussi qu'il y a rarement attachement à la personne, mais plutôt indifférence.

La prostitution étant souvent la conséquence d'une misère affective, d'une quête d'amour, l'Église et l'Écriture invitent à accueillir ces personnes, à ne pas juger.

Souvent il arrive d'accabler les victimes qu'on enferme plus encore dans leur drame, alors qu'il serait plus juste et plus moral de lutter contre les causes et contre les trafiquants. [...] Des mouvements se sont constitués et des institutions se sont mises en place pour engager cette lutte. Ils ont droit au soutien de tous, particulièrement de ceux qui voient dans les personnes prostituées leurs sœurs ou leurs frères dans le Christ[66].

REPÈRES LÉGAUX

Le droit

La prostitution en elle-même n'est pas proscrite par le Code criminel. Le Code criminel condamne plutôt la sollicitation ou les communications faites dans le but de se livrer à la prostitution.

Zoom sur le réel

Un problème à résoudre

En vous basant sur des points de repère, évaluez (en bien et en mal) la situation suivante.

Fabienne, arrivée à la ville depuis quelques mois, ne parvient pas à se trouver du travail. Elle ne peut pas retourner dans son coin de pays, car elle a peur de se faire maltraiter par son ex-ami. Le loyer de son petit appartement est modeste. Mais ses économies baissent, et elle ne voit pas comment elle pourrait continuer de demeurer à cet endroit. Que faire? Une voisine, devinant sa misère, lui présente quelqu'un capable de la sortir du malheur. Un échange de services pour un salaire de rêve! «Pourquoi pas, je le ferai pour quelques semaines, le temps de me faire quelques dollars.» Cinq ans après, elle se prostitue toujours.

Démarche

1. Quels sont les choix qui s'offrent à Fabienne? Quelles conséquences ces choix entraînent-ils?

2. Quelles valeurs sont en jeu?

3. Que disent la psychologie et la sociologie sur chacun de ces choix?

4. Quel est le sens de l'enseignement de l'Église?

5. Évaluez en bien et en mal chacun des choix identifiés. Sur quels points de repère vous appuyez-vous?

6. Analysez la situation.

   – Quelle est la situation présentée?

   – La manière de vivre la sexualité est-elle en accord avec le sens humain et chrétien de la sexualité?

7. Quel choix favoriserait le mieux-être de Fabienne? Justifiez votre point de vue.

Vivre ensemble

Quand deux personnes s'aiment, elles en viennent souvent à souhaiter vivre ensemble sous le même toit et à partager leur quotidien. À une époque encore récente, le mariage était le seul modèle de vie de couple. Aujourd'hui, certaines personnes choisissent de cohabiter avec ou sans projet de mariage, tandis que d'autres s'engagent officiellement avec une intention de faire durer leur couple. Dans ce dernier

cas, le mariage peut être civil ou religieux. Quelle que soit la forme choisie, l'homme et la femme forment un couple aux caractéristiques particulières et, comme couple, ils ont à traverser certaines crises, dont la remise en question de leur vie commune. Malgré tous les efforts déployés et quelle que soit leur forme de vie commune, il y a parfois brisure de la relation. Que penser des diverses formes de vie commune?

La formation d'un couple

Il y a eu l'attrait, puis l'approche l'un de l'autre, la rencontre. Quelle que soit la façon de s'y prendre, l'approche est traversée par la peur du rejet, le désir et l'espoir d'établir une relation harmonieuse. Parfois le «déclic» se fait rapidement, il lui tombe dans l'œil ou elle l'éblouit, mais d'autres fois, l'hésitation est au rendez-vous : on prend le temps d'échanger et de se connaître. L'approche est le temps de l'apprivoisement, mais quelles que soient les précautions prises, le risque de la réussite ou de l'échec est toujours là. Le choix du ou de la partenaire est primordial dans le succès du couple.

L'histoire d'une relation

On entend par couple un garçon et une fille qui se fréquentent sans nécessairement vouloir rester unis. Et l'histoire de tous les couples, si particulière soit-elle, est caractérisée par le même désir de s'unir.

Quelles sont les étapes les plus courantes dans la formation d'un couple?

1. Dans un premier temps, les êtres cherchent à se fusionner. C'est le temps de l'idéalisation. À cette étape, on se découvre, on s'émerveille l'un de l'autre, on amplifie les qualités et on réduit les défauts de son ou sa partenaire. On retrouve ici le rêve de ne faire qu'un avec la personne aimée, un rêve de fusion. Tout ce que l'autre fait nous convient, tout ce que l'autre dit est correct. L'homme et la femme cherchent à devenir une seule personne, à briser à toutes les distances, y compris la distance physique. On fait tout ensemble. On se maintient en sphère chaude à l'abri des problèmes et donc hors du réel.

2. Dans un deuxième temps, les deux amoureux descendent des nuages et commencent à se voir tels qu'ils sont. On se sent étouffé, on veut se dégager, respirer par soi-même. On cherche à protéger son intimité, son espace de liberté. L'indifférence peut remplacer la communication qu'on voulait pourtant franche et totale. Le doute fait des ravages et certains ne résistent pas : conduits par la désillusion, ils doutent de l'amour et se séparent. D'autres acceptent la situation et font face à la réalité.

3. Dans un troisième temps, les êtres reconnaissent leurs différences. L'homme et la femme renoncent à l'amour fusionnel et s'adaptent à l'imperfection de leur relation, mais cela ne se fait pas sans difficulté.

> *À force de vivre ensemble, Bernard et Louise se sont rendu compte que chacun est unique et entier. Bernard n'a pas les mêmes pensées et sentiments que Louise. Louise ne s'exprime pas de la même façon que Bernard. [...] Chacun se connaît assez pour respecter l'espace de l'autre et sa solitude. Chacun s'aime assez pour accorder à l'autre le droit à la différence. En bâtissant leur vie de couple sur l'acceptation des différences, Bernard et Louise deviennent plus humains[67].*

Ce passage est aussi légitime que douloureux : le goût de briser des liens et l'appel de la solitude crient alors avec autant de force que la peur de l'abandon lui-même. Que faire? Parler avec quelqu'un permet de sortir l'angoisse et d'y voir plus clair; dialoguer permet de mieux écouter et partager, de mieux répondre aux besoins mutuels, d'empêcher le silence d'anémier la relation; communiquer permet de négocier, c'est-à-dire de mettre de l'eau dans son vin. Mais quel que soit le moyen choisi, il faudra prendre le temps de vivre cette étape pour faire la vérité. Sinon, on camoufle ses malaises, on passe à côté de soi-même ou on choisit de prendre la voie marginale, celle des amours «à-côté». Vivre le déliement de façon harmonieuse suppose une capacité ou une volonté de pardonner et de se pardonner à soi-même. Sans pardon, la confiance en l'autre devient impossible et c'est l'amour qui se meurt.

ZOOM

- Selon vous, la formation d'un couple a-t-elle toujours la même histoire?

- Les moyens proposés pour traverser les étapes sont-ils réalistes?

Confidentiel...

As-tu déjà vécu cette expérience de te lier, de te délier et de t'allier?

165

Quelle forme de vie commune choisir?

Je suis encore étudiante et Simon aussi. On a le goût de vivre ensemble, de voir si on peut s'accorder sur le plan affectif et sexuel. Après, on verra.

Catherine

Personnellement, je ne vivrais pas avec mon ami sans projet de mariage. Je trouve que c'est trop risqué. Au moins quand on est marié, la loi nous protège. Je me marierais parce que j'aurais trop peur de tomber à zéro si notre couple ne marchait pas.

Véronique

Même si je suis croyant, je crois qu'il suffit de s'engager l'un envers l'autre pour que Dieu soit le témoin de notre amour. On évite ainsi bien des frais, bien de la paperasse.

Yves

Je trouve que l'union libre, c'est ce qu'il faut quand on est jeune. On a besoin d'affection, de tendresse, on a le goût de partager et de se donner maintenant et non dans quelques années. Et on ne connaît pas l'avenir. On ne sait pas si l'amour peut durer.

Étienne

Je veux être sûr que je suis capable d'aimer jour après jour, de faire des concessions, d'être fidèle à ma parole. Je ne sais vraiment pas. Si je ne suis pas capable, je ne me marierai pas et j'éviterai ainsi une gaffe inutile.

Pierre

Pourquoi nous marier? Cela ne changerait rien à notre amour et il y a tellement de couples qui divorcent. La fidélité est impossible de nos jours.

Christine

Tant qu'on aura du plaisir ensemble, on restera ensemble. Quand les tensions vont commencer, je fais ma valise. Et je trouverai bien une personne avec qui m'accorder.

Hélène

Jacques et moi sommes chrétiens et le mariage religieux est très important pour nous. C'est un engagement devant Dieu, c'est une question de foi.

Judith

On reste ensemble parce qu'on s'aime bien, mais aussi pour partager les dépenses de l'appartement. Les études coûtent tellement cher! Je ne sais pas combien de temps cela va durer, mais tout va bien pour le moment. J'ai seulement peur de trop m'attacher. J'accepterais mal son départ pour le moment. Je ne sais pas ce qu'il m'arriverait.

Alex

Nous avons choisi de nous marier civilement. Notre engagement est sérieux et nous voulons rester ensemble toute notre vie. Nous avons mis de côté le mariage religieux étant encore «mêlés» sur le plan de la foi. On refuse de faire semblant malgré la déception de nos parents. Plus tard, peut-être.

Christian

Je vais me marier à l'église comme ma sœur. Je ne suis pas pratiquante, mais profondément croyante. Je veux confier à Dieu mon engagement, lui demander de nous aider.

Chantal

Personnellement, je ne me sens pas capable de m'engager à n'aimer qu'une personne pour toujours. J'ai peur de moi, j'ai peur de devenir amoureux de quelqu'un d'autre. On ne sait jamais.

Alain

L'union libre ne veut pas dire que tu te fous de l'autre. Quand on aime, on veut rester ensemble, on ne veut pas se faire de la peine. L'amour lui-même est une forme d'engagement, même si cela n'est pas officiel.

Cédric

On se mariera quand on voudra avoir des enfants. Pas avant. Les enfants ont besoin de stabilité, mais pas nous.

Yanick

ZOOM

Si vous participiez à cet échange, que diriez-vous?

La cohabitation

Des jeunes et des adultes choisissent aujourd'hui l'union libre, c'est-à-dire la cohabitation sans engagement et sans projet d'engagement officiel. Comment expliquer ce choix? Quels en sont les avantages et les inconvénients? Serait-ce le lieu de la liberté totale?

Des facteurs personnels

Des garçons et des filles cohabitent pour voir s'ils sont capables de s'adapter aux différences de l'autre, s'ils peuvent vivre au quotidien une vie sexuelle. D'autres ont besoin d'affection, veulent alléger leurs problèmes économiques ou fuir une famille qui se dispute constamment, qui n'offre pas de soutien affectif. On rencontre aussi des jeunes qui viennent de familles heureuses, mais qui s'opposent à l'image du couple de leurs parents qui leur semble fade et marqué par le renoncement et la recherche de la sécurité. Certains jeunes veulent prendre de la distance par rapport à leur famille et acquérir une plus grande autonomie. On vit ensemble parce que c'est plus intéressant que de vivre seul, et plus sécuritaire. On se sent libre de partir quand on veut et sans rien devoir à personne.

Des facteurs sociaux

Récemment, mes parents m'ont annoncé qu'ils allaient divorcer. Sur le coup, je me suis dit que je vivrais une situation familiale semblable à celle des autres adolescents qui m'entourent. Par la suite, je me suis rendu compte que tout ce que mes parents m'avaient appris sur l'amour n'avait plus aucune signification. Je ne sais pas pourquoi, mais j'ai eu l'impression qu'ils me délaissaient. Malgré les nombreux moments de désolation et de peine que j'ai vécus, cette expérience m'a permis de mûrir.
Abeille

Familles brisées

Le nombre croissant d'échecs de mariage fait parfois opter pour la cohabitation. Des jeunes proviennent de familles brisées et en ont beaucoup souffert. Conséquemment, ils et elles mettent en doute le mariage.

La mixité

Comme on l'a vu dans la réflexion sur les relations sexuelles précoces, la mixité favorise la rencontre amoureuse, la création de liens affectifs. Les jeunes expriment leur tendresse dans la relation sexuelle et l'union de leurs corps favorise les confidences. Jour après jour, ils et elles deviennent pour ainsi dire plus «accordés» et veulent prolonger cette union même s'ils n'ont aucun projet d'engagement. C'est l'immédiat qui compte.

Nouvelles priorités

Les changements sociaux ont fait naître de nouvelles priorités qui favorisent le choix de la cohabitation.

– On a acquis une plus grande liberté, notamment sur le plan sexuel, grâce au contrôle de la fécondité par l'utilisation des contraceptifs.

– L'épanouissement personnel passe avant l'attention portée à l'autre et le renoncement.

– L'amour justifie la relation de couple, de sorte que les motifs économiques (la sécurité financière de la femme, par exemple) et les motifs sociaux (établir une famille stable pour les enfants) sont insuffisants.

– L'authenticité dans la relation est plus forte que le souci de sauvegarder l'image du couple parfait.

Nouvelles réalités

De nouvelles réalités poussent à retarder un engagement «pour la vie».

– L'insécurité face à l'avenir de la planète invite à vivre pour soi, ici et maintenant. On ne sait pas ce que l'avenir nous réserve, on ne veut pas s'engager à long terme.

– Le chômage ou la difficulté de se trouver un emploi font reculer l'engagement et la prise des responsabilités.

– L'espérance de vie individuelle a doublé et, conséquemment, la durée possible du mariage. Dans ces conditions, est-il encore réaliste de se marier?

Quelles motivations?

Ces facteurs ne peuvent empêcher chaque personne et chaque couple de se poser certaines questions quant à leurs motivations profondes. Pourquoi choisir la cohabitation plutôt que le mariage et vice-versa? Dans *Découvrons l'amour*, Denis Sonet ouvre quelques pistes de réflexion[68]. Si je choisis l'union libre, quelles sont mes motivations?

– Est-ce la lucidité face aux échecs ou la peur du risque, le manque de confiance?

– Est-ce le désir de garder ma liberté ou le refus de toute contrainte, le refus de négocier?

– Est-ce le rejet des modèles traditionnels ou la tendance à vouloir faire comme les autres?

– Est-ce la nécessité d'une période de transition entre deux vies de famille ou la précipitation vers la vie à deux?

– Est-ce le refus des formalités, de la paperasse, ou la peur de devoir payer des avocats ou avocates si le mariage se brise?

– Est-ce la priorité accordée à l'amour ou le mépris de l'institution du mariage?

– Est-ce la conviction que l'expérimentation est nécessaire ou l'obsession de la réussite?

Ces questions peuvent se ramener à une interrogation de fond : pour moi, pour nous, la cohabitation est-elle le résultat de la réflexion ou de l'impulsivité?

Des avantages   La cohabitation permet de faire certains apprentissages. Le garçon et la fille apprennent à partager, à exprimer leurs besoins et leurs sentiments, à faire des concessions, à régler des conflits, à respecter l'égalité dans les rôles, à faire face aux différences individuelles, à reconnaître leur vulnérabilité et leurs imperfections, à maîtriser leurs pulsions sexuelles, à assumer leur autonomie, à exercer leur liberté et, dans le domaine de l'agir sexuel, à devenir plus responsables, à respecter l'intimité et la liberté de l'autre.

Des inconvénients

1. La vie commune sans engagement fait miroiter la liberté totale. Cela ne peut être vrai qu'en théorie. En pratique, le fait de vivre ensemble crée automatiquement des liens et chacun peut se sentir responsable de l'autre.

2. Ayant développé l'habitude de vivre ensemble, le garçon et la fille ont de la difficulté à rompre. La peur de faire souffrir l'autre les amène parfois à poursuivre la relation bien que l'amour ne soit plus ce qu'il était.

3. Un sentiment d'insécurité peut se développer, surtout chez le ou la partenaire qui aime davantage. La crainte du rejet et de l'abandon étant toujours présente, le garçon et la fille évitent les conflits pour empêcher l'autre de faire ses valises. On évite ainsi des confrontations et on n'apprend pas à faire des concessions.

4. Des problèmes financiers peuvent se présenter quand vient la rupture. Qui garde les biens? Au Québec, la loi oblige les maris et les femmes qui divorcent à partager les biens acquis pendant leur mariage : maison, meubles, auto, fonds de pension. Cela ne s'applique pas pour les couples qui vivent en union libre. Les gens non mariés ne peuvent réclamer une pension pour eux-mêmes, ne serait-ce que le temps de se trouver un emploi et de se réadapter. Une pension doit cependant être versée au profit de ou des enfants nés de l'union. En conséquence, et «dans le concret du quotidien», chaque partenaire doit donc se protéger, au cas où...

Quand on aime, on veut être heureux ou heureuse, on espère y arriver. L'union libre est-elle un chemin pour y arriver? Sans engagement, la peur de l'abandon peut-elle grandir et empêcher de faire confiance à l'autre, d'exprimer ses besoins, de s'opposer, de choisir ce qui nous convient le mieux? Peut-on être bien dans ce genre de cohabitation si on craint de trop s'attacher?

Confidentiel...

Selon toi, la cohabitation favorise-t-elle l'épanouissement de la personne? Pourquoi?

Le mariage

Des couples choisissent de s'engager avec l'intention de faire durer leur union. Le mariage peut être civil ou religieux. Les deux types de mariage ont des caractéristiques communes qu'on pourrait résumer ainsi : le mariage, ou l'engagement officiel, ne crée pas l'amour. Au contraire, c'est l'amour qui lui donne tout son sens. Le «oui» est une parole donnée à quelqu'un en qui on a confiance et devant des personnes, familles et amis, qui deviennent témoins de l'engagement. Et s'engager, c'est accepter de prendre des responsabilités, de faire tous les efforts nécessaires pour garder l'amour bien vivant. Dans les deux cas, les couples auront l'occasion de devoir se pardonner. Personne n'est parfait!

Formes de mariages

Devant le maire ou devant le prêtre, dans les tulles, les fleurs et les musiques, les nouveaux mariés échangent leurs consentements. D'autres suivront : ils ne seront pas aussi fleuris et solennels que ceux-ci, mais ils leur donneront chair.
- *Consentement à l'autre tel qu'il est, quand les rêves s'estompent.*
- *Consentement au pardon donné et reçu.*
- *Consentement à la venue des enfants, à leur croissance et à leur envol.*
- *Et aussi consentement au deuil quand la mort ou la rupture défont le lien* [69].

Le mariage civil

Le couple s'engage devant la loi. Le «oui» prononcé devant le ou la juge change le statut social et définit les droits et les devoirs des deux époux. Les valeurs qui caractérisent le mariage civil sont l'amour mutuel, l'engagement, la fidélité et la fécondité. En soi, le mariage n'étouffe pas la liberté ou les aspirations légitimes de l'homme et de la femme. Au contraire, il peut être un lieu propice à l'attention à l'autre, au souci du développement de chacun.

Le mariage sacramentel

Cette forme d'engagement convient aux personnes qui sont croyantes ou du moins en recherche. Le couple s'engage devant Dieu et dans la communauté chrétienne.

Le mariage n'est pas un contrat, mais une alliance qui rappelle l'alliance d'amour que Dieu a faite avec l'humanité. Le mariage est un peu la vitrine de l'amour de Dieu, car les époux s'aiment d'un amour qui évoque assez bien les caractéristiques de l'amour divin (fidélité-fécondité). Le mariage est un sacrement : le signe de la présence active du Christ au cœur de l'amour [70].

La fidélité

Le mariage permet de célébrer l'amour, de rappeler sa dimension sociale. L'intention de durée qu'ont les époux les invite à faire face aux difficultés plutôt qu'à abandonner au premier accroc. Le mariage protège l'amour tout en offrant plus de sécurité aux enfants et à chacun des partenaires.

La valeur de la fidélité est particulièrement importante à l'intérieur du mariage. Le lien est si intime qu'il appelle la fidélité. C'est pourquoi l'infidélité amène toujours une crise, une remise en question. Il faut tirer au clair certaines questions ou certains problèmes et cette étape peut devenir pour le couple une occasion de croissance.

Le sacrement du mariage est en quelque sorte le désir de respecter l'autre et de lui rester fidèle malgré les faiblesses présentes dans toute union entre des personnes humaines.

La dimension sexuelle

La vie sexuelle est intégrée dans un projet de vie comme en témoignent Bernard et Valérie, mariés depuis six ans.

C'est difficile de parler de notre vie sexuelle, parce que c'est le secret de notre intimité. Nous aurions l'impression de trahir notre amour en l'étalant au grand jour, comme ça se passe au cinéma ou dans les journaux.
Pour nous, l'acte sexuel c'est beaucoup plus qu'une «technique» pour réussir à atteindre l'orgasme. C'est là que se réalise le mystère de notre amour, le don total de l'un à l'autre, qui s'ouvrira un jour sur le don de la vie.
Depuis notre mariage, nous avons découvert petit à petit qu'on ne peut pas réussir l'union physique si le cœur n'y est pas. Les attentions délicates, les regards, les mots doux, la tendresse et les caresses ne sont pas seulement les «préludes» de l'amour...
Comment pourrions-nous isoler notre vie sexuelle de tout ce qu'on vit ensemble?
Faire l'amour, ce n'est pas seulement coucher ensemble, c'est vivre d'amour, au long des jours. Alors le plaisir devient un cadeau merveilleux que l'on reçoit en même temps qu'on le donne : un vrai don de Dieu [71]*...*

L'homme et la femme qui s'engagent ainsi dévoilent publiquement leur intention de vouloir aimer à la manière de Jésus, c'est-à-dire dans le don, le service et le pardon. Ils promettent de travailler à faire triompher leur amour malgré les difficultés rencontrées et à le faire durer. Le mariage chrétien propose l'indissolubilité des liens.

On remarque justement, en effet, qu'un acte conjugal imposé au conjoint, sans égard à ses conditions, à ses légitimes désirs, n'est pas un véritable acte d'amour et contredit par conséquent une exigence du bon ordre moral dans les rapports entre époux.

(Humanae Vitae, n° 13)

Il faut rappeler que tout n'est pas permis à l'intérieur du mariage. Le respect de la liberté de l'autre est toujours primordial. Huguette et Bernard Fortin racontent comment se vit ce projet dans la vie de tous les jours.

Confidentiel...

Après réflexion, quelle forme de vie commune choisirais-tu?

ZOOM

- Quelles sont les différences entre la cohabitation et le mariage comme tel?

- Les valeurs «amour, liberté, vérité, vie» sont-elles également protégées et promues par ces formes d'union?

- Quel est le sens du mariage sacramentel?

Au quotidien

En nous mariant, nous avons fait deux choix : celui d'un état de vie autre que le célibat et celui d'une personne avec qui nous voulons engager notre avenir et être heureux. Chacun a le goût de s'engager quotidiennement avec ses limites et ses grandeurs, avec le désir de tout faire pour réussir. Ce projet devient l'objectif, le pôle autour duquel toute la vie va dorénavant s'organiser. Choisir, c'est poser un acte libre dans lequel chacun engage sa liberté face à la liberté de l'autre. Dans le mariage et dans la famille, chacun dit «oui» à ce que l'autre deviendra et s'engage à favoriser l'épanouissement de l'autre comme individu, comme conjoint et comme parent. Chacun cherche à devenir ce qu'il doit devenir dans ce cadre consciemment choisi. Le «oui» du mariage conditionne, en quelque sorte, tous les autres «oui» de notre vie.

Cet engagement libre, ce choix fondamental, est par ailleurs traversé, dans la vie quotidienne, de choix plus ou moins importants mais dont il faut se parler si l'on veut vivre dans la solidarité, la confiance, la fidélité... dans et avec le temps. Jour après jour, nous sommes confrontés à des décisions où échanges, négociations, concessions et partages deviennent la règle. Les sujets de discussion sont multiples. Par exemple, les intérêts et les valeurs de chacun, les amis communs et personnels, le lieu de la résidence, la décision d'avoir un enfant, la réaction à une maladie imprévue ou à un handicap, les priorités budgétaires (achats, dépenses, économies), le développement de la carrière de chacun, le partage des tâches, les loisirs, le temps pour soi et en commun, l'école pour les enfants.

Ces discussions et ces décisions viennent traduire concrètement des intentions plus fondamentales et susceptibles de favoriser le bonheur de chacun. Par exemple, vouloir se plaire mutuellement, vouloir s'écouter, accepter de faire des compromis, accepter de ne pas toujours être d'accord, vouloir être affectueux et tendres, respecter la fidélité promise, s'ouvrir au mystère de l'autre et au sien propre, accepter son corps, sa psychologie, se voir comme des êtres en évolution.

Ce pacte, ce contrat d'amour dans la fidélité, où chacun reconnaît et accepte son interdépendance, assure que, quels que soient les événements ou les déceptions, les époux garderont toujours à leur disposition une gamme de moyens humains et spirituels pour reprendre leur projet en mains.

Vivre en mariage, c'est prendre conscience et croire que si le désir désire, la liberté choisit et que la liberté élimine nécessairement «des libertés». Dire «oui» à l'autre, c'est se lancer dans un «à-venir» où chacun apporte son sérieux, son intelligence, sa volonté, sa sincérité, son indulgence et son pardon.

La fidélité au «oui» nous permet d'intégrer progressivement les exigences d'un amour qui se veut grand et total. Elle est la condition essentielle pour accéder à cette liberté intérieure qui nous donne la capacité de réaliser un projet à travers une vie? L'amour n'est pas qu'un «feeling», il est aussi la décision d'aller tendrement vers l'autre et de laisser l'autre me connaître, s'approcher de moi, me découvrir intérieurement. Le mariage est un risque, celui de l'intimité, et une responsabilité, celle de prendre soin de l'autre, de l'aider à parvenir à son plein épanouissement et à son rythme.

Le sacrement du mariage est la réponse des chrétiens et chrétiennes à la question : «Qui est l'auteur, la source de cet amour?» Dieu est à l'origine de cette soif d'amour qui nous habite. Il est à l'origine de la liberté qui est notre moyen de progresser vers notre croissance humaine. La reconnaissance communautaire de notre amour nous porte à nous tourner vers Dieu pour le remercier de ce précieux don. Plus encore, nous lui demandons son aide pour ne jamais tenir pour acquis cet amour humain merveilleux mais fragile, pour vivre avec dignité les réalités de l'amour, du mariage et de la liberté.

Bernard et Huguette Fortin

Points de repère

Valeurs Pour favoriser l'épanouissement des personnes, certaines valeurs doivent être respectées.

– L'amour : y a-t-il respect des personnes? Y a-t-il expression de l'amour dans la tendresse?

– La fidélité : y a-t-il un désir de fidélité?

– La liberté : y a-t-il expression des besoins réels de chaque personne? Y a-t-il développement possible des talents, des capacités de chaque personne?

– La vérité : y a-t-il sincérité et franchise?

L'Écriture L'Écriture ne dit rien sur les formes de mariage comme telles. Jésus invite cependant à aimer à sa manière, c'est-à-dire dans le plus grand respect et le renoncement. Reprenant à son compte les paroles de la création, Jésus rappelle la force et l'intimité du lien entre l'homme et la femme : *C'est pourquoi l'homme quitte son père et sa mère et s'attache à sa femme, et ils deviennent une seule chair (Gn 2, 24)* et, en conséquence, son caractère indissoluble : *Eh bien! ce que Dieu a uni, l'homme ne doit point le séparer (Mt 19, 6).*

L'enseignement de l'Église catholique L'enseignement de l'Église catholique rappelle le sens même de l'amour comme rencontre interpersonnelle et révélation de soi (voir à cet effet le texte du pape Jean-Paul II cité à la page 153).

En ce qui concerne la cohabitation et le mariage à l'essai :

Qu'il soit inacceptable, la raison humaine le laisse déjà entendre par elle-même, en montrant combien il est peu convaincant de parler d'un «essai» quand il s'agit de personnes humaines, dont la dignité exige qu'elles soient toujours et seulement le terme de l'amour de donation sans aucune limite, de temps ou autre. Pour sa part, l'Église ne peut admettre ce type d'union pour des motifs supplémentaires et originaux découlant de la foi. D'un côté, en effet, le don du corps dans le rapport sexuel est le symbole réel de la donation de toute la personne; une telle donation, d'ailleurs, dans le dessein actuel de Dieu, ne peut se réaliser dans sa pleine vérité sans le concours de l'amour de charité donné par le Christ. Et d'un autre côté, le mariage entre deux baptisés est le symbole réel de l'union du Christ avec l'Église, union qui n'est pas temporaire ou «à l'essai», mais éternellement fidèle; entre deux baptisés, il ne peut donc exister qu'un mariage indissoluble.

(Familiaris Consortio, n° 80)

Quel est le sens de cette affirmation? L'enseignement de l'Église rappelle ainsi l'importance d'intégrer la dimension charnelle de l'amour à l'intérieur d'un projet de vie à long terme. Sans nier le sens possible de toute autre forme d'union, elle affirme que c'est dans l'engagement que le don atteint sa pleine vérité. Elle en empêche ainsi la banalisation en disant que c'est l'amour qui lui donne tout son sens.

Pour notre part, nous sommes convaincus que le plaisir sexuel et la sexualité sont à leur meilleur lorsqu'ils expriment l'attachement entre deux êtres dans un engagement permanent et ouvert sur la vie. C'est précisément à quoi vise l'engagement du mariage. Il se propose en effet de mobiliser les énergies formidables de la sexualité pour approfondir la relation amoureuse entre un homme et une femme, la protéger contre la fragilité et l'instabilité, et assurer aux enfants le milieu de vie et d'éducation auquel ils ont droit [72].

L'approche pastorale   Tenant compte des situations concrètes et limitées vécues par les personnes, la recherche théologique et l'action pastorale tracent des voies où le plus important est de permettre à chaque personne de réaliser au mieux les attentes de Dieu sur elle. Cela veut dire surtout qu'il faut tenir compte de la capacité des personnes de répondre aux exigences concrètes de l'idéal chrétien. Il ne s'agit pas de réduire cet idéal, mais plutôt de proposer un chemin réaliste pour le réaliser. Certaines difficultés peuvent être temporairement insurmontables de sorte que des couples doivent parfois se poser la question suivante : la cohabitation peut-elle être, pour un temps, un choix acceptable dans les circonstances qui sont les nôtres?

REPÈRES LÉGAUX

Le droit   Le Code civil du Québec ne reconnaît pas l'union de fait. Cependant, certaines législations sociales québécoises le font.

Zoom sur le réel

Des problèmes à résoudre

En vous basant sur des points de repère, évaluez (en bien et en mal) les choix suivants.

a) Antoine et Catherine se connaissent depuis quelques mois. Ils ont vingt ans et sont tous les deux aux études. Ils s'aiment bien mais ils ont peur de s'engager. Ils veulent voir s'ils peuvent s'adapter et harmoniser leurs différences. Pas de promesses encore. Ils ne sont pas pratiquants, mais ont la foi. Ils décident de cohabiter sans prendre d'engagement officiel. Leurs parents s'objectent, mais ils veulent donner suite à leur projet malgré tout.

b) Jules et Sylvie s'aiment beaucoup, mais ils ne veulent pas se marier parce qu'ils ont trop de mauvais souvenirs familiaux. Tous deux dans la vingtaine, ils travaillent et aimeraient un jour avoir des enfants. Ils cohabitent sans s'engager officiellement. Leurs comptes en banque sont séparés, leurs biens aussi. Leur amour n'a pas besoin de garantie, il est assez fort pour durer, et ça ne regarde qu'eux, pensent-ils.

Démarche

1. Quels sont les choix qui s'offrent face à la vie commune? Quelles conséquences entraînent-ils?

2. Quelles valeurs sont en jeu?

3. Que disent l'expérience, la psychologie, la sociologie, l'enseignement de l'Église catholique sur chacun des choix?

4. Quel est le sens de l'enseignement de l'Église?

5. Évaluez en bien et en mal chacun des choix identifiés. Sur quels points de repère vous appuyez-vous?

6. Analysez les situations présentées.

   – Quelle est la situation de chacun des couples?

   – Quelles sont leurs motivations?

   – Y a-t-il conflit de valeurs?

   – Leurs motivations sont-elles en accord avec les exigences de l'amour telles que proposées par l'Évangile?

7. Quel choix favorise le mieux-être des personnes? Justifiez votre point de vue.

La rupture

Mes parents sont séparés depuis quelques années. Ils m'avaient donné une enfance rose et, tout d'un coup, ils m'ont envoyée affronter le vrai monde, seule. Au début, c'est très dur, mais on finit par se trouver des amis avec qui on peut parler. Dans une relation, je cherche la sécurité et je veux rencontrer quelqu'un avec qui je suis bien, quelqu'un avec qui je peux partager mes enthousiasmes, mes joies et mes peines.

Annie

L'échec fait partie de l'expérience humaine. Malgré tous les efforts et les désirs de rester unis, l'inévitable arrive parfois. Plus rien n'est pareil! Il faut affronter des changements de vie matérielle et affective. Et le poids de la solitude se fait très lourd quand il s'y ajoute un sentiment de culpabilité. C'est une dure épreuve qui fait souffrir des enfants et des adultes : doute, rancune, remords, agressivité, tristesse, tout s'entremêle!

On ne peut pas énumérer toutes les causes de divorce, mais on peut penser que certaines séparations sont nécessaires pour protéger l'équilibre personnel. Cela n'enlève pas la douleur de la rupture comme le dit Brigitte, abandonnée par son mari avec trois jeunes enfants.

Si l'Écriture se prononce contre le divorce, elle appelle à pratiquer l'entraide, l'accueil et l'écoute. Elle invite les victimes du divorce à s'ouvrir à la possibilité de pardonner à ceux et celles qui les ont blessées. Le pardon libère et permet de recommencer à vivre, de recommencer à aimer. Si l'Église condamne le divorce, elle ne condamne jamais les personnes.

Quand je mesure le chemin parcouru depuis trois ans, je vois que l'insatisfaction des enfants est toujours là, mais elle s'est tempérée, intériorisée, ils sont d'avantage tournés vers l'avenir. L'image de leur père flotte dans la maison comme un vent de brume qui met du flou partout, comme un bruit de chaînes quand ils se mettent à me parler de leur père, comme une douleur indéfinissable parce que quelque part, nous le savons tous, il est en deçà de ce que nous pouvons penser ou sentir de lui... Quand ils ont passé des vacances chez leur père, je sens à nouveau notre situation comme une déchirure. C'est comme si on m'arrachait, lambeau par lambeau, des morceaux de chair... Alors je descends au plus profond, là où la vie se ramasse en silence, et parfois se déplient des chemins d'enfance...

Dans les premières années de mariage, je lisais Pédagogie des opprimés de P. Freire. Je n'ai jamais pu dépasser les premières pages parce qu'il disait : «Lorsque l'on est victime d'une oppression, il faut chercher par où l'on est complice.» Ceci me remplissait de malaise. Aujourd'hui je comprends mieux et je me demande : «Comment ai-je pu renoncer à ma liberté et me laisser tyraniser ainsi?» Il m'apparaît clairement que ce qui reposait sur des bases non saines ne pouvait durer à l'infini...

Brigitte [73]

Confidentiel...

- Si ta famille a vécu un divorce, quel sentiment domine en toi? As-tu de la rancune?
- L'Évangile appelle au pardon. Est-ce possible de pardonner?

L'Homosexualité

Si la condition homosexuelle est aujourd'hui ouvertement discutée, la tolérance n'est pas acquise pour autant. Des articles de journaux rapportent des événements où lesbiennes et gais sont victimes de discrimination et d'actes d'agression. La sociologie, la psychologie, la psychanalyse et la génétique tentent d'identifier les causes de la condition homosexuelle, mais les hypothèses avancées ne font pas l'unanimité. Une chose est certaine, la condition homosexuelle fait partie de la nature et les personnes homosexuelles cherchent à être heureuses. Est-ce possible? Quel est l'enseignement de l'Église catholique à ce sujet?

Des questions et des réactions

On est libre de vivre comme on veut!

Je ne veux pas le dire à personne... mes amis me laisseraient tomber.

Ce n'est pas normal.

Ma famille est très distante depuis qu'elle connaît mon orientation sexuelle.

Je ne comprends rien à tout ça!

J'en connais qui ont perdu leur emploi, c'est pas juste!

Ma colère monte quand je les vois.

Je les reconnais immédiatement!

On se comprend.

Les psychiatres sont là pour régler leurs problèmes.

J'ai honte. Je ne fréquente que les gens comme moi.

J'ai essayé de nier ma condition, mais c'est plus fort que moi.

Je me sens coupable d'être comme je suis. Pourtant ce n'est pas de ma faute.

Je crois que j'ai des tendances homosexuelles. Ça me fait peur.

Confidentiel...

Laquelle de ces réactions partages-tu? Laquelle ajouterais-tu?

Analyse de la situation

Définitions

La condition homosexuelle masculine ou féminine peut se définir comme une attirance affective et érotique pour une personne du même sexe.

Formes d'homosexualité

On identifie habituellement trois formes d'homosexualité.

1. L'homosexualité passagère ou transitoire. Elle apparaît chez les adolescents ou adolescentes qui cherchent leur identité et chez les personnes adultes qui vivent dans un milieu qui favorise l'expression de l'homosexualité ou qui sont privées de la présence de personnes du sexe opposé.

2. L'homosexualité durable ou foncière. Elle ne devient telle que lorsque la personne est âgée d'au moins vingt ans.

3. L'homosexualité mixte. Elle apparaît chez les personnes qui sont hétérosexuelles.

Tendances et actes homosexuels

Dans les discussions et les points de vue, il est important de distinguer le comportement homosexuel et la personne homosexuelle elle-même. On ne peut pas juger une personne sur le seul comportement sexuel, de sorte que le mépris et les moqueries sont injustifiables. La personne homosexuelle a les mêmes droits que la personne hétérosexuelle et, conséquemment, tout acte discriminatoire à son endroit est contraire aux chartes et à la *Déclaration universelle des droits de l'homme* qui réclament le respect et l'égalité pour tous et toutes. Tout acte discriminatoire va à l'encontre de l'esprit évangélique.

Il importe aussi de distinguer la tendance homosexuelle et l'acte homosexuel. Si on ne peut être tenu responsable des tendances homosexuelles qui montent en soi, à moins de se placer volontairement dans les conditions qui les éveillent et les développent, on est par ailleurs responsable de la manière dont on gère nos pulsions. Cette remarque s'applique également aux personnes hétérosexuelles.

Les traits distinctifs

Il existe certains traits distinctifs, certains signes de la condition homosexuelle que chaque personne peut reconnaître ou non en elle. Tout d'abord, il y a un attrait ou une attirance pour «l'autre» du même sexe que soi. Une attirance, c'est un désir qui pousse vers l'autre et qui ne s'explique pas, comme on l'a vu dans la réflexion sur la sexualité. Il s'accompagne d'un manque d'intérêt pour les personnes de l'autre sexe. Il y a aussi des rêveries (rêves éveillés ou fantasmes) dans lesquelles on s'imagine être avec «l'autre» du même sexe et même vivre une relation intime avec lui ou elle. Finalement, il y a les rêves, qui viennent de l'inconscient. Parce qu'ils sont incontrôlables, ils peuvent indiquer à la personne concernée qu'il existe une possibilité de tendance homosexuelle. De façon générale, on dit qu'une personne peut être fixée sur sa condition homosexuelle vers l'âge de vingt ans.

Différents points de vue   Les opinions diffèrent sur les causes de l'homosexualité, en partie parce que les recherches n'aboutissent pas à des conclusions certaines. Voilà pourquoi on parle davantage de facteurs que de causes. Les trois facteurs que l'on peut identifier ne peuvent expliquer qu'en partie la condition homosexuelle.

1. D'un point de vue physiologique, on avance l'hypothèse d'un dérèglement génétique ou hormonal. Cet argument n'est pas concluant puisqu'un traitement hormonal pourrait possiblement renverser la situation. Or, il n'en est rien.

2. D'un point de vue psychologique, on tend à dire que l'orientaton sexuelle, qui se dessine vers l'âge de sept ans, dépend de l'influence des parents et surtout de la mère.

3. D'un point de vue sociologique, on parle de pression sociale, c'est-à-dire de l'influence du théâtre et du cinéma qui étalent l'homosexualité et la rendent même attrayante. On évoque aussi le rôle de la séduction : des personnes qui sont seules ou qui ont un grand besoin d'affection peuvent se laisser attirer par des propositions homosexuelles et, par la suite, se sentir incapables de s'en sortir.

Quelques caractéristiques   Certaines personnes pourront se retrouver dans les caractéristiques suivantes, alors que d'autres pourront les contester à la lumière de leurs expériences ou de celles de leurs connaissances.

Marginalité

D'une manière générale, on peut dire que la marginalité caractérise la condition homosexuelle, même si actuellement cette marginalité tend à s'amenuiser. Concrètement, beaucoup de personnes homosexuelles vivent dans un monde fermé, c'est-à-dire qu'elles se rencontrent dans des lieux précis et peu ouverts aux personnes hétérosexuelles. Ils et elles restent «entre eux» et «entre elles», ne dévoilent pas leur orientation sexuelle dans leur milieu de travail, leur milieu de loisirs et même dans leur milieu familial. Leur solitude est parfois lourde à porter.

Cette marginalité s'explique de différentes manières : parfois c'est la peur des personnes de l'autre sexe ou leur propre sentiment de culpabilité qui portent les personnes homosexuelles à s'exclure de certains milieux. Étant mal dans leur peau, acceptant mal leur condition, elles préfèrent se replier sur elles-mêmes et évitent ainsi l'œil critique des autres.

Instabilité

Par ailleurs, il existe souvent une grande instabilité à l'intérieur des relations homosexuelles. Les couples se font et se défont sans doute pour des motifs personnels, mais aussi à cause de la pression sociale.

Défis particuliers

Comme on l'a vu précédemment, chaque personne est appelée à humaniser sa sexualité, c'est-à-dire à en faire une expression d'amour. On y arrive à certaines conditions et la personne homosexuelle a, à cet égard, des défis particuliers à relever. Tout d'abord, elle doit travailler à accepter son orientation sexuelle, accepter d'être ce qu'elle est. Cela n'est pas facile et, dans certains cas, c'est très difficile, surtout pour ce qui a trait au contexte familial. Certains et certaines ont même voulu régler la question en se mariant, mais leur tendance a eu raison de leur mariage. La première responsabilité est de faire la vérité face à soi-même.

Cette acceptation progressive et toujours à refaire ouvre la possibilité de vivre plus librement avec les autres, de trouver un sens à sa condition et à sa vie. Concrètement, cela signifie sortir du ghetto, c'est-à-dire du monde fermé des personnes homosexuelles, en élargissant le cercle de ses relations et en s'entourant d'amis et d'amies.

Les relations homosexuelles

Limites

D'une manière objective, c'est-à-dire indépendamment de telle ou telle personne, on peut dire que les relations homosexuelles comportent certaines limites : la rencontre homosexuelle ne permet pas la rencontre de l'autre comme être «différent», c'est-à-dire à la façon d'une rencontre entre un homme et une femme; la tendance narcissique est généralement forte; il y a impossibilité de la procréation.

Valeurs

D'une manière subjective, c'est-à-dire en regardant la situation de telle et telle personne, on retrouve des valeurs différentes suivant les diverses manières de vivre sa sexualité. Certaines personnes homosexuelles passent aux actes de façon occasionnelle, autrement dit, en vivant des aventures. Elles sont responsables de leurs actes dans la mesure où elles restent libres par rapport à leurs tendances. On les entend parfois dire : «C'est plus fort que moi», indiquant par là l'inexistence de leur espace de liberté.

Projets de vie

D'autres personnes homosexuelles s'engagent dans des projets de vie commune, c'est-à-dire qu'elles sont amoureuses. Dans ces cas, les actes sexuels sont plus que de simples décharges de tension, ils sont l'expression d'une affection et d'un attachement profond. Les chances d'épanouissement sont alors beaucoup plus grandes parce qu'il y a rencontre, communication et engagement. Sur les plans du sens et des valeurs, certains projets de vie entre personnes homosexuelles sont très humanisants en vertu de la richesse du vécu affectif, du développement de l'amour, de la recherche des valeurs comme le respect, la responsabilité, l'attention portée à l'autre.

Une découverte

Rêver la nuit des garçons, éprouver du désir à la vue de leurs corps nus et s'imaginer dans des situations érotiques... Avoir une excitation aussi physiologique que psychologique dans les douches du vestiaire après le cours d'éducation physique... Avoir le cœur qui dérape en voyant la personne de vos rêves vous décrocher un regard... Une certaine angoisse naît et une grosse question surgit : «MOI?... Serait-il possible que je sois gai?»

Je crois que l'angoisse nous envahit une première fois lorsque nous pensons à notre père et à notre mère. Nous sommes issus de l'union de deux parents hétérosexuels qui, dès le début de notre existence, cherchent à modeler, malgré eux, ce que nous sommes censés devenir à l'âge adulte. Choisir un style de vie qui correspond à un désir homosexuel signifie évidemment qu'on ne pourra jamais répondre à l'image reçue de ses parents. Ceux qui préfèrent refouler leurs désirs et vivre une vie calquée sur le modèle familial doivent porter un masque, ce qui les éloigne de leur «moi» véritable et, par conséquent, du bonheur.

Une fois la démarche intérieure commencée, une fois la réalité regardée en face, il est temps d'aller chercher de l'appui pour se rassurer sur son choix. Mais l'homosexualité est un sujet tabou qui provoque souvent de vives réactions. Il est préférable d'aller chercher des réponses auprès d'autres personnes homosexuelles comme nous, de vivre des expériences pour vérifier si notre homosexualité est durable ou passagère, des expériences humanisantes. Sûrs de ce que l'on veut, on peut mieux faire face à nos parents et à nos amis. Et quand on a l'air heureux, on finit par venir à bout des préjugés! L'expérience montre qu'il faut mêler le moins possible le travail et la sexualité, mais c'est difficile tout ça. Il faut s'adapter. Après tout, notre orientation n'est pas écrite en grosses lettres sur le front, bien que...

Un jeune homme de vingt-cinq ans

Points de repère

REPÈRES MORAUX

Valeurs

Le respect de la liberté de l'autre.
Le sens des responsabilités.
Le sens de l'amour et de la sexualité.

L'Écriture

L'homosexualité, qui est l'expression d'un refus de l'altérité, ne peut être présentée comme une forme idéale de vie sexuelle et cela au nom de la Révélation et de l'expérience humaine elle-même. L'Écriture dit que la sexualité doit prendre en considération la différence : *Dieu créa l'homme à son image, à l'image de Dieu il le créa, homme et femme il les créa (Gn 1, 27)* et la similitude : *«Pour le coup, c'est l'os de mes os et la chair de ma chair! Celle-ci sera appelée "femme", car elle fut tirée de l'homme, celle-ci!» C'est pourquoi l'homme quitte son père et sa mère et s'attache à sa femme, et ils deviennent une seule chair (Gn 2, 23-24).*

L'hétérosexualité est donc présentée comme un chemin de bonheur. L'expérience humaine confirme ce que dit la Révélation : pour les personnes homosexuelles, l'accès au bonheur est plus difficile en vertu de la marginalité, de l'impossibilité d'avoir des enfants, du sentiment de culpabilité qui les renvoient sans cesse à la question : «Suis-je normal ou normale?» Par ailleurs, les textes bibliques appellent constamment à l'accueil et au respect de la dignité de toute personne.

Face à la foi

Certaines personnes homosexuelles peuvent se révolter contre Dieu, le rendre responsable de leur condition; d'autres approfondissent leur foi en raison de leur condition particulière. La personne homosexuelle peut découvrir que Dieu l'accueille et l'invite à pardonner à ceux et celles qui lui rendent la vie difficile. Elle peut arriver, petit à petit, à accepter sa situation devant Dieu.

L'approche pastorale

On ne peut pas dire d'une personne homosexuelle qu'elle est «anormale» puisqu'on la réduirait alors à une des dimensions de la personne : la sexualité. Il faut dire aussi que certaines personnes homosexuelles vivent une sexualité plus humanisante que certaines personnes hétérosexuelles.

En ce qui concerne l'homosexualité passagère, il importe d'aider les personnes à découvrir leur véritable orientation et de les diriger vers une aide professionnelle appropriée.

Pour ce qui est de l'homosexualité foncière, comme cette orientation sexuelle est, le plus souvent, déterminée pour la vie entière, il faut donc aider la personne à vivre ses relations humaines en tenant compte de sa condition.

Des compromis	On peut rappeler que le principe de la continence peut être appliqué et qu'il est possible d'apprendre à maîtriser ses pulsions. Cependant, cela n'est pas possible pour tous et toutes. Dans la pratique, plusieurs personnes ne veulent pas ou ne peuvent pas maîtriser leurs pulsions et passent d'un ou d'une partenaire à l'autre. Dans ce cas, il importe de poser ou de se poser quelques questions : y a-t-il un désir de se maîtriser? Y a-t-il respect des partenaires?
	Le projet de former un couple stable peut être un compromis éthique acceptable, une façon positive de vivre la sexualité, lorsque la continence ne peut être observée ou que le désir de réalisation de soi consiste à éviter de changer de partenaire. On peut cependant se demander si la personne homosexuelle, en entrant dans une telle vie de couple, risque de s'enfermer dans une habitude qu'elle aurait pu dépasser? Les personnes homosexuelles qui vivent en couple doivent le plus possible s'ouvrir aux autres et respecter la liberté de chacun ou chacune.
La *Charte des droits et libertés*	Selon l'Article 10 de la *Charte des droits et libertés* (charte québécoise), la discrimination basée sur l'orientation sexuelle est interdite.

REPÈRES LÉGAUX

Le droit	Le Code criminel ne condamne pas l'homosexualité en elle-même. Toutefois, il prévoit une infraction pour la sodomie. Cette infraction ne renvoie aucunement à l'orientation sexuelle.

Zoom sur le réel

Un problème à résoudre

En vous basant sur des points de repère, évaluez (en bien et en mal) la situation suivante.

Des jeunes du quartier harcèlent deux personnes homosexuelles qui vivent ensemble depuis de nombreuses années : celles-ci sont victimes de moqueries, d'intimidation, d'actes portant atteinte à leur réputation. Les deux personnes ne répondent pas aux injures, mais vous avez peur que l'intolérance s'aggrave et que la situation dégénère. Vous connaissez ce couple et vous savez que leur manière de vivre ne nuit en rien aux autres. Vous projetez d'écrire un article dans le journal de l'école pour sensibiliser les jeunes qui sont de foi catholique à la condition homosexuelle et pour dénoncer cette situation particulière. Quelles seraient les grandes lignes de votre article? À quels points repère vous référez-vous?

Avec d'autres yeux

Une grande chrétienne de tradition russe orthodoxe, Catherine de Hueck Doherty, disait de l'amour et du sexe que le sexe était la coupe dans laquelle on boit le vin de l'amour. Le sexe sans amour est comme la coupe sans vin : il n'y a pas d'ivresse possible et l'on reste sur sa soif. Elle voulait dire aussi que l'amour est infiniment plus que le sexe.

Il n'y a pas une religion qui ne parle d'amour, chacune avec son accent. Le judaïsme établit clairement la relation de l'humanité avec Dieu sur un plan non pas de crainte mais d'amour : *Tu aimeras Yahvé ton Dieu de tout ton cœur, de toute ton âme et de tout ton pouvoir (Dt 6, 5).*

Alors que le christianisme ajoute à ce premier commandement un second «tout aussi important», comme dit Jésus : *Tu aimeras ton prochain comme toi-même (Mt 22, 39),* le bouddhisme étend l'amour ou plus précisément, la compassion (*karuna*), à tous les êtres.

On trouve dans ses écritures de merveilleuses histoires sur cet amour. Celle par exemple de ce bodhisattva qui était entré en méditation depuis si longtemps qu'un oiseau avait fait son nid sur sa tête. Conscient de ce qui lui arrivait, il attendit que les petits aient quitté le nid pour retourner à ses occupations. Ou celle de cet autre bodhisattva qui vivait sous la forme d'un lièvre dans la forêt : «Si je rencontre quelqu'un qui me demande de la nourriture, disait-il, que pourrai-je lui donner? Je ne me nourris que d'herbe. Je lui ferai don de moi-même, pour qu'il ne reparte pas d'ici sans avoir rien reçu.» Connaissant sa pensée, le dieu Indra survint sous les traits d'un brahmane et lui demanda à manger. Le lièvre-bodhisattva le pria d'allumer un grand feu et il s'élança au milieu des flammes.

Comme une eau fraîche, chez celui qui s'y plonge, calme le tourment de la chaleur, ainsi ce feu flamboyant où je me précipitai calma tous mes tourments, pareil à une eau rafraîchissante. Peau et cuir, chair et nerfs, os, cœur et tendons, tout mon corps avec tous ses membres, voilà ce que j'ai donné au brahmane[a].

On connaît le mot du mahatma Gandhi qui conduisit l'Inde à l'indépendance. Parlant de son mouvement, le Satyagraha («tenir à la vérité»), il disait : *Ma religion est basée sur la vérité et la non-violence. La vérité est mon Dieu, et la non-violence est le moyen de l'atteindre[b].*

Et il ajoutait : *Vous et moi ne sommes qu'un. Je ne puis vous faire de mal sans me blesser[c].*

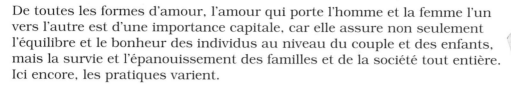

De toutes les formes d'amour, l'amour qui porte l'homme et la femme l'un vers l'autre est d'une importance capitale, car elle assure non seulement l'équilibre et le bonheur des individus au niveau du couple et des enfants, mais la survie et l'épanouissement des familles et de la société tout entière. Ici encore, les pratiques varient.

Certaines religions permettent d'avoir plusieurs épouses, tel le confucianisme et le judaïsme anciens (voir le cas du roi Salomon) ou, dans certains pays, l'islam contemporain. Dans le cas de l'islam, cette disposition est assortie de prescriptions précises concernant les droits des épouses et les devoirs de l'époux, notamment de les traiter dans la plus stricte égalité et, dans les cas de divorce, d'écarter toute injustice.

La plupart des cultures non occidentales ou non occidentalisées mettent davantage l'accent sur la famille, la communauté ou la société que sur l'individu. Dans une société traditionnelle comme l'Inde, le mariage était l'affaire des parents, au point qu'il faisait souvent l'objet d'ententes avant même la puberté des futurs époux. Alors qu'en Occident, la vie de couple a pris un tournant de plus en plus individualiste : de la famille étendue et du mariage «arrangé» entre les parents, on est passé au «mariage d'amour» et à la «famille nucléaire», pour aboutir à la famille monoparentale et à la simple cohabitation, sans engagement formel vis-à-vis de la société ni même de l'un envers l'autre.

Les traditions autochtones fourniraient d'autres exemples : l'interdiction du mariage entre personnes du même clan. Une jeune fille du clan de l'Ours ne peut s'unir à un jeune homme du clan de l'Ours, même si leurs familles habitent depuis des générations dans des régions distantes l'une de l'autre.

Quelles que soient les prescriptions établies par ces traditions religieuses, un principe fondamental demeure : le respect des droits de chacun des membres de la famille, et avant tout de ceux des enfants. Là où d'autres religions parlent de droits ou d'ordre naturel (*dharma*), le christianisme parle volontiers d'amour, mais la réalité profonde demeure la même : entourer tous et chacun de l'attention, du respect et de la sollicitude nécessaire à la perpétuation de la famille humaine.

Jacques Langlais

a   Cariyà Pitaka, 1.10; Jâtaka, 316, *Littérature religieuse*, Paris, Colin, 1949, p. 711-712.

b   DAS, Kalpana et Robert VACHON, *L'hindouisme Sanatana Dharma*, Montréal, Guérin Éditeur, Coll. «Les grandes religions», 1967, p. 67.

c   *Ibid.*, p. 72.

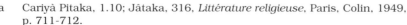

Pistes de lecture

IMBERDIS, Pierre, *Je rêve d'amour*, Limoges, Éditions Droguet et Ardant, 1985, 264 pages.

Ce livre présente de très beaux textes sur le sens de l'amitié, de l'amour et de la sexualité.

SONET, Denis, *Découvrons l'amour*, Limoges, Éditions Droguet et Ardant, 1990, 256 pages.

Ce livre montre les diverses étapes de la rencontre amoureuse, les défis à relever et les pièges à éviter. Une présentation pleine d'humour et qui pose de bonnes questions. On aborde aussi la dimension chrétienne de l'amour.

Notes

1 *Amour me cèle celle que j'aime*, © Les Éditions Robert Laffont, Paris, cité dans DELIEU, Robert, *Cinq cents poèmes de la vie quotidienne*, Louvain-la-Neuve, Les Éditions Duculot, 1985, p. 29.
2 *L'Ordinaire Amour*, © Les Éditions Gallimard, Paris, cité dans DELIEU, Robert, *op. cit.*, p. 34-35.
3 *Poèmes d'adolescents*, Paris, Casterman, 1976, p. 77.
4 *Nos cris et nos rêves*, Ottawa, Novalis, 1989, p. 61.
5 *Ibid.*, p. 240.
6 BRAULT, Jacques et Benoît LACROIX, *Saint-Denys Garneau. Oeuvres*, Montréal, Les Presses de l'Université de Montréal, 1971, p. 32-33.
7 BREL, Jacques, *Oeuvre intégrale*, Paris, Les Éditions Robert Laffont, 1982, p. 125-126.
8 VIGNEAULT, Gilles, *Tenir paroles*, Montréal, Les Nouvelles Éditions de l'Arc, 1983, p. 129-130.
9 ABBÉ PIERRE, *Amour toujours!*, Paris, Les Éditions du Seuil, 1992, p. 25.
10 Cité dans IMBERDIS, Pierre, *Je rêve d'amour*, Limoges, Éditions Droguet et Ardant, 1985, p. 64.
11 *Ibid.*, p. 77.
12 *Ibid.*, p. 152.
13 *Ibid.*, p. 211.
14 *Ibid.*, p. 243.
15 RILKE, Rainer-Maria, *Lettres à un jeune poète*, Paris, Éditions Bernard Grasset, 1937, p. 74.
16 BUSSET, Bourbon, *Lettre à Laurence*, Paris, Les Éditions Gallimard, 1987, p. 51.
17 BARRAULT, Jean-Louis, *Saisir le présent*, Paris, Éditions Robert Laffont, 1984, p. 46.
18 LAVELLE, Louis, *La conscience de soi*, Paris, Éditions Bernard Grasset, 1933, p. 192.
19 SONET, Denis, *Découvrons l'amour*, Limoges, Éditions Droguet et Ardant, 1990, p. 86.
20 *Ibid.*, p. 79.
21 BUSSET, Bourbon, *Laurence ou la sagesse de l'amour fou*, Paris, Les Éditions Gallimard, 1989, p. 10.
22 *Ibid.*
23 *Ibid.*, p. 18.
24 *Chantiers des Fils de la Charité*, n° 54, juin 1982, p. 32.
25 SALOMÉ, Jacques, *Apprivoiser la tendresse*, Genève, Éditions Jouvence, 1991, p. 37.
26 FROMM, Erich, *L'art d'aimer*, Paris, Éditions françaises : ÉPI, 1968, p. 148.
27 *Ibid.*, p. 25.
28 VAN BREEMEN, Peter G., «Homo creatus est...» *Cahiers de spiritualité ignatienne*, vol. 5, n° 19, juillet-septembre 1981, p. 149.
29 DONVAL, Albert, *La sexualité*, Paris, Éditions Desclée de Brouwer, 1987, 56 p.
30 IMBERDIS, Pierre, *op. cit.*, p. 176.
31 *Ibid.*, p. 177.
32 LES ÉVÊQUES DE BELGIQUE, *Le livre de la foi*, Bruxelles-Ottawa, Desclée-Novalis, 1987, p. 190.

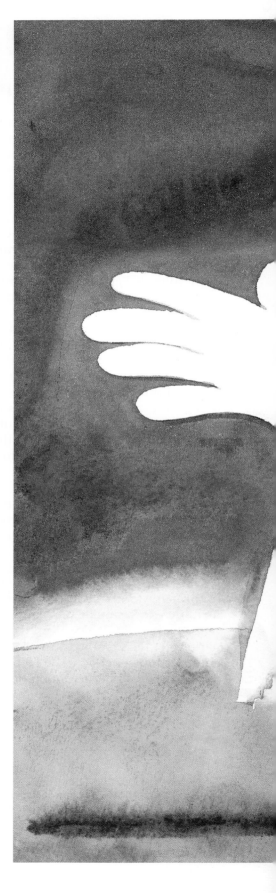

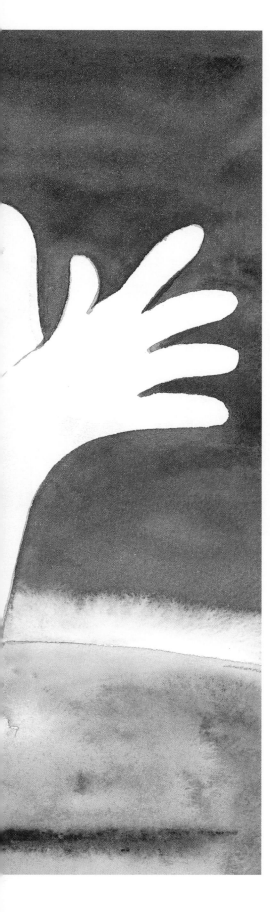

33 DONVAL, Albert, *op. cit.*, p. 8.
34 SONET, Denis, *op. cit.*, p. 26.
35 DONVAL, Albert, *op. cit.*, p. 11.
36 DURAND, Guy, «À la croisée des chemins», *Revue Notre-Dame*, n° 3, mars 1988, p. 8.
37 FROMM, Erich, *op. cit.*, p. 18.
38 IMBERDIS, Pierre, *op. cit.*, p. 244.
39 «Quand on a dix-huit ans en 1990...», *Revue Notre-Dame*, n° 2, février 1990, p. 20.
40 POULIN, Rémy-Noël, «Couple... ou vie de couple?», *Je crois*, mai 1990, p. 13.
41 LES ÉVÊQUES DE BELGIQUE, *op. cit.* p. 192.
42 GIBRAN, Khalil, *Le prophète*, Paris, Casterman, 1956, p. 19-20.
43 IMBERDIS, Pierre, *op. cit.*, p. 151.
44 *Chantiers des Fils de la Charité*, n° 62, juin 1984, p. 4.
45 ABBÉ PIERRE, *op. cit.*, p. 13-14.
46 «L'amour est à faire», *Khaoua*, vol. XXV, n° 4, mai 1992, p. 6-7.
47 La réflexion qui suit s'inspire en partie de LACOURT, Jacques, *Au risque d'aimer*, Limoges, Éditions Droguet et Ardant, 1982, p. 125-128.
48 REY-MERMET, Théodule, *Croire 4. Pour une redécouverte de la morale*, Limoges, Éditions Droguet et Ardant, 1985, p. 382.
49 «À l'adolescence, le jeune sent le besoin de devenir quelqu'un», *Revue Notre-Dame*, n° 3, mars 1991, p. 26.
50 DOLTO, Françoise *et al.*, *Paroles pour adolescents*, Paris, Hatier, 1989, p. 38.
51 SONET, Denis, *op. cit.*, p. 128.
52 «Opérations éducatives sur l'amour humain, 1er novembre 1983», cité dans LES MOINES DE SOLESMES, *De la sexualité à l'amour*, Paris, Éditions Le Sarment-Fayard, 1991, «Ce que dit le Pape», p. 65-66. © Librairie Arthème Fayard, 1991.
53 MEDEA, Audrey et Kathleen THOMSON, *Contre le viol*, Paris, Pierre Hovay Éd., 1976 cité dans DURAND, Guy, *L'éducation sexuelle*, Montréal, Éditions Fides, 1985, p. 200.
54 DURAND, Guy, *op. cit.*, p. 201.
55 *Rapport du Comité spécial d'étude de la pornographie et de la prostitution, 1985*, cité dans CONFÉRENCE DES ÉVÊQUES CATHOLIQUES DU CANADA, *Pour l'amour de la vie. Ateliers sur des questions relatives à la vie*, Ottawa, Les Éditions de la C.E.C.C., 1990, p. 40. © Concacan Inc., 1988. Extraits utilisés avec la permission de la C.E.C.C.
56 NADEAU, Jean-Guy, *La prostitution, une affaire de sens*, Montréal, Éditions Fides, 1987, p. 70.
57 *Ibid.*, p. 72.
58 *Ibid.*, p. 73.
59 *Ibid.*, p. 75.
60 *Ibid.*, p. 76.
61 *Ibid.*, p. 77-78.
62 Cité dans *Pour l'amour de la vie. loc. cit.*, p. 44.
63 Exposé de la Société Elizabeth Fry de Kingston, cité dans *Pour l'amour de la vie...*, *loc. cit.*, p. 41.
64 *Rapport du Comité spécial d'étude de la pornographie et de la prostitution*, cité dans *Pour l'amour de la vie...*, *loc. cit.*, p. 44.
65 LACROIX, Liliane, «Les "Madames Condoms" de la maison Passages viennent en aide aux jeunes prostituées», *La Presse*, 11 novembre 1992.
66 AUDOLLENT, Philippe *et al.*, *Sexualité et vie chrétienne. Point de vue catholique*, cité dans *La prostitution, une affaire de sens, op. cit.*, p. 419.
67 GAUTHIER, Jacques, *Les défis du jeune couple*, Paris, Éditions Le Sarment-Fayard, 1991, p. 31. © Librairie Arthème Fayard, 1991.
68 La réflexion qui suit s'inspire de SONET, Denis, *op.cit.*, p. 172-173.
69 *Chantiers des Fils de la Charité*, n° 93, mars 1992, p. 15.
70 *Ibid.*, p. 164.
71 «Réussir notre mariage», *Ça fait tilt*, n° 14, mars 1991, p. 21.
72 GROUPE DE TRAVAIL DE L'ASSEMBLÉE DES ÉVÊQUES DU QUÉBEC, «Les MTS posent question», n° 15, avril 1988, Montréal, L'Assemblée des évêques du Québec, p. 9.
73 *Chantiers des Fils de la Charité*, n° 93, mars 1992, p. 32.

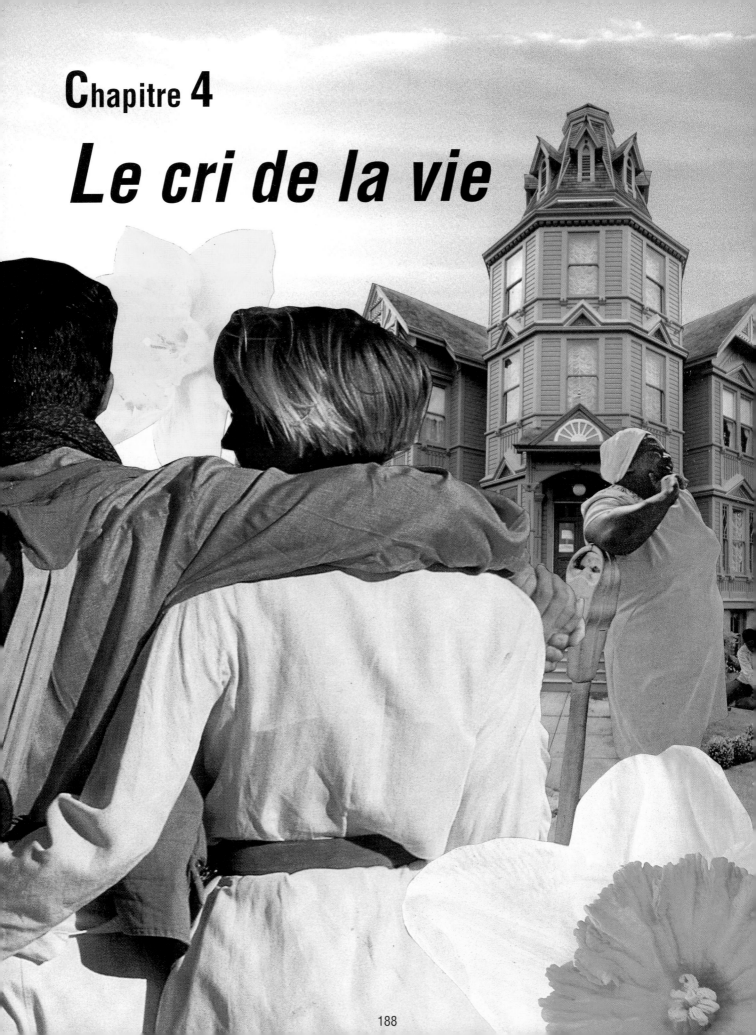

Chapitre 4
Le cri de la vie

Le cri de la vie est celui de la fascination devant les merveilles de la nature et de l'être humain comme celui de la tristesse partagée avec les personnes qui souffrent. Au fil des réflexions et des témoignages, c'est le même désir, la même aspiration au bonheur qu'on reconnaît. Certaines personnes trouvent un sens à leur vie en réalisant des exploits sportifs ou en s'impliquant dans des causes sociales, d'autres relèvent les défis de leur vie quotidienne. Quel que soit le chemin choisi, la recherche de sens n'est jamais terminée, elle s'approfondit au fil des expériences et des événements. Une chose est certaine, le bonheur n'est jamais parfait : la maladie ou une rupture remettent nos valeurs en question; un échec ou la mort d'un proche nous plongent dans le doute et la solitude. Et soudain, voilà que la douleur l'emporte sur la joie!

Quel sens donner à la souffrance? Micheline, handicapée depuis son enfance, raconte comment elle est passée de la négation à la révolte, de la résignation à la tolérance, puis à l'acceptation. Chaque jour, elle choisit la vie sans pourtant aimer sa souffrance. Que dit l'Écriture sur ce sujet? Le Dieu qui crée le monde, qui entre en relation avec l'être humain, se fait connaître par Jésus, lui qui traverse l'épreuve de la souffrance physique et morale. À travers cette expérience, Jésus nous parle de son Père comme du Dieu de la vie. Aujourd'hui, et plus que jamais, des enjeux se posent relativement à la survie de la planète, au contrôle de la vie et aux atteintes volontaires à la vie. Quelles sont les meilleures conduites à adopter?

Un sens à ma vie

Selon les jours, nous crions que la vie est belle ou insupportable. Selon les années et à la suite de nos expériences, nous accordons aux choses des valeurs différentes. Ce qui nous emballait ou nous effrayait nous laisse maintenant plus calmes. À la lumière de leurs expériences, des jeunes et des adultes traduisent leur vision de la vie. À leur suite et en vos mots, décrivez quel sens vous donnez à votre vie.

Des expériences

Le père de Claude est mort subitement. C'était triste au salon funéraire! Il était trop jeune pour mourir. Sa petite sœur avait son chagrin écrit sur le visage. Elle avait l'air perdu! La vie n'est pas toujours rose!

Jean-François

À mon âge, il faut que je pense à tout : je dois réussir dans mes études, me choisir une carrière «payante», me faire des amis intéressants. De plus, je dois gagner de l'argent et aider mes parents. Je n'ai plus de temps à moi. Je passe ma vie «essoufflée».

Huyn-Hee

Je ne sais pas si j'ai un talent quelconque, mais j'adore écrire. Sur les feuilles blanches, je remplis les lignes de mots dont personne ne connaît le sens profond. Je ne suis ni poète, ni philosophe. Je ne suis qu'une adolescente qui a besoin de se libérer de la vie, de cette vie qui parfois m'enrage et me déprime. J'écris tout, tout ce que je ressens, tout ce que je vois, tout ce que je comprends et, en me relisant, je comprends mieux qui je suis et le sens des questions que je me pose. En me relisant, je réalise que la vie est belle malgré les difficultés que je rencontre. Je sais qu'on peut se décourager, qu'on a parfois «mal dans le cœur», mais je vous le dis : «Ne lâchez pas!» Un jour, tout ira mieux!

Isabelle

Il n'y a rien qui m'étonne comme un coucher de soleil. C'est fascinant!

Jean

François vient de partir pour le Guatémala. Il fait partie d'une équipe de jeunes coopérants. Il réalise finalement son rêve, qui est d'aider des gens à sortir de la misère, à profiter de la vie, un peu comme il le fait lui-même.

Caroline

*J*e viens d'apprendre que mon cousin hémophile est atteint du sida. Je ne le prends pas. Deux fois victime, c'est trop! Il n'y a rien à faire. Je suis malade de peine. Il y a des périodes qui sont difficiles à traverser et il faut absolument s'épauler pour continuer jusqu'au bout. Mon cousin a besoin de moi comme jamais.

Anick

*H*ier soir, j'ai gardé mon tout nouveau petit neveu. Ses doigts sont tout petits. C'est incroyable de penser que j'étais pas plus grand que lui. Qu'on le veuille ou non, il y a du mystère là-dessous.

Philippe

*J*e reviens d'une excursion de canot-camping. Je suis fatigué, mort, mais très content de mon expérience. C'était la première fois que je partais pour si longtemps. On a bien mangé les premières journées, mais le menu n'était pas très varié à la fin. La cuisine était très rudimentaire! J'aimerais prendre à nouveau des vacances semblables. C'était tellement plaisant de partir à l'aventure.

Carlos

*L*a musique, quelle merveille! Quand j'entre chez moi et que personne n'est à la maison, je suis au paradis pour quelques heures. Je me relaxe en écoutant mes «tounes» préférées. J'oublie mes problèmes, j'oublie mes obligations, je m'évade, je rêve.

David

*L*a vie est belle à cause de l'amour et de l'amitié. Tout le reste est superflu, tout le reste fait partie de la condition humaine.

Josée

Confidentiel...

Ta façon de voir la vie est-elle optimiste ou pessimiste? Pourquoi?

ZOOM

- Quel billet décrit le mieux votre expérience personnelle?
- Quel sens donnez-vous à votre vie?

En guise de réflexion

*L*e petit garçon avait dessiné une maison; la première partie, faite au printemps, en était très bleue avec un nuage bien blanc; la seconde, dessinée en été, éclatait de soleil; la troisième, conçue en automne, était couverte de feuilles d'arbres mortes; et la dernière partie était tout enneigée. Le petit garçon, dans son tableau, avait collé du jour, de la nuit noire ou étoilée, des semailles et des moissons. Il y avait également une mère, un père, des enfants, un chien et des oiseaux. Enfin, il avait ajouté du bonheur et des larmes.

Jean Rivet [1]

*V*ieillir est un couronnement. C'est le soir de l'existence. Mais quand on y songe bien, vieillir, c'est aussi beau que naître. C'est même plus riche que naître. Naître, ce n'est qu'une promesse tandis que vieillir, c'est un accomplissement.

Doris Lussier [2]

*J*e veux bien accepter
Ce temps de ma vie
Mon visage a des rides
Mes souvenirs et mes amours n'en ont pas
J'avance vers l'automne
Après tant de printemps.

Simonne Monet-Chartrand

*U*ne petite branche oscille sous l'élan d'un oiseau qui s'envole, un grillon peuple le silence du soir de son rythme serein, une feuille jaunie plane un instant et sur l'herbe se pose... et nous voilà plongés dans cette immense réalité qui nous soutient, nous environne et nous dépasse, la Vie. Rien sans elle n'a d'importance et tout la suppose. Sa disparition est un drame, son apparition ou sa croissance une des plus grandes joies qui puissent nous être données.

J. Carles [3]

*L'*ennui, à notre époque, c'est qu'il y a énormément de poteaux indicateurs, mais pas de destinations.

Kronenberger

*U*ne seule chose est nécessaire : la solitude. La grande solitude intérieure. Aller en soi-même, et ne rencontrer durant des heures personne, c'est à cela qu'il faut parvenir.

Rainer-Maria Rilke [4]

*P*our me décourager de la vie, il me faudrait perdre la foi en ce huitième jour, celui que le Créateur nous a confié pour nous consoler des sept autres, pour le peupler à notre guise de tous les possibles, pour ajouter à la création inachevée du monde.

Antonine Maillet, écrivaine [5]

*A*imer ce qui nous entoure, se réconcilier avec le fait d'être humain, aimer jusqu'à notre imperfection, pouvoir témoigner de la beauté de la planète bleue, voilà les tâches qui m'apparaissent le plus urgentes en cette fin de siècle.

Guy Corneau, psychiatre [6]

*L'*âme a besoin de nourriture intérieure, une nourriture que l'on trouve dans l'éveil à la beauté de la nature, dans le développement d'une pensée positive et créative, dans la reconnaissance et l'accueil de ce que la vie nous offre de bon. J'ai commencé à comprendre que la valeur d'un être humain ne dépend pas seulement de ses réalisations extérieures mais surtout de sa capacité de vivre des expériences. L'amour de la vie pour elle-même passe bien avant le calcul des échecs et des réussites. Cet amour de la vie m'a procuré un nouvel espoir et un courage renouvelé pour recommencer.

Agnès Grossman, chef d'orchestre [7]

*E*n un mot : je suis un homme heureux, malgré les angoisses et les incertitudes, les revers, les incompréhensions qui ont parfois tendu des obstacles sur mon chemin. Une certaine autonomie dans ma recherche des structures naturelles et sociales; un sentiment de service à rendre par l'enseignement et l'action sociale et le soutien d'un amour partagé ont été mes raisons de vivre.

Pierre Dansereau, écologiste [8]

ZOOM

- En vous inspirant d'une pensée ou d'un poème, décrivez votre conception de la vie.

- Vos valeurs, vos principes, vos ambitions et votre foi influencent-ils votre conception de la vie?

*N*ous avons la chance de vivre en un temps où l'exploration du monde ne se confine pas à visiter la planète et ses villes enfumées. Nous avons découvert que l'univers est gigantesque et que, parmi ses galaxies, ses étoiles et ses planètes, il nous a donné naissance. Nous savons que notre aventure personnelle rejoint et recoupe l'aventure cosmique. Il n'y a vraiment pas de quoi s'ennuyer...

Hubert Reeves, astrophysicien [9]

La vie, c'est fascinant!

Observer l'univers, c'est entrer du même coup dans l'étonnement. Les infiniment grands et les infiniment petits ont leur mystère et leurs lois. Le développement de l'être humain depuis l'instant de sa conception jusqu'à sa naissance et sa prise en charge est tout aussi fascinant.

Jacques Lacourt, dans son livre fort bien illustré intitulé *Croire en Dieu. Est-ce possible aujourd'hui?* [10], rappelle le côté fascinant de la vie. Ses réflexions viennent de son observation et de sa rencontre avec des scientifiques et des philosophes. La présentation qui suit s'inspire de ces pages.

Quelques merveilles

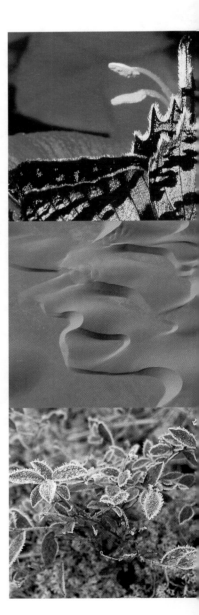

Il y a les infiniment grands tels l'espace, la lumière, les étoiles, les galaxies. Dans l'univers, il existe un demi-milliard de galaxies!

> *Notre soleil, avec la terre et les planètes, n'est qu'un astre parmi les milliards d'autres. Il fait partie d'un amas gigantesque d'autres astres qui porte le nom de Galaxie. Pour qui a vu New York le soir, il représente une petite fenêtre illuminée parmi les milliers d'autres des gratte-ciel de Manhattan* [11].

Des scientifiques scrutent le ciel et parviennent à y découvrir des lois : tout est si bien réglé et si bien organisé qu'on arrive même à prévoir les éclipses. Les navettes spatiales se succèdent et partent à la conquête de l'espace. Peut-être arriverons-nous à saisir quelques-uns des secrets de l'univers?

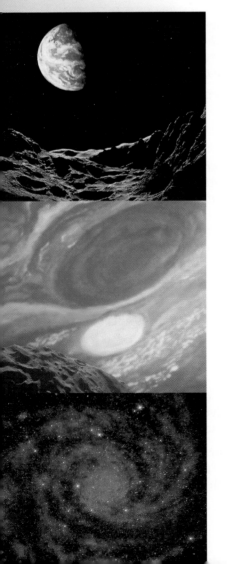

Il y a les infiniment petits. Sur la terre, on trouve des corps matériels simples «qui sont formés d'atomes infiniment petits - un grain de sel en contient un milliard de milliards! Ces atomes sont comparables à un système solaire au centre duquel se trouve un noyau-soleil qui est un aggloméré de protons, chargés d'électricité positive, et de neutrons de charge électrique nulle [12]». Aujourd'hui, on invente des instruments pour mieux connaître l'atome.

On peut facilement observer sur la terre une grande variété de merveilles : les pétales de fleurs, un brin d'herbe, un grain de sable, les glands du chêne, les ailes des papillons. Lorsqu'on observe des cristaux de neige au microscope, ceux-ci «se présentent sous la forme d'étoiles hexagonales aux branches ramifiées, les ramifications s'abordant toujours sous le même angle de soixante degrés. Quelle beauté [13]!»

Le monde animal suscite un étonnement tout aussi grand :

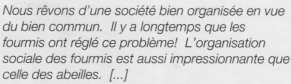

> *Nous rêvons d'une société bien organisée en vue du bien commun. Il y a longtemps que les fourmis ont réglé ce problème! L'organisation sociale des fourmis est aussi impressionnante que celle des abeilles. [...]*
>
> *Le commandant Cousteau se sert de la cloche à plongeur pour explorer le fond des mers. Il y a belle lurette qu'une simple araignée, l'argyronète, l'a inventée pour croquer tout à son aise au fond de l'eau les insectes des ruisseaux qu'elle chasse pendant la nuit.*
>
> *Elle tisse un morceau de toile qu'elle amarre aux herbes du fond de l'eau. Puis elle grimpe à la surface et, dans ses pattes poilues, emprisonne à chaque fois une bulle d'air qu'elle lâche sous la toile. Il suffit de répéter plusieurs fois cette opération et la toile se gonfle comme un ballon. Dans cette cloche à plongeur, l'argyronète sera parfaitement abritée et respirera tout à son aise en dégustant ses victimes [14].*

Que dire de la migration des oiseaux? Quand le froid s'annonce, les oiseaux envahissent le ciel et les distances qu'ils parcourent nous laissent bouche bée.

> *Certains oiseaux ne mesurant pas plus de vingt centimètres font un trajet migratoire de douze mille kilomètres du nord du Canada en Argentine [15].*

Grâce à son odorat, le chien peut retrouver la trace de son maître; l'abeille qui sort pour la première fois de la ruche est capable de la repérer parmi des centaines d'autres; la grenouille peut jeûner un an; l'araignée peut tisser un fil de plus de mille fois sa longueur; la puce peut sauter trois cents fois sa hauteur; la chauve-souris perçoit les fréquences jusqu'à deux cent dix mille hertz alors que l'être humain ne les perçoit que jusqu'à vingt mille hertz; le rhinocéros court aussi vite que la girafe. Malgré tous leurs efforts, les scientifiques ne parviennent pas à percer tous ces mystères.

Confidentiel...

Quelle merveille de la nature t'étonne le plus?

L'être humain, un mystère

Le corps de l'être humain est un véritable chef-d'œuvre. Le cerveau ressemble à une sorte de central téléphonique :

> Il enregistre toutes les sensations que lui envoient nos cellules, les trie, les compare, en tire des conclusions, les retransmet et les emmagasine en mémoire. Immédiatement ou après en avoir référé à notre jugement, il commande des réflexes ou des gestes raisonnés [16].

Le système optique, qui fonctionne à la façon d'un appareil de télévision, transmet au cerveau les photographies qu'il a prises. Et le cœur «fonctionne comme une pompe jour et nuit pendant quatre-vingt-dix à cent ans, à raison de soixante-dix battements en moyenne par minute chez l'humain. Dans une journée, quatorze mille litres de sang l'ont traversé [17].»

L'admiration arrive à son comble quand on apprend comment un nouvel organisme se développe à partir d'une seule cellule, l'œuf fécondé :

> Tout individu résulte de l'union de deux cellules sexuelles, dénommées ovule chez la femme et spermatozoïde chez l'homme. Chacune de ces cellules apporte la moitié des éléments nécessaires à la formation d'une cellule particulière ou œuf. Quelle force prodigieuse se trouve dans cet œuf pour qu'il commence sa segmentation! Sept jours après la fécondation, le futur humain n'est constitué que par un petit groupe de cellules pesant moins d'un millième de gramme. Néanmoins, cet embryon a déjà tout en puissance en lui pour devenir, avec l'aide de la mère, huit mois après, un fœtus de deux mille quatre cents grammes de quarante-cinq centimètres de long, qui verra le jour le mois suivant avec un corps de bébé merveilleusement constitué. Il portera sur son visage des traits semblables à ceux de ses parents et il pourra plus tard à son tour communiquer à sa descendance certains traits héréditaires [18].

Le fonctionnement du corps humain nous conduit à dire que la vie est un don : le bébé qui va naître a reçu la vie de quelqu'un d'autre et de plusieurs générations passées. Aujourd'hui il existe, alors qu'hier il n'existait pas. Dans quelques années il n'existera plus. L'être humain ne peut pas se fabriquer lui-même.

Mais la personne est plus qu'un être biologique : son esprit et sa capacité de raisonner la distinguent des autres créatures. Grâce à sa raison, l'être humain peut réfléchir, poser des questions, s'ouvrir à la connaissance, s'interroger sur son rôle dans le monde et choisir le sens qu'il veut donner à sa vie. Conscient qu'il ne s'est pas créé lui-même, l'être humain cherche constamment d'où il vient et où il va. Malgré certaines limites qu'il s'impose ou qui viennent de son héritage culturel ou de son éducation, l'être humain peut librement assumer les conséquences de ses choix.

Une autre chose est particulière à l'être humain :

L'être humain est aussi le seul être de toute la création à faire preuve de désintéressement, c'est-à-dire le seul à faire des actions qui ne lui profitent pas directement : secourir les autres, par exemple.

Le cœur humain a lui aussi ses secrets. Mais il est un point sur lequel tous les êtres humains se ressemblent : ils sont rarement satisfaits. Les entreprises de marketing ont d'ailleurs très bien saisi cette insatisfaction. Elles nous proposent de combler nos besoins avec des produits-miracles : crèmes de beauté, diètes sans peine, automobiles ultrarapides, croisières de rêve, etc. Ces produits nous promettent tous un morceau de bonheur. Peuvent-ils vraiment combler nos besoins profonds, nous apporter une vie toujours meilleure, toujours plus satisfaisante?

Ainsi, tandis que chez toutes les espèces animales l'union sexuelle et la mort sont des événements purement biologiques, l'homme, dès la plus lointaine préhistoire, a célébré l'amour et la mort par des cérémonies nuptiales et funéraires : signes qu'il sait dominer l'instinct et est capable d'actes non nécessaires [19].

Pourquoi vivre? Quelle est ma place dans le monde? Répondre à ces questions, c'est chercher le sens de sa vie, c'est réfléchir à ce que l'on croit, aux raisons qui font agir. Et même si des millions d'hommes et de femmes ont, avant nous, trouvé des réponses, cela ne nous dispense pas de nous interroger à nouveau : les réponses qu'ils et elles ont trouvées ne sont pas les nôtres.

Le sens de la vie selon l'Écriture

J'arrive à comprendre qu'il soit possible de regarder la terre et d'être athée; mais je ne comprends pas qu'on puisse lever, la nuit, les yeux sur le ciel et dire qu'il n'y a pas de Dieu.

Abraham Lincoln, président américain (1809-1865) [20]

Dans l'Ancien Testament

Dieu serait-il le Créateur? Les sciences cherchent à expliquer la formation et l'évolution du monde. Grâce à la recherche, nous en connaissons effectivement de plus en plus sur les infiniment grands et les infiniment petits. Mais les sciences n'expliquent pas l'origine du monde. D'une façon imagée, l'Écriture raconte comment et pourquoi le monde a été créé et quelle était l'intention du Créateur.

Les deux récits de la création qu'on peut lire au livre de la Genèse utilisent le langage de l'époque et expriment les découvertes qu'Israël a faites tout au long de son histoire. Lors de la traversée de la mer Rouge, de son séjour dans le désert et de l'exil à Babylone, le peuple d'Israël a fait la connaissance d'un Dieu qui règne non seulement sur Israël, mais sur le monde entier.

Quel sens donner aux récits de la Genèse? Des exégètes et des théologiens se sont longuement penchés sur ces textes et leur interprétation nous permet de dégager quelques points importants pour notre réflexion sur la vie.

L'ouvrage de Dieu, qui s'étend sur sept jours, ne marque que le commencement de la création.

Dieu conclut au septième jour l'ouvrage qu'il avait fait et, au septième jour, il chôma, après tout l'ouvrage qu'il avait fait.
(Gn 2, 2)

Dieu chôma, dit le texte, laissant à Adam et Ève, à tous les êtres humains, le soin de continuer et de parfaire sa création. Il leur confie la responsabilité de gouverner et de diriger sa création.

Soyez féconds, multipliez, emplissez la terre et soumettez-la; dominez sur les poissons de la mer, les oiseaux du ciel et tous les animaux qui rampent sur la terre.
(Gn 1, 28)

La création vient de Dieu, lui qui a tout créé à partir du néant :

Au commencement, Dieu créa le ciel et la terre. Or la terre était vide et vague, les ténèbres couvraient l'abîme, un vent de Dieu tournoyait sur les eaux.
(Gn 1, 1-2)

Voilà pourquoi les croyants et les croyantes disent que la vie est un don de Dieu. *Dieu vit que cela était bon (Gn 1, 10).*

Les textes de la Genèse nous apprennent quelque chose d'important sur le but de la création : tout a été fait pour l'être humain, pour son bonheur. Tout converge vers l'être humain, tout conduit à lui :

Alors Yahvé Dieu modela l'homme avec la glaise du sol, il insuffla dans ses narines une haleine de vie et l'homme devint un être vivant.
(Gn 2, 7)

Voilà pourquoi les croyants et les croyantes disent que la vie est un don de Dieu.

Quand vient le jour du repos, le jour du sabbat, c'est toute la création qui, reconnaissant l'amour de Dieu, peut le glorifier :

Les cieux racontent la gloire de Dieu, et l'œuvre de ses mains, le firmament l'annonce.
(Ps 19, 2)

La création, qui est en relation avec Dieu, a en même temps une existence autonome, indépendante de son Créateur. Voilà pourquoi l'être humain doit cultiver la terre, faire des choix et en assumer les conséquences.

Quand les croyants et les croyantes professent leur foi en disant : «Je crois en Dieu, créateur du ciel et de la terre», ils reconnaissent que tout leur espace de vie, tout ce qui se trouve entre le ciel et la terre, a été formé par Dieu et que la responsabilité d'aménager cet espace leur revient. Ils et elles peuvent construire des villes, développer l'agriculture, le commerce et d'autres techniques, mais en se souvenant qu'ils sont appelés à «cultiver le jardin», c'est-à-dire à le mettre en valeur, à le garder et non le détruire.

Dans le Nouveau Testament

Dans l'Évangile selon saint Luc, Jésus commence sa mission en faisant connaître les grandes lignes de son programme. Pour ce faire, il reprend à son compte les paroles du prophète Isaïe :

L'Esprit du Seigneur est sur moi, parce qu'il m'a consacré par l'onction,
pour porter la bonne nouvelle aux pauvres.
Il m'a envoyé annoncer aux captifs la délivrance
et aux aveugles le retour à la vue,
renvoyer en liberté les opprimés,
proclamer une année de grâce du Seigneur.
(Lc 4, 18-19)

Sur les routes de Galilée et poussé par l'Esprit, il annonce sans relâche cette Bonne Nouvelle en paroles et en actes : *Moi, je suis venu pour qu'on ait la vie et qu'on l'ait surabondante* (Jn 10, 10).

Comme le dit le texte, il est venu pour apporter le salut, pour donner la vie. Cette parole traverse toute la vie de Jésus et on la reconnaît à travers son enseignement comme ses gestes. Regardons tout d'abord son enseignement.

Jésus emploie des images et s'attribue des titres pour faire saisir ses intentions de salut. Chaque fois, il veut faire comprendre qu'il est venu pour prendre soin de ceux et celles qui ont besoin de secours. Il se compare à un pasteur qui cherche sa brebis perdue, qui est prêt à tout lui donner : *Je suis le bon pasteur; le bon pasteur donne sa vie pour ses brebis* (Jn 10, 11).

Répondant aux Pharisiens qui lui reprochent de manger avec les pécheurs, il se compare à un médecin qui se rend au chevet des malades :

Ce ne sont pas les gens bien portants qui ont besoin de médecin, mais les malades.
Je ne suis pas venu appeler les justes, mais les pécheurs.
(Mc 2, 17)

La parabole du fils prodigue montre à quel point le pardon est un acte de vie. Le fils qui était perdu, qui était mort, est reçu à bras ouverts. Il retrouve du même coup son titre de fils, sa vie de fils :

«Vite, apportez la plus belle robe et l'en revêtez, mettez-lui un anneau au doigt et des chaussures aux pieds. Amenez le veau gras, tuez-le, mangeons et festoyons, car mon fils que voilà était mort et il est revenu à la vie [...]»
(Lc 15, 22-24)

200

La parabole des ouvriers de la vigne montre l'attention de Jésus pour l'activité humaine. À travers l'image du patron qui embauche des ouvriers et leur paie un juste salaire, Jésus exprime son souci de donner à l'être humain tout ce dont il ou elle a besoin pour assurer sa subsistance. Il donne à chacun et à chacune ce dont il a besoin pour vivre dignement. Peut-on découvrir, à travers les gestes de Jésus, l'image d'un Dieu qui donne en abondance? Du début à la fin de sa vie, Jésus exprime le même désir, celui de redonner la vie à ceux et celles qui ne sont pas pleinement vivants.

Le soir venu, le maître de la vigne dit à son intendant : «Appelle les ouvriers et remets à chacun son salaire, en remontant des derniers au premiers.» Ceux de la onzième heure vinrent donc et touchèrent un denier chacun. Les premiers, venant à leur tour pensèrent qu'ils allaient toucher davantage; mais c'est un denier chacun qu'ils touchèrent eux aussi. Tout en recevant, ils murmuraient contre le propriétaire : «Ces derniers venus n'ont fait qu'une heure, et tu les a traités comme nous, qui avons porté le fardeau de la journée, avec sa chaleur.» Alors il répliqua en disant à l'un d'eux : «Mon ami, je ne te lèse en rien : n'est-ce pas d'un denier que nous sommes convenus? Prends ce qui te revient et va-t'en. Il me plaît de donner à ce dernier venu autant qu'à toi : n'ai-je pas le droit de disposer de mes biens comme il me plaît? ou faut-il que tu sois jaloux parce que je suis bon?» Voilà comment les derniers seront premiers, et les premiers seront derniers.
(Mt 20, 8-16)

À travers ses gestes, on voit que Jésus s'intéresse au bien-être physique et moral de l'être humain, il guérit les malades et pardonne aux pécheurs.

Il fréquente les personnes marginalisées et méprisées. Le récit de sa rencontre avec le publicain Zachée est un exemple du salut annoncé par Jésus. En s'intéressant à lui, Jésus l'amène à se questionner. Celui-ci adopte une autre manière de vivre. Il devient un «homme debout», rempli de joie, débordant d'une vie nouvelle.

Voici, Seigneur, je vais donner la moitié de mes biens aux pauvres, et si j'ai extorqué quelque chose à quelqu'un, je lui rends le quadruple.
(Lc 19, 8)

En guérissant les deux aveugles (Mt 9, 29), le paralytique (Lc 5, 24), le lépreux (Lc 5, 13), l'hémorroïsse (Mt 9, 22) et bien d'autres encore, Jésus les sauve de la domination du mal et de la souffrance. Du même coup, il leur donne la possibilité de prendre leur vie en mains et de faire les choix qui leur conviennent. À son contact, ces personnes se mettent à croire à la vie, à retrouver le goût de vivre : Jésus devient pour elles *le Chemin, la Vérité et la Vie*, comme le dit saint Jean (Jn 14, 6). Le miracle de la multiplication des pains parle de l'attention de Jésus pour les besoins vitaux de l'être humain, alors que sa fréquentation des pauvres et des personnes mal aimées parle de son attention à un des besoins fondamentaux de l'être humain : celui d'aimer et d'être aimé.

Pour Jésus, le respect de la vie est primordial et passe avant même la pratique religieuse, l'observation du sabbat, par exemple. Un homme paralytique, et par conséquent totalement dépendant des autres, attendait que quelqu'un le jette dans l'eau miraculeuse de la piscine pour être guéri. Jésus l'aperçoit et a pitié de lui. Il le guérit et l'homme se relève et marche (Jn 5, 8-9). Finie la dépendance, finie la domination par les autres!

Dorénavant, il peut diriger sa vie lui-même. Ce jour-là, en faisant le choix de la vie, Jésus court le risque de perdre sa propre vie :

C'est pourquoi les Juifs persécutaient Jésus : parce qu'il faisait ces choses-là le jour du sabbat.
(Jn 5, 16)

ZOOM

À partir des récits de l'Évangile, expliquez quelle importance Jésus accorde à la vie humaine.

À travers son enseignement et ses gestes, on voit clairement que le projet de Jésus est un projet de vie. La création continue, c'est le huitième jour, le jour dont l'être humain a la charge! Il existe des organismes qui travaillent au nom du même respect, du même amour de la vie.

À la Maison du Père et à l'Accueil Bonneau, des personnes sont nourries et vêtues. Moisson Montréal et Moisson Québec ramassent et distribuent de l'argent aux gens qui en ont besoin. La Maison Marguerite héberge des femmes battues et leurs enfants. Les religieuses de la Miséricorde viennent en aide aux filles enceintes en les aidant sur les plans matériel, affectif et psychologique. Dans les centres de détention, un service de pastorale se met au service des détenus afin que ceux-ci et celles-ci se sentent accueillis et non jugés. Certains retrouvent un sens à leur vie, d'autres se réconcilient avec un Dieu qui pardonne sans limite.

Dans certains quartiers, des bénévoles visitent des personnes malades, participent à l'entretien des logis, enseignent aux analphabètes, aident les enfants à faire leurs devoirs. Des gestes simples qui redonnent courage, qui redonnent le goût de vivre.

À travers le monde, d'autres organismes travaillent dans le même sens. Développement et Paix et ATD Quart Monde sont deux de ces organismes.

DÉVELOPPEMENT ET PAIX

Cet organisme, qui œuvre depuis vingt-cinq ans, a mis sur pied quatre cent soixante projets de développement socio-économique avec des partenaires dans soixante-et-un pays. En voici quelques exemples [21] :

Afrique du Sud : Aide aux victimes de la violence en Afrique du Sud; éducation antiraciste et antisexiste.

Éthiopie : Aide alimentaire; programme de développement.

Kenya : Formation de leaders féminins; projets de santé rurale; unité pour clinique mobile; publication de livrets pour formation en agriculture.

Mali : Aide financière pour les victimes de la famine et de la sécheresse.

Moyen-Orient : Aide aux évacués en Jordanie; programme du comité de santé – 1990-1992.

Nigeria : Alphabétisation; éducation pour le développement et la formation – 1990-1995.

Argentine : Formation d'éducateurs et d'éducatrices populaires.

Brésil : Santé populaire; formation ouvrière; médecine populaire; assistance pour paysans; centre pour les droits humains; promotion des femmes.

De toutes les manières possibles, cet organisme lutte contre la pauvreté et l'isolement et cherche à améliorer la qualité de vie des hommes et des femmes de tous les pays. Développement et Paix continue le projet de vie de Jésus tel qu'en parle le texte de l'Ecclésiastique :

Une maigre nourriture, c'est la vie des pauvres, les en priver c'est commettre un meurtre.
(Si 34, 21)

ATD Quart Monde

Je n'ai jamais pu accepter que des hommes soient inutiles. C'est un drame et un scandale. Il n'est pas normal, même avec les difficultés que connaît notre société, qu'il y ait tant de chômeurs, que des enfants sortent chaque année de l'école, à seize ou dix-sept ans, sans savoir lire ni écrire ou à peine, et que des jeunes restent sans formation. [...] Si cela existe, c'est parce qu'on l'accepte. Or c'est inacceptable[22].

Telles sont les paroles du père Joseph Wresinski, fondateur du mouvement Aide à Toute Détresse (ATD). Né à Angers en 1917 de parents immigrés, il a connu la grande misère. Dès l'âge de treize ans, il travaille comme pâtissier. À dix-neuf ans, il s'engage dans un mouvement appelé la Jeunesse Ouvrière Chrétienne. Il rêve de devenir prêtre. Il retourne à l'école et se retrouve, à dix-neuf ans, avec des jeunes de treize ans. En 1936, il entre au séminaire. Un an plus tard, il doit partir faire son service militaire. La guerre éclate et il est fait prisonnier de guerre. Il s'évade et reprend ses études au séminaire. Il est ordonné prêtre en 1946, à l'âge de vingt-neuf ans.

Pendant trois ans, il est vicaire dans une ville ouvrière. Il partage la vie des familles les plus pauvres de la région. En 1950, il est nommé curé d'une paroisse et sa réputation se met à grandir. Il travaille auprès des jeunes, organise des groupes de prière dans le but d'ouvrir les yeux des chrétiens et des chrétiennes à la misère des plus pauvres. En 1956, son évêque lui propose de partager la vie des deux cent cinquante familles qui vivent dans la boue et dans la misère dans un quartier tout près de Paris. Il décide alors de travailler avec ces familles. Ensemble, ils fondent le mouvement Aide à Toute Détresse, qui deviendra le mouvement ATD Quart Monde.

LE 17 OCTOBRE 1987
DES DÉFENSEURS DES DROITS DE L'HOMME DE TOUS PAYS
SE SONT RASSEMBLÉS SUR CE PARVIS. ILS ONT RENDU HOMMAGE
AUX VICTIMES DE LA FAIM, DE L'IGNORANCE ET DE LA VIOLENCE.
ILS ONT AFFIRMÉ LEUR CONVICTION QUE LA MISÈRE N'EST PAS FATALE.
ILS ONT PROCLAMÉ LEUR SOLIDARITÉ AVEC CEUX QUI LUTTENT
À TRAVERS LE MONDE POUR LA DÉTRUIRE.

«LÀ OÙ DES HOMMES SONT CONDAMNÉS À VIVRE DANS LA MISÈRE,
LES DROITS DE L'HOMME SONT VIOLÉS.
S'UNIR POUR LES FAIRES RESPECTER EST UN DEVOIR SACRÉ.»

PÈRE JOSEPH WRESINSKI

Une des premières actions sera de remplacer la soupe populaire par des moyens d'accès au savoir : bibliothèque, jardins d'enfants, ateliers. Voulant s'attaquer aux causes de la misère, il crée le premier Institut de Recherche sur la grande pauvreté qui rassemble des chercheurs et des chercheuses de tous les pays et de diverses disciplines.

En 1960, les premiers volontaires, de pays et de confessions religieuses différentes, le rejoignent. Ensemble, ils et elles créent un Volontariat International qui compte aujourd'hui plus de trois cent cinquante membres dans vingt-cinq pays.

17 OCTOBRE 1992

journée mondiale du refus de la misère

MOUVEMENT INTERNATIONAL
ATD QUART MONDE 95480 PIERRELAYE

Le 17 octobre 1987, à l'occasion des trente ans du mouvement ATD Quart Monde, cent mille personnes inaugurent à Paris une dalle à l'honneur des victimes de la misère, là où la Déclaration universelle des droits de l'homme *avait été signée trente-neuf ans auparavant.* Depuis 1987, la journée du 17 octobre a été marquée de mille façons et en mille lieux comme une journée à l'honneur du courage de ceux et celles qui refusent la misère. Les familles en grande pauvreté ont demandé à la communauté internationale et aux Nations unies de reconnaître officiellement le 17 octobre comme Journée mondiale du refus de la misère. L'Assemblée générale des Nations unies a voté une résolution à cet effet le 22 décembre 1992.

Le père Joseph Wresinski est mort le 14 février 1988. Il est enterré sous une chapelle qu'il a construite pour témoigner de sa fidélité aux familles les plus pauvres.

Des sens, un espoir

Quel est le sens de votre vie? Quelles sont vos raisons de vivre? Trois adultes et une adolescente dont les expériences diffèrent ont accepté de répondre à ces questions, de livrer leurs espoirs, de dire comment ils et elles en sont venus à dépasser leurs peurs et leurs doutes. Peut-être nous retrouverons-nous en eux, peut-être reconnaîtrons-nous le même amour de la vie, la même foi dans les autres. Qui sont ces personnes? Sylvie Bernier, une championne olympique, André Beauchamp, un passionné d'écologie, Murielle Daneau, une retraitée et Nicole, une étudiante de seize ans. Quel est leur secret?

Sur le podium

Dans la vie, je crois que chaque étape est un défi à relever; le premier mot, le premier pas, le premier diplôme, le premier plongeon! Quand on est enfant, relever un défi peut ressembler à un jeu... peu à peu, cela devient une façon de vivre et de penser. Le sport a toujours fait partie intégrante de mon quotidien : toute petite, je sautais, je courais, je faisais de la bicyclette, je nageais... pour aller plus loin, plus vite, plus haut. Et pourtant, déjà à ce moment-là, et sans trop vraiment le savoir, j'apprenais à m'épanouir sans me brûler les ailes! Mes parents m'accordaient une liberté proportionnelle à ma capacité de me prendre en mains : en fait, ma liberté était égale à mon sens des responsabilités.

À dix-huit ans, j'ai décidé de quitter ma famille pour m'entraîner en vue des Jeux olympiques. Ce fut ma première décision difficile à prendre. Ce choix m'entraînait loin de ma famille, de ma ville et de mes amis. Je me retrouvais seule et totalement confrontée à moi-même : mesurer les pour et les contre, ruminer les «ai-je bien fait?» et les «ça sert à quoi?»

J'ai connu tant les défaites que les victoires mais, ayant toujours respecté l'engagement que j'avais pris, ma confiance en moi s'est accrue. Comme la majorité des athlètes, je rêvais d'une médaille olympique... Pour moi, ce rêve s'est réalisé mais, plus encore qu'une place sur le podium, le sport m'a donné l'occasion de me réaliser en tant que personne : me dépasser dans l'effort, créer des liens d'amitié avec des plongeurs venant de tous les coins du monde, apprendre à goûter à la victoire et à accepter la défaite...

Quand on y met du cœur, la défaite permet souvent de prendre un peu de recul pour mieux s'élancer – il faut savoir tirer profit des moments difficiles car ils peuvent être une source de réflexion intérieure stimulante et une remise en question positive. Aujourd'hui, même s'il n'est plus question de compétition pour moi, le sport conserve une place de choix dans ma vie, il me permet toujours de conserver un équilibre vital entre le travail, la vie de famille et la vie sociale.

Sylvie Bernier

Confidentiel...

Partages-tu la passion de vivre de Sylvie Bernier? Lui ressembles-tu?

Si l'environnement vous intéresse...

Je ne suis ni biologiste, ni spécialiste d'aucune des sciences de la nature. Je ne suis pas non plus chimiste, ou ingénieur, ou technicien dans quelque branche que ce soit. Qu'est-ce qu'un type comme moi peut bien faire en environnement, vous demanderez-vous. Consolez-vous, moi aussi je me pose encore la question.

À bien y réfléchir, l'amour de la nature et les quelques connaissances que j'ai en ce domaine me viennent de mon père. Je dois dire que j'ai été un enfant maladif, faible, assez timide. Entre autres, j'ai beaucoup souffert de l'asthme, entre l'âge de cinq et quinze ans. À cause de mon asthme et des crises qui me tenaient à l'écart pendant plusieurs jours d'affilée, j'ai passé de longues heures au lit et des jours entiers à me tenir à peu près tranquille en regardant la nature : les arbres surtout, la rivière, les oiseaux, les écureuils que j'ai suivis partout à travers le bois.

Vers l'âge de dix ans, mon frère m'a donné une carabine à plomb. Alors je me suis mis à tirer sur tout ce qui bougeait, poursuivant mes proies partout. Moi qui n'étais pas mauvais, moi qui avais peur des autres, j'avais une soif de tuer, d'être violent.

Aujourd'hui, je comprends mieux qu'une partie de mon acharnement à faire la chasse venait de ma peur de mon père. Car pendant longtemps j'ai détesté mon père. J'en avais une peur terrible; physiquement, car il lui arrivait de nous punir et sa force était légendaire, psychologiquement, car il me semblait toujours exiger la perfection alors que je le trouvais médiocre. Je dois aussi dire que j'avais parfois honte de lui : il aimait bien la bière.

Un jour, j'ai compris le rapport qui existait entre ma souffrance d'enfant chétif et malade et la peur de mon père d'une part, et ma violence contre la nature, d'autre part. Ce fut une libération merveilleuse. J'ai cessé de craindre mon père. Nous avons trouvé, à travers les banalités de la vie, les manières de nous dire des choses essentielles. Mon père est devenu mon ami, presque mon compagnon. Et il m'a raconté tout ce qu'il savait. Comme il avait fait des études poussées en agronomie et en médecine vétérinaire, il m'a transmis des connaissances et une forme d'admiration profonde pour la nature, pour ses rythmes et ses saisons, pour sa patience. J'ai admiré chez lui la sagesse ancestrale des paysans qui savent reconnaître les signes des temps et qui ne se révoltent pas parce qu'une branche d'arbre a endommagé une clôture. Souvent encore, plus de trente ans plus tard, quand une situation imprévue survient, il m'arrive d'entendre sa voix.

Sur le plan professionnel, je suis arrivé bien tard à l'environnement. Je m'intéressais surtout aux questions sociales. Un jour, on m'a demandé de faire une étude sur l'éducation à l'environnement. C'était en 1978. La crise de l'environnement paraissait être causée par les activités humaines dans la nature. L'être humain était devenu trop fort, trop avide, trop violent. Ç'a été pour moi une révélation et j'ai eu la conviction que notre génération devait repenser sa relation au milieu écologique. J'ai plongé avec fascination dans un univers intellectuel nouveau pour moi : l'eau, l'air, le sol, la flore, la faune. J'ai découvert que le monde qui nous entoure n'est pas simplement le décor de la scène sur laquelle nous évoluons, ni un obstacle qui résiste à notre épanouissement. Ni obstacle, ni décor, la nature est une partie de nous-mêmes. Nous vivons d'elle, nous vivons en elle.

Il me semble aujourd'hui qu'il n'y a pas deux crises, une crise sociale d'un côté et une crise écologique de l'autre. Il n'y a qu'une crise, c'est une crise du développement. Notre violence envers la nature est à l'image de notre violence envers les humains. En retour, la désintégration de la nature porte atteinte à l'être humain, menace sa santé, rompt les équilibres, affecte notre qualité de vie. C'est un cercle vicieux dont il faut sortir par un regain d'espérance, par une admiration nouvelle pour la nature, par une tendresse pour tous les humains.

Je ne suis pas un savant, je ne suis pas un homme de science. Je suis simplement un homme soucieux de justice et d'amour, amoureux de la vie. Je suis un homme qui croit à la liberté et au pardon des péchés, un homme qui se souvient de son enfance et des leçons de son père. Et il m'arrive de penser que certaines des choses que m'a léguées mon père sont précieuses pour l'avenir de l'humanité.

André Beauchamp

Confidentiel...

Le sens que tu donnes à la vie ressemble-t-il à celui de monsieur Beauchamp?

Un profond respect

Il était une fois, un vieux sage chinois qui vint me porter une vieille porcelaine. Un vrai chef-d'œuvre que ce bibelot, aussi délicat que précieux, aussi diaphane que gracieux, aussi raffiné que mystérieux. Tiens, me dit le vieux sage, je te confie ma porcelaine, c'est ce que j'ai de plus précieux au monde, vois, c'est une merveille. Je te la prête, je te la confie jusqu'à ce qu'il me plaise de venir la reprendre. Pendant qu'elle sera en ta possession, tu en feras ce que tu voudras, tu la mettras en évidence ou tu la cacheras, tu en parleras ou tu tairas son existence, tu en feras ta richesse ou ton cauchemar... jusqu'au jour où je reviendrai pour la reprendre.

Mon amour de la vie vient de deux sources bien différentes. Tout d'abord, c'est pendant mes cours de biologie que j'ai ressenti une admiration profonde pour la vie sous toutes ses formes. J'écoutais avec attention le professeur qui nous parlait avec enthousiasme de la vie végétale, de la vie animale et de la vie humaine. C'est lui qui m'a enseigné le respect de la vie. Sur son invitation, j'ai lu Jean Rostand, ce biologiste français si épris de la vie.

La seconde source de mon amour de la vie vient de ma foi, de mon attachement à celui qui a dit : «Je suis la voie, la vérité et la vie». De ces deux sources a jailli mon emballement pour la vie, et elles continuent d'alimenter mon enthousiasme. Oui, j'aime la vie. Chaque matin, je suis contente de vivre. Le soleil, la pluie, le vent, la rivière, le chant des oiseaux, la rosée scintillante, le sourire de l'enfant, le travail de l'ouvrier, la tête blanche du vieillard, la découverte de l'homme de science, la femme qui porte un enfant... Tout me pâme, je veux ma vie en harmonie avec la vie.

Je n'ai jamais rêvé d'une vie facile. Je n'ai jamais rêvé d'une vie extraordinaire. La vie ordinaire, c'est la vie de tous les jours avec ses écueils, ses échecs, ses déboires, ses deuils, ses éternels recommencements, mais c'est aussi la vie avec ses joies, ses succès, ses réalisations, ses soudainetés, ses ravissements. Certes, la vie parfois nous bouscule. On se sent comme emporté dans une espèce de courant, d'où la nécessité de se réserver des moments de réflexion.

Il y a des valeurs que je dirais immortelles. Je ne m'accroche pas aux «anciennetés» au point de rejeter tout ce que la vie moderne me propose. Le génie humain permet de si merveilleuses réalisations que l'on aurait tort de bouder les innovations. Le tourbillon de la vie moderne ne me fait pas oublier les valeurs fondamentales qui ont des racines profondes et qui ont toujours ennobli ceux et celles qui ont cru à ces valeurs. Quelles sont ces valeurs? Je peux en nommer quelques-unes seulement : une foi éclairée et éclairante, le travail, la loyauté, l'honneur, la confiance, la tolérance, le respect des êtres et des choses, la persévérance, etc. Ce n'est pas toujours facile, je le reconnais.

Ce qui me cause la plus grande souffrance, ces temps-ci, c'est la manifestation du non-respect de la vie. Quelle abomination que ces guerres qui tuent tant d'innocents, qui fauchent tant de vies! Que dire des attentats sans cesse croissants? Que penser de l'avortement? Que penser de l'euthanasie? Comment comprendre les jeunes qui se suicident? Ce sont des considérations qui font mal. Il me semble que lorsqu'on est rendu si loin dans le non-respect de la vie, on n'est pas loin de la déchéance totale.

Pour moi, la vie est si merveilleuse! Je veux continuer de vivre bellement, je veux donner le goût de vivre à mon entourage, je veux partager mon émerveillement. C'est en toute sérénité que je descends «l'autre versant de la montagne» et peut-être bien que le vieux sage est là tout en bas pour reprendre sa porcelaine...

Murielle Daneau

Confidentiel...

Selon toi, la vie est-elle précieuse? Est-ce le plus grand de tous les biens?

Des hauts et des bas

Me regarder dans le miroir, c'est faire face à moi-même, c'est m'avouer mes fragilités et mes peurs, c'est rêver sans que personne ne m'arrête. Je suis sûre maintenant que je peux faire quelque chose de ma vie, que je ne suis pas obligée d'être une superfemme ou une vedette pour être heureuse. Depuis quelques mois, j'ai fait un bon bout de chemin. Quand mon père est parti de la maison, il y a deux ans, je suis tombée dans le vide. Dans mon quotidien, je perdais quelqu'un que j'aimais, quelqu'un qui me donnait confiance en moi, quelqu'un qui me rassurait constamment. Je perdais foi dans les adultes et en même temps, je me demandais si j'étais responsable de son départ. Je n'avais plus le goût de rien et mes amis m'ont graduellement laissée tomber. Je ne les blâme pas du tout. J'ai vivoté comme ça pendant quelques mois, partageant mon temps entre mes études, mes cours de karaté, mon emploi comme gardienne d'enfants et la télé. Je crois que j'ai usé l'écran à force de m'écraser je ne sais combien d'heures par jour et devant n'importe quelle émission. Je m'évadais, je restais enfermée dans mes souvenirs et mes regrets. Je me rendais bien compte que plus rien n'allait, mais je n'avais pas le courage de réagir et de me prendre en mains. Finalement, un matin, en me regardant dans le miroir, j'ai dû reconnaître que j'avais besoin d'aide.

J'ai pris rendez-vous avec la psycho-éducatrice de l'école. Elle a écouté mon histoire et m'a soutenue d'une façon extraordinaire. J'ai parlé de ma peine, de mes regrets et de mes peurs face à l'avenir. La même semaine, j'ai rencontré un groupe de jeunes vivant la même situation que moi et qui se rencontrent à l'intérieur d'une activité de pastorale. On échange très librement, on se donne des conseils, on partage nos expériences et on a décidé de faire quelque chose ensemble pour remonter notre moral. C'est un projet pour l'école, un projet pour les jeunes qui se cherchent et qui veulent se prendre en mains.

Personnellement, c'est le dynamisme du groupe qui m'a redonné mon énergie, qui m'a fait retrouver l'estime de moi. Maintenant, je sais que je suis capable de traverser des périodes difficiles, que les larmes font partie de ma vie, avec le rire et la bonne humeur, que l'amitié et la camaraderie me sont aussi nécessaires que l'air.

Nicole, seize ans

Confidentiel...

As-tu déjà vécu une expérience semblable à celle de Nicole?

Un rien permet de dissiper la brume intérieure; un regard, la lecture d'un poème, un petit effort pour s'étonner de sa propre existence et de celle des autres... Être à la fenêtre, vivre en soi et hors de soi, rester à l'affût des surprises de l'existence [23].

Quelques enjeux - 1

Comme nous l'avons vu dans les récits de la Genèse, nous sommes arrivés au huitième jour de la création. Cela signifie que nous sommes responsables de l'organisation du monde et de son orientation. Les décisions que nous prenons aujourd'hui auront une influence sur les générations futures. Certains enjeux sont importants tant sur le plan personnel que social. Quels sont-ils?

Le premier enjeu concerne la survie de la planète.

Le deuxième porte sur les moyens dont nous disposons pour contrôler la vie humaine. Trois aspects seront étudiés :

– la fécondation *in vitro* ou avoir les enfants qu'on veut;
– l'avortement ou avoir des enfants si on les veut;
– la contraception ou avoir des enfants quand on les veut.

Le troisième enjeu a trait aux atteintes à la vie elle-même.

L'analyse d'une situation et la solution d'un problème obligera chacun et chacune d'entre vous à choisir une conduite qui favorise le mieux-être personnel et collectif.

La survie de la planète

Les médias se donnent le mot pour nous rappeler que les dangers liés à l'exposition solaire sont une conséquence directe de la détérioration de la couche d'ozone. Cette mise en garde, qui prend l'allure d'un signal d'alarme, est l'indice d'un problème plus grand qui n'a pas de frontières : la qualité de l'environnement est en danger. Ce problème fait maintenant partie de notre réalité et ce ne sont pas les crèmes solaires, si efficaces soient-elles, qui pourront corriger la situation. Est-il encore possible de répondre : «Vous vous énervez pour rien»? Quelles conduites adopter face à ce problème? Et pourquoi?

Des expériences, des solutions

Les lacs sont tellement pollués qu'on ne peut plus s'y baigner et la couche d'ozone disparaît un peu plus chaque jour. Ne vous dites pas que les autres vont régler le problème. Tout le monde doit faire sa part, sinon on court à la catastrophe. Que faire? Des choses simples, comme acheter des produits recyclés. Si vous êtes conscients de la pollution, rendez les autres conscients. Il faut avoir confiance et tenir le coup. Ne lâchez pas et ne croyez surtout pas que c'est inutile!

Hanna

Je trouve que les gens exagèrent. Personnellement, j'aime mieux vivre moins longtemps et à mon goût. Le soleil, c'est bon, les bateaux à moteur c'est le «fun», le recyclage, c'est trop de problèmes. C'est agaçant à la fin.

Olivier

La planète est malade et c'est à nous de nous en occuper, sinon il sera trop tard. Il est encore possible de changer les choses. En commençant à la maison, en recyclant le papier, le verre, en économisant l'électricité, l'eau. À l'école aussi, on peut faire quelque chose. On peut mettre sur pied une campagne de recyclage, donner de l'information, faire signer des pétitions et les faire parvenir aux gouvernements, aux usines, etc.

Virginie

Je trouve que c'est un gros problème, mais je ne vois pas ce qu'on peut faire. Tout se passe au-dessus de nos têtes. Même si je ramassais mes papiers et que je fermais les robinets, la pollution continuerait quand même.

Trop c'est trop!

C'est seulement l'été dernier que j'ai pris conscience du problème de l'environnement. Nous étions au milieu des bois dans le nord de l'Ontario. Depuis quelques jours, on ne voyait que des arbres, des lacs, des animaux. Nous faisions du portage et soudain, plus d'arbres. C'était une coupe à blanc. Le portage, qui devait être d'un ou deux kilomètres, fut de trois kilomètres et demi, un lac s'étant asséché à cause de la coupe à blanc. Quelques semaines plus tard, le dernier jour de notre excursion, nous étions sur une rivière si polluée qu'il fallait faire bouillir l'eau. Depuis ce temps-là, je ne me lave plus dans les lacs, je recycle, je n'emballe plus les cadeaux, etc.

Manon

Ces temps-ci, j'ai lu plusieurs articles sur la couche d'ozone et le cancer de la peau. Ils sont en train de nous terroriser en nous disant de ne plus sortir dehors lorsque le soleil plombe l'après-midi. Nous devons utiliser des crèmes solaires. On ne vit plus à cause de la pollution que notre société produit. Selon des spécialistes, nous sommes en grand danger. Sauvons donc notre environnement pour sauver notre vie et notre liberté aussi.

Maude

Demain nos enfants n'iront plus jouer dans les parcs. Ceux-ci seront devenus des dépotoirs parce que les gens auront négligé de jeter leurs déchets dans une poubelle. Si chacun fait sa part, tous les jours, en économisant l'eau, en recyclant, en réutilisant plus d'une fois, on arrivera à sauver la terre, notre mère. Vraiment, je vous le dis, pensez plus d'une fois avant d'agir, c'est notre vie qui en dépend.

Ariane

L'environnement, c'est l'affaire des gouvernements! Ils ont laissé aller les choses sans imposer de règlements et maintenant ils laissent aux citoyens et citoyennes le soin de tout arranger. Je ne marche pas. Qu'ils votent des subventions et tout va s'arranger... L'argent parle plus que tout!

Brin d'herbe

ZOOM

- Quel billet traduit votre pensée et vos sentiments?

- Quelles conduites adopter? Quelles en sont les conséquences? Laquelle vous semble la meilleure? Justifiez votre choix.

Analyse de la situation

Diverses attitudes

Tout au cours de l'histoire, l'être humain a tenté de gouverner la terre en utilisant ses ressources pour assurer sa survie. Quelles attitudes a-t-il prises pour s'adapter à la nature?

Voici un coin de forêt récemment loti où l'on construit des maisons neuves. Le premier réflexe des nouveaux propriétaires est toujours d'abattre les arbres, d'arracher tout ce qui existe déjà, de bâtir une maison, puis de niveler parfaitement le terrain, de gazonner et enfin de planter quelques très jeunes arbres qui prendront, s'ils survivent, une ou deux générations avant d'atteindre leur maturité. Et quand il s'agira de tondre le gazon, on ramassera même le gazon coupé pour le mettre dans des sacs verts. Comme le sol devient trop pauvre, il faudra aussi un peu d'engrais chimique. Et pourquoi pas des phytocides pour empêcher les pissenlits de profiter, car la honte d'un gazon vert, c'est un pissenlit jaune en plein milieu[24]!

Ce fait tout à fait banal, et très courant, traduit quelques-unes des difficultés d'adaptation à la nature que la personne éprouve. En général, on reconnaît trois attitudes[25] possibles en ce qui a trait à l'adaptation à la nature :

1. L'attitude **traditionnelle** consiste à s'insérer dans son milieu naturel en le modifiant le moins possible. C'est celle de nos ancêtres qui vivaient de la cueillette, de la chasse et de la pêche. Les contraintes imposées par la nature, un feu, une inondation, une sécheresse, une famine, rappellent à la personne ses limites et la force de la nature.

   Le bonheur, pour l'être humain, réside dans le respect de la nature.

2. L'attitude de **résistance** consiste à vouloir dominer la nature, mais sans en détruire les cycles. L'agriculture se développe et des villes se construisent. Cette attitude montre que l'être humain ne vit pas seulement dans la nature, mais aussi de la nature.

   Le bonheur vient du travail et il dépend de l'action de l'être humain, de sa capacité de transformer le monde.

3. L'attitude de **domination** consiste à croire que, grâce aux moyens technologiques, tout est possible. Le travail ne se fait plus avec les muscles, mais avec l'énergie fournie par le charbon, le pétrole, le gaz et l'électricité. On croit que la nature va s'adapter à toutes ces nouveautés, plus rien ne semble impossible, mais des problèmes commencent à surgir.

   Le bonheur passe nécessairement par le respect de la nature et de nos limites personnelles.

UNE CRISE SANS PRÉCÉDENT

Les pays en développement font face à une crise environnementale sans précédent. La demande pressante de nourriture d'une population en croissance rapide pousse les gens à empiéter davantage sur les forêts et les territoires vierges. L'abattage des arbres et la mise en culture de terres fragiles provoquent l'érosion, les inondations, la désertification et la sécheresse. Dans les villes, les quartiers pauvres et les bidonvilles dépourvus de services sanitaires connaissent des taux alarmants de maladies transmises par les eaux polluées.

Voici quelques exemples :

– En Afrique, la dégradation de l'environnement a mené à l'horreur de la famine et des maladies. À elle seule, l'Éthiopie perd autant de sa couche de terre arable que les États-Unis, même si elle est six fois plus petite.

– Quatre-vingts pour cent des maladies dans le tiers monde proviennent d'une eau insalubre et d'un manque d'hygiène. À chaque année, vingt-cinq millions d'être humains, surtout des enfants, trouvent la mort à cause de l'eau contaminée.

– En Amérique centrale, les deux tiers des forêts pluviales ont disparu. En Asie du Sud-Est, leur disparition est prochaine. Les forêts tropicales contiennent la moitié du règne végétal de la planète, dont on tire pour quarante milliards de dollars par année de produits pharmaceutiques. En outre, cette réserve représente un stock génétique dont dépend la production agricole mondiale, notamment les cultures du blé canadien et du soya aux États-Unis[26].

Les gouvernements des divers pays, des experts et expertes et des organismes qui se spécialisent dans le domaine de l'environnement établissent le même bilan, assez sombre d'ailleurs : les ressources s'épuisent et les pollutions augmentent à un rythme inquiétant. Les catastrophes planétaires nous menacent : pluies acides, disparition de la couche d'ozone, création de déserts à cause de la destruction de la forêt équatoriale, catastrophes nucléaires semblables à celle de Tchernobyl.

Ce bilan nous renvoie à une question de taille : l'être humain aurait-il pris le contrôle de l'univers sans tenir compte de ses limites personnelles et de celles du milieu?

L'épuisement des ressources

L'eau [27]

L'eau est un bien universel que jusqu'à une date récente on croyait posséder en abondance et, par conséquent, que l'on gaspillait, particulièrement dans les riches nations industrialisées. Mais en réalité, l'eau est une ressource relativement rare, extrêmement rare dans certaines parties du monde. Et, au fur et à mesure que la population mondiale s'accroît et que son niveau de vie s'élève progressivement, la demande en eau, et donc son coût, sont obligatoirement amenés à augmenter. Si l'on considère les changements climatiques possibles, la question de l'eau, déjà problématique, ne peut qu'empirer. Les actions modestes qui, pour un investissement relativement restreint, peuvent encourager la conservation de cette précieuse ressource et réduire les gaspillages excessifs sont essentielles.

Enfin, il faut prendre de nombreuses mesures pour rationaliser l'utilisation domestique et sanitaire de l'eau, par exemple en installant des cuvettes de cabinets dont la chasse d'eau n'est pas continue ou des robinets qui ne fonctionnent que si quelqu'un met la main en dessous. Il s'agit principalement d'éduquer le public et d'adopter une politique de protection des réserves d'eau, c'est-à-dire de prendre des mesures «douces».

La pollution et les maladies

La crise de l'environnement est celle de l'être humain : les problèmes qui se multiplient de jour en jour le forcent à remettre en question sa manière de gérer son milieu naturel. La pollution nous frappe d'abord par la laideur qu'elle crée : l'eau des lacs est sale et l'air est vicié. Ce sont là des signes d'une pollution qui existe en profondeur, celle de l'accumulation des polluants chimiques dans les écosystèmes. La pollution entraîne une crise qui a des répercussions sur les forêts (pluies acides) et sur l'alimentation. L'intoxication causée par des produits chimiques entraîne une crise de la santé qui se caractérise par l'apparition de nouvelles maladies comme le sida et certaines formes de cancer. De plus en plus d'études scientifiques démontrent que les polluants chimiques, particulièrement les composés à base de chlore, sont des facteurs importants dans l'apparition du cancer du sein chez la femme.

Une étude de Greenpeace, réalisée à partir de rapports et de travaux de recherche gouvernementaux publiés dans des revues scientifiques reconnues, démontre que l'augmentation des cas de cancer du sein suit la même courbe que la hausse de la contamination de la nourriture, de l'eau et de l'air par les produits chimiques synthétiques.

Diverses conduites

Pour faire face au problème de l'environnement, certaines mesures sociales ont déjà été adoptées. L'interdiction de fumer dans les endroits publics, l'interdiction de jeter des déchets toxiques dans les égoûts et les lacs, l'interdiction d'arroser les pelouses certains jours de la semaine, le recyclage des déchets, du papier et les lois touchant la fabrication des automobiles ou celles ayant trait aux industries en sont quelques exemples.

Sur le plan individuel, le problème de l'environnement soulève des réactions très diverses. Voici quelques-unes des attitudes que l'on retrouve.

- **L'indifférence** : la personne ne se sent pas concernée par cette question et considère que la solution appartient aux gouvernements et aux industries.

- **Le sentimentalisme** : la personne trouve la situation horrible, mais son implication se limite à de beaux discours. Elle ne pose pas de gestes concrets.

- **L'engagement pour la cause** : la personne s'intéresse à l'environnement et contribue selon ses possibilités à la solution des problèmes. Par exemple, elle achète des produits biodégradables, même si leur coût est plus élevé. Sa conduite traduit son sens de la responsabilité.

- **L'engagement dans des mouvements** : la personne s'implique à un niveau plus large. Elle diffuse de l'information, discute de la situation et prend position. Sa conduite traduit un sentiment de solidarité universelle.

- **La négation du problème** : la personne trouve qu'on exagère, qu'on alarme les gens sans raison. L'information l'agace et elle ne s'interroge pas sur ses habitudes.

Points de repère

REPÈRES MORAUX

Valeurs Le respect de la vie et de la qualité de la vie.
Le respect de la nature.
Le souci de la planète.
Le sens des responsabilités.
La solidarité universelle.
La liberté.

L'Écriture

L'Écriture ne parle pas directement de la question de l'environnement, mais elle mentionne diverses conduites morales à adopter. Dans *Repères pour demain*[28], le théologien André Beauchamp dégage de l'Évangile quelques grands principes éthiques sur l'environnement.

Dans son enseignement, Jésus invite à la prudence. Aujourd'hui, cela voudrait dire de prendre le temps d'examiner sérieusement tous les projets afin d'analyser leur impact sur l'environnement et sur la personne.

Qui de vous en effet, s'il veut bâtir une tour, ne commence par s'asseoir pour calculer la dépense et voir s'il a de quoi aller jusqu'au bout?
(Lc 14, 28)

Attention! gardez-vous de toute cupidité, car, au sein même de l'abondance, la vie d'un homme n'est pas assurée par ses biens.
(Lc 12, 15)

À travers tout l'Évangile, Jésus invite à la simplicité de vie. L'accumulation des richesses n'est pas une garantie de bonheur.

Aujourd'hui, cette simplicité est importante et nécessite une attention constante. Elle se traduit de multiples manières : réduire les emballages inutiles et favoriser la récupération, faire des repas plus équilibrés, devenir critique face aux objets de la société de consommation. Cette simplicité influence directement la qualité de la vie : on sera plus porté à faire l'achat de petites voitures pour économiser l'énergie, à faire de l'exercice et à modifier son alimentation pour se maintenir en santé. Mais en même temps, il faut exiger de nouvelles politiques sociales qui soutiennent cette façon plus simple de vivre.

Jésus éveille également au sens de la responsabilité et de l'entraide. Aujourd'hui, l'interdépendance de l'être humain et de son environnement est évidente et oblige chacun et chacune à participer, même si c'est d'une façon très modeste. Le partage des connaissances et des appareils de haute technologie pourrait aider à atténuer les inégalités et permettre au tiers monde de devenir plus prospère. De même, la solidarité universelle et le souci de ce qui adviendra des autres générations sont maintenant obligatoires. Comment peut-on oublier les enfants qui naîtront dans quelques décennies?

Zoom sur le réel

Un problème à résoudre

Vous découvrez du pétrole dans la forêt amazonienne. Pour l'exploiter, la compagnie pour laquelle vous travaillez devra raser la forêt et un village voisin. Est-ce que vous informez la compagnie qui vous emploie de votre découverte?

Démarche

1. Faites le bilan de la situation.

2. Quelles conduites pouvez-vous adopter? Quels sont vos choix? Quelles en sont les conséquences?

3. Évaluez en bien et en mal les conduites identifiées. Sur quels points de repère vous appuyez-vous?

4. Quelle conduite favorise le mieux-être personnel et collectif? Sur quoi vous appuyez-vous?

Le contrôle de la vie

La naissance d'un enfant est toujours un événement extraordinaire. Des revues ont publié des photos qui en disent long sur le développement du fœtus aux différents stades de sa formation. Il est étonnant de penser que ce petit être a tout ce qu'il faut pour devenir un homme ou une femme. Encore faut-il lui donner les soins nécessaires pour lui permettre de grandir.

Si merveilleuse soit-elle, la transmission de la vie pose parfois certains problèmes.

Certains couples désirent un enfant et leur projet échoue à cause d'un problème d'infertilité ou de stérilité. Quelles sont les solutions?

Des femmes deviennent enceintes sans le désirer ou sans que le couple ne soit prêt à accueillir un enfant. Que faire?

Des couples désirent un enfant, mais pas tout de suite. Quels moyens contraceptifs utiliser?

Avoir les enfants qu'on veut – La fécondation in vitro

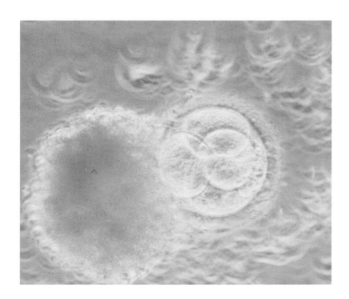

Le 25 juillet 1978, grâce aux travaux des docteurs P. Septoe, gynécologue, et R. Edwards, physiologiste, est né le bébé Brown, à Oldham, en Grande-Bretagne. Cette naissance a fait l'objet d'une publicité internationale et a été considérée comme un miracle de la médecine. Depuis ce temps, bien d'autres enfants ont été conçus de la même façon.

Analyse de la situation

Pour pallier l'infertilité   Certaines femmes souffrent d'une obturation tubaire, c'est-à-dire qu'un bouchon dans les trompes de Fallope empêche les ovules de rencontrer les spermatozoïdes qui pourraient les féconder. D'autres femmes n'ont plus de trompes de Fallope, celles-ci ayant été enlevées lors d'une intervention antérieure. Dans le cas du bébé Brown, la mère avait subi l'ablation des trompes. Il faut dire aussi que certaines femmes sont devenues infertiles et même stériles après avoir contracté certaines MTS. Dans les cas d'insuffisance des trompes, les médecins peuvent proposer la fécondation *in vitro* et pallier l'infertilité des couples qui tentent depuis plusieurs années d'avoir des enfants. Cette technique de fécondation se fait en éprouvette (*in vitro*) et non dans le corps de la femme. Il s'agit de mettre en contact des spermatozoïdes et un ovule dans une éprouvette, d'attendre la fécondation, de laisser l'œuf se développer, puis de l'implanter dans l'utérus. Si l'implantation réussit, la grossesse se déroule normalement.

Processus   En théorie, l'expérience est simple, mais dans la pratique elle doit franchir plusieurs étapes qui sont très exigeantes : contrôle du cycle menstruel pour déterminer la période d'ovulation, traitement hormonal pour augmenter le nombre d'ovules, prélèvement des ovules et du sperme, fertilisation *in vitro*, c'est-à-dire mise en culture des ovules et traitement du sperme, fécondation, culture de l'embryon en laboratoire jusqu'à une division de quatre à huit cellules et enfin, transplantation d'environ trois embryons dans l'utérus. Il y aura alors développement d'un ou de plusieurs embryons ou menstruations, ce qui signifie que le processus a échoué. Les spermatozoïdes sont obtenus au moyen de la masturbation, alors qu'une intervention chirurgicale sous anesthésie locale permet de prélever les ovules. Tous les ovules prélevés sont fécondés afin d'augmenter les chances de réussite.

Types de fécondation   Les ovules et les spermatozoïdes peuvent venir de l'épouse et du mari. Dans ce cas, la fécondation est dite homologue. Lorsque les spermatozoïdes viennent d'un donneur, le mari étant stérile ou porteur d'une maladie génétique, la fécondation est appelée hétérologue. Le donneur est choisi de façon à présenter certaines caractéristiques du mari : ethnie, groupe sanguin, couleur des cheveux ou des yeux, etc. Les techniciens et techniciennes soumettent le donneur à des examens médicaux afin de s'assurer de la qualité de son sperme. L'anonymat complet est conservé tant du côté du donneur que du côté de la receveuse.

Alternative   Lorsque l'épouse ne peut pas mener à terme la grossesse, les embryons sont implantés dans l'utérus d'une autre femme, généralement appelée mère «porteuse».

Les embryons qui ne servent pas

Les deux genres de fécondation *in vitro*, homologue et hétérologue, soulèvent des questions.

Comme on l'a vu, les ovules prélevés lors de l'intervention chirurgicale sont tous fécondés afin de multiplier les chances de succès. Cependant, trois seulement sont introduits dans l'utérus. Que deviennent les autres?

Congélation

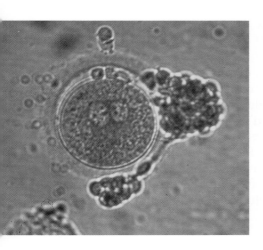

Parfois ils sont congelés, ce qui soulève d'autres questions. L'ovule fécondé qui se retrouve au congélateur peut-il être considéré comme le frère ou la sœur de celui qui est dans le ventre de la mère?

Les embryons peuvent-ils être conservés pour d'autres cas du même genre et être utilisés par d'autres couples qui rencontrent les mêmes difficultés? Le bébé qui naîtrait aurait, sans le savoir, un frère ou une sœur. On peut poursuivre le scénario en imaginant que ces deux bébés, une fois devenus adultes, se rencontrent et deviennent amoureux. Ils commettraient alors sans le savoir un inceste. Ils pourraient courir le risque, à cause de la consanguinité, de donner naissance à des enfants handicapés.

Destruction

Si les embryons sont détruits, c'est la question de l'avortement qui refait surface.

Expérimentation

Les ovules fécondés ou les embryons peuvent-ils être réduits à n'être que du matériel de laboratoire? Peuvent-ils devenir des matériaux d'expérimentation entre les mains de scientifiques désirant vérifier toutes sortes d'hypothèses? Le Conseil de Recherches Médicales du Canada fixe à dix-sept jours la date limite pour l'expérimentation sur les embryons car au-delà de ce délai, le système nerveux commence à se développer.

Les réponses à ces questions ne sont pas simples, d'autant plus qu'on ne s'entend pas sur le moment exact où commence la vie humaine : est-ce à la fécondation ou à la nidation? lors de l'apparition du système nerveux ou quand le cœur bat? Cependant, on peut dire d'un embryon qu'il s'agit d'un être humain en devenir.

Le lien union-procréation

Les procédés de fécondation artificielle séparent la relation amoureuse de la procréation. Le sperme, qu'il provienne ou non du mari, est obtenu par masturbation et la fécondation se fait en éprouvette. La procréation se fait donc en dehors du contexte des relations humaines : la nouvelle vie ne vient pas d'une union intime des époux, mais d'une technique qui, dans son procédé, sépare la communication génétique (fécondation) et la communication amoureuse.

Fécondation hétérologue

Dans le cas de la fécondation hétérologue, une question particulière est soulevée : le fait que le donneur soit le père biologique et le mari, le père social crée-t-il une situation très difficile, voire déshumanisante?

Certaines personnes disent non et elles s'appuient sur le fait que le couple marié a recours à cette solution afin d'atteindre un des buts du mariage, celui de devenir des parents. Cependant, le couple désireux d'avoir un enfant doit remplir certaines conditions importantes : la communication entre les époux est franche et ouverte de façon à garantir un accord libre des époux. Il faut éviter que l'un des deux époux accepte la fécondation pour ne pas déplaire à l'autre. Les époux doivent poursuivre un but commun, celui de vivre l'un pour l'autre et pour l'enfant à naître.

D'autres personnes disent oui et elles s'appuient ordinairement sur des raisons sérieuses d'ordre psychologique, dont le danger de compromettre l'harmonie du couple et de maintenir un secret autour de la naissance de l'enfant.

Harmonie compromise

N'étant pas le géniteur de l'enfant, le mari ou le père social peut se sentir dévalorisé et même devenir jaloux du donneur. Par conséquent, les relations dans le couple risquent de devenir très tendues. Par ailleurs, face à l'enfant, il y a inégalité entre le père et la mère, cette dernière étant à la fois la mère biologique et la mère sociale. Par exemple, si l'enfant n'agit pas conformément aux désirs de son père, celui-ci pourrait le rejeter en se disant que cet enfant n'est pas vraiment le sien, qu'il ne lui ressemble en rien. La mère pourrait surprotéger l'enfant et développer un amour possessif. Il est facile de voir que l'harmonie du couple peut alors être compromise.

Secret autour de la naissance

Quant à l'enfant, le secret entourant sa naissance peut-il lui causer des problèmes? Puisque le père biologique doit demeurer incognito, qu'arrivera-t-il si l'enfant a besoin, pour des raisons de santé, de ses antécédents médicaux complets? Lui dira-t-on quels sont ses antécédents génétiques? Les opinions diffèrent et chaque couple doit prendre la décision qu'il juge être la meilleure selon les circonstances.

La mère «porteuse»

Suffit-il, pour être mère, d'avoir fourni un ovule? Le cas des mères «porteuses» soulève des interrogations. La femme qui porte l'enfant établit avec celui-ci un lien incontestable. Ce qu'elle vit peut influencer l'enfant. Peut-on dire que la maternité se limite à sa seule dimension génétique? Peut-on confier à n'importe qui le soin de porter un enfant?

Les coûts sociaux

Les expériences et les interventions de cette sorte coûtent très cher en argent et en énergies de toutes sortes. Qui devrait en assumer les frais? Serait-ce un privilège réservé aux riches?

Les risques

Si l'intervention chirurgicale pour obtenir les ovules doit se faire sous anesthésie générale plutôt que sous anesthésie locale, elle entraîne les risques propres à toute anesthésie. Le taux de grossesses multiples se situe entre 12 % et 30 % et celui des accouchements prématurés est de 27 %.

La fécondation elle-même comporte également certains dangers pour la santé de la femme. Les hormones qui sont administrées pour stimuler l'ovulation peuvent entraîner des effets secondaires tels des gains de poids, des maux de tête, des nausées, une modification de l'humeur, etc. Et si l'intensité de la stimulation par l'entremise d'hormones est trop intense, cela peut provoquer des kystes ovariens et peut-être conduire au cancer.

Des conséquences

La fécondation *in vitro* est une des formes de la manipulation de l'œuf humain. À long terme, et pour l'humanité entière, plusieurs conséquences en découlent, dont celle du pouvoir humain sur la vie : pourra-t-on en arriver à fabriquer des êtres humains parfaits? Pourra-t-on choisir leur caractère, leurs talents, leur personnalité? Jusqu'où peut aller le contrôle de la vie humaine?

Le respect des droits

Les parents qui désirent un enfant et ne le peuvent pas sont dans un état de vulnérabilité. Certains sont prêts à accepter bien des souffrances, à dépenser des sommes d'argent considérables pour réaliser leur rêve. Aussi les médecins et tous les autres intervenants et intervenantes ont-ils des responsabilités envers eux. Par exemple, donner une information juste, n'exercer aucune pression sur les époux et offrir d'autres moyens d'exercer la paternité et la maternité afin que ceux-ci puissent prendre une décision éclairée.

Autres solutions

D'autres solutions peuvent aussi être envisagées.

Acceptation Le couple peut accepter sa situation et transposer son besoin de fécondité, son besoin de se donner, dans d'autres domaines : celui du travail, celui de la création artistique, celui du bénévolat.

Adoption Le couple peut aussi adopter un enfant. Il faut dire cependant que l'accès à l'adoption est menacé car il y a de moins en moins de bébés disponibles. Pourquoi? La contraception et la stérilisation préviennent les naissances non désirées, l'avortement est accessible et il est aussi plus facile pour les mères célibataires de garder leur enfant, la famille monoparentale étant maintenant beaucoup mieux acceptée. La voie de l'adoption internationale, de prime abord si prometteuse, est souvent semée d'embûches : fraude ou dédales bureaucratiques, trafic d'enfants et maladies sont monnaie courante.

Famille d'accueil Le couple peut également devenir famille d'accueil, même si cela suppose une certaine part d'incertitude puisque les enfants accueillis peuvent leur être enlevés pour diverses raisons, dont le retour dans leur famille.

Points de repère

REPÈRES MORAUX

Valeurs Le respect de la vie.
La protection de la santé.
Le respect de la liberté de l'autre.
Le souci de la vérité.
Le sens de la sexualité.

L'enseignement de l'Église catholique La réflexion continue toujours. Les découvertes de la médecine et des sciences humaines permettent ainsi aux croyants et croyantes d'apprécier les conséquences de cette technique pour le couple et pour l'enfant. Ce qui importe avant tout, c'est de chercher à comprendre l'enseignement de l'Église catholique sur cette question afin d'en dégager toute la sagesse.

Au sujet des expériences in vitro sur la fécondation artificielle chez l'homme, qu'il nous suffise de dire qu'il faut les rejeter, car elles sont immorales et absolument illicites [29].

Le pape Pie XII, dans un discours au Deuxième Congrès mondial de la fertilité et de la stérilité tenu en juin 1956, s'oppose à la fécondation *in vitro*. Rappelons qu'à cette époque, les expériences ne faisaient que commencer.

Les raisons invoquées ne sont pas sans sagesse : les conditions de l'expérimentation peuvent mettre en péril la santé de la mère, les risques d'échecs sont trop élevés, la procréation se fait en dehors de la relation d'amour et finalement, la façon de se procurer les ovules et les spermatozoïdes est difficilement justifiable sur le plan moral.

[...] la procréation d'une personne humaine doit être le fruit et le terme de l'amour des époux. L'origine de l'être humain résulte ainsi d'une procréation «liée à l'union non seulement biologique mais aussi spirituelle des parents unis par le lien du mariage». Une fécondation obtenue en dehors du corps des époux demeure par là même privée des significations et des valeurs qui s'expriment dans le langage du corps et l'union des personnes humaines [30].

L'Église a publié le 22 février 1987 un texte majeur sur les nouvelles technologies de reproduction. Il s'agit de l'*Instruction sur le respect de la vie humaine naissante et la dignité de la procréation*. L'Église réitère son opposition à cette nouvelle technologie en s'appuyant sur les raisons indiquées dans l'extrait ci-contre.

L'Église rappelle ainsi que l'enfant à naître doit être l'expression de l'amour des parents et non le fruit de techniques médicales froides.

Dans le même texte, l'Église rappelle qu'il est nécessaire de respecter l'embryon : «L'être humain doit être respecté – comme personne – dès le premier instant de son existence [31].»

L'approche pastorale

En raison des résultats des expériences scientifiques et de l'amélioration constante des techniques, un grand nombre de théologiens et théologiennes ont tendance à dire que la fécondation *in vitro* est moins grave quand celle-ci se fait avec les ovules de l'épouse et les spermatozoïdes de l'époux : le bien de l'enfant est assuré puisqu'il est désiré par les deux époux; il n'y a pas de risques psychologiques puisque les deux époux sont les parents biologiques; la masturbation qui est indispensable pour obtenir les spermatozoïdes est destinée à la procréation et non à la recherche égoïste de plaisir. Il est clair que le sens de l'*Instruction* de 1987 n'est ainsi contredit en rien: si la fécondation *in vitro* homologue est jugée moins grave, la fécondation *in vitro* hétérologue est jugée inacceptable car elle introduit une tierce personne.

Zoom sur le réel

Des problèmes à résoudre

En vous basant sur des points de repère, dites quelle décision vous semblerait la meilleure pour chacun des couples.

a) Monique et François sont mariés et désirent avoir un enfant. La foi est une dimension importante de leur vie. Depuis deux ans, ils ont mis de côté tout moyen contraceptif. N'étant pas encore enceinte, Monique consulte un médecin qui procède aux examens de routine et identifie un problème aux trompes de Fallope. Le médecin propose la fécondation *in vitro*. Les deux époux en discutent, envisagent d'autres solutions et vous consultent. Quel serait votre conseil?

b) Benoît et Hélène désirent un enfant, mais Benoît est déclaré stérile et Hélène a un problème de fécondité. Tous deux sont croyants et pratiquants. Le médecin leur propose la fécondation *in vitro* avec donneur (fécondation hétérologue). Benoît hésite, mais ne veut pas décevoir Hélène ou l'empêcher de réaliser son rêve de maternité. Que faire et pourquoi?

Démarche

1. Dites quels sont les choix possibles pour chacun des couples. Quelles conséquences ces choix entraînent-ils?

2. Quelles valeurs sont en jeu?

3. Que disent la médecine, la psychologie et l'enseignement de l'Église catholique sur chacun de ces choix?

4. Quel est le sens de l'enseignement de l'Église?

5. Évaluez en bien et en mal chacun des choix identifiés. Sur quels points de repère vous appuyez-vous?

6. Analysez la situation des personnes.
   - Quel est leur état physique?
   - Quelle est leur situation affective?
   - Quelles sont leurs motivations?
   - Y a-t-il conflit de valeurs?

7. Quel choix favoriserait le mieux-être des personnes? Justifiez votre point de vue.

Avoir des enfants si on les veut – L'avortement

La question de l'avortement n'est jamais simple. Une fille mineure apprend qu'elle est enceinte et subit les pressions de sa famille pour se faire avorter. Une femme mariée d'un certain âge devient enceinte alors que le petit dernier vient de partir pour l'école. Une jeune femme célibataire fait son bilan financier pour voir si elle peut quitter son emploi et s'occuper de son enfant. Que faire?

Des expériences, des solutions

À l'âge de quatorze ans, je suis tombée enceinte d'un gars qui avait seize ans. J'ai décidé de me faire avorter parce que j'étais jeune. Je ne voulais pas gâcher ma vie et je savais que le bébé n'aurait pas connu son père. Après mon avortement, je me suis dit que si je redevenais enceinte je garderais le bébé, même si je n'avais pas dix-huit ans. Un an plus tard, à l'âge de quinze ans, je suis devenue enceinte d'un autre gars. J'ai gardé mon bébé car pour moi un avortement, c'est tuer un bébé. Aujourd'hui, je suis avec ma fille de huit mois et je suis heureuse. Il faut dire que je n'ai pas eu une grossesse facile. J'ai pensé à plein de choses. Est-ce que je vais être une bonne mère? Est-ce que je vais faire mon travail jusqu'au bout? Mon ami était jaloux parce qu'il voulait que mon cœur soit juste pour lui. Quand j'ai eu ma fille, il a pensé que j'aurais du temps libre pour lui, mais j'avais besoin de ces temps libres pour me reposer. Il n'était pas conscient qu'il avait un enfant. À cause des chicanes qu'on avait fréquemment par rapport à ma fille, j'ai décidé qu'il était mieux qu'on ne se revoie plus. Deux mois et demi plus tard, il est revenu pour s'excuser de sa conduite. Maintenant on forme une famille. Et tous les deux nous nous occupons de notre fille. Il joue bien son rôle de père. J'ai dix-sept ans. Aujourd'hui, je ne regrette pas d'avoir poursuivi ma grossesse.

Marilyn

J'ai quinze ans. Quand j'ai su que j'étais enceinte, je n'avais que quatorze ans. Mon «chum» et moi, on a toujours été d'accord pour le garder. On a toujours voulu avoir un bébé qui serait juste pour nous. Ça faisait deux ans et demi que je connaissais Francisco et ça fait maintenant un an qu'on se fréquente. Ma mère a très bien pris la nouvelle. Mon père, lui, l'a très mal prise. Il m'a traitée de tous les noms imaginables. Il m'a crié d'aller me faire avorter. Je lui ai répondu qu'il ne pouvait rien faire et que c'était à moi de décider. Maintenant, tout s'est arrangé; ma mère a même décidé que j'allais vivre en appartement aussitôt après l'accouchement. J'attends ce jour avec impatience, pour enfin me retrouver avec ma vraie famille, celle que j'aime, celle avec qui je me sens bien, et surtout avec celle qui sait m'apprécier.

Un enfant à quinze ans

Il m'a semblé que, dans ma condition, la seule vraie chance que je pouvais lui donner, c'était de le confier en adoption. Il m'a semblé plus important de lui donner une chance à lui que de satisfaire mon désir personnel d'être mère [33].

J'ai eu un avortement. Ça faisait deux ans que j'étais avec mon ami et il a tout simplement refusé de parler de ma grossesse, disant que c'était mon problème. Je ne me sentais pas capable, à l'époque, de m'occuper toute seule d'un enfant. L'avortement en lui-même a été douloureux, physiquement et psychologiquement. La même situation s'est présentée quelques années plus tard. J'ai rencontré quelqu'un et je suis tombée enceinte presque au début de notre relation. Il était marié et ne me l'avait pas dit. J'avais des illusions. Les deux premiers mois de ma grossesse ont été difficiles. J'étais aux études et je travaillais en même temps. J'avais une décision à prendre et j'étais seule pour la prendre. Je ne voulais pas revivre un autre avortement. La vie a été plus forte que la mort, cette fois-là. Après, tout s'est bien déroulé. J'étais soulagée d'avoir pris une décision [34].

Le fait d'avoir assisté à la naissance de mon fils m'a fait ressentir une joie que je n'avais jamais connue auparavant. Tout était comme dans un rêve. J'avais l'impression d'avoir toujours connu ce petit bonhomme, que je l'attendais depuis toujours. En fin de compte, j'assistais à un miracle.

Un jeune père célibataire [35]

J'ai confié mon enfant en adoption. J'ai beaucoup apprécié l'aide psychologique qu'on m'a offerte. Elle m'a permis de prendre une décision qui convenait à ma situation. [...] Il m'arrive de souhaiter que ses parents adoptifs me fassent parvenir, d'une manière anonyme, sa photo et quelques renseignements sur sa santé, ses études, ses activités. Il me semble que ça m'aiderait. S'il mourait, je ne le saurais même pas! Le jour où j'ai confié mon enfant pour l'adoption a été le plus difficile de ma vie. Je savais dans ma tête que c'était la meilleure solution. Mais il m'arrive encore de me demander [...] ce que mon enfant est devenu [36].

Analyse de la situation

Types d'avortement   L'avortement est l'interruption de la grossesse.

Il y a deux types d'avortement. L'avortement **spontané**, aussi appelé fausse couche, survient sans qu'il y ait d'intervention extérieure. Les causes sont d'ordre physiologique. L'avortement **provoqué** désigne l'interruption de la grossesse par une intervention extérieure sans laquelle la grossesse se serait poursuivie normalement.

Motifs invoqués   Les personnes qui demandent l'avortement vivent des situations difficiles et leur démarche cache souvent bien des souffrances. Les motifs invoqués sont divers et on peut les regrouper de la manière suivante.

1. Les motifs **thérapeutiques** d'interruption de grossesse sont invoqués lorsqu'une maladie fait que la grossesse met la vie de la mère en danger ou menace sa santé physique ou mentale, même s'il est très difficile d'évaluer l'équilibre psychologique d'une personne. En principe, la demande d'avortement est soumise à un comité de médecins de l'hôpital.

2. Des motifs **eugéniques** sont invoqués lorsqu'on veut éviter la naissance d'un enfant handicapé. Aujourd'hui, il est possible de faire certaines prédictions basées sur l'expérience et sur des études scientifiques. L'analyse du liquide amniotique, après la quatrième semaine de grossesse, permet de déceler des malformations et certaines déficiences, dont le mongolisme.

3. Des motifs **moraux** sont invoqués lorsque la demande d'avortement survient à la suite d'un viol, d'un inceste ou d'un adultère.

4. Des motifs **socioéconomiques** sont invoqués lorsque l'enfant à naître vient compromettre l'équilibre budgétaire d'une femme ou d'un couple. Certaines femmes ne voient pas comment elles pourraient subvenir aux besoins du bébé.

5. Des motifs de **bien-être** sont invoqués lorsque l'enfant à naître vient perturber la vie de la femme ou du couple, déranger des plans de carrière, par exemple.

Conséquences   L'interruption volontaire d'une grossesse peut entraîner des conséquences à court et à long terme. Il y a des conséquences d'ordre **psychologique** comme le regret, la culpabilité ou la dépression.

> *Berthe a eu un avortement il y a deux ans. Cette solution ne lui a pas apporté un soulagement. Elle a plutôt provoqué chez elle un sens profond de perte et de remords. Il lui est difficile de se créer et de conserver des amitiés durables et elle est déprimée. Berthe sait au fond qu'elle a besoin d'aide pour remonter la côte, mais elle hésite, parce qu'elle craint d'être rejetée par sa famille, ses amis et son église* [37].

> *Pour sa part, Jeanne a eu un avortement il y a un an, sans considérer une solution de remplacement, et sans aucune information sur la nature de la vie fœtale. Depuis, elle a lu au sujet du développement fœtal, et elle regrette amèrement que son médecin ne l'ait pas mieux renseignée avant de pratiquer l'avortement* [38].

Des conséquences d'ordre **physique** surviennent parfois et ce, malgré toutes les précautions qui peuvent être prises : hémorragies plus ou moins graves, infections génitales, complications de l'anesthésie, avortements spontanés à répétition, etc.

> *Il y a quatre ans, Agathe, encore étudiante et célibataire, a eu un avortement à l'hôpital. Elle est maintenant mariée, et elle et son mari désirent des enfants. Mais on lui annonce qu'elle ne pourra pas devenir enceinte, à cause de dommages encourus lors de son avortement* [39].

Conflit   L'avortement eugénique soulève des questions fort importantes en ce qui concerne les valeurs. L'analyse du liquide amniotique qui permet de prévoir la naissance d'un bébé handicapé nous renvoie à nos attitudes devant la vie : un ou une enfant handicapé a-t-il encore sa place dans notre société? Les ressources mises à la disposition des couples afin de les aider à accueillir un enfant handicapé sont-elles suffisantes et bien adaptées?

L'avortement semble être le lieu de confrontation de deux droits : le droit à la vie du fœtus et, pour la femme, le droit à la libre disposition de son corps. Conséquemment, les valeurs du droit à la vie et du droit à la liberté sont en cause.

Le droit à la vie

La question de l'avortement renvoie à un débat de fond qui peut se résumer ainsi : quand commence la vie humaine?

Selon la génétique, la vie est présente dans tous les stades du développement. L'œuf humain fécondé contient toutes les caractéristiques essentielles de l'enfant à naître : sexe, taille, couleur des cheveux, etc. Quand l'ovule fécondé se divise en deux, c'est le début de l'existence d'un individu nouveau. Il suffit de regarder des photos prises à différents stades du développement fœtal pour voir cette continuité. Par exemple, à trois semaines, le cœur se met à battre; à deux mois, la formation des mains, des pieds, de la tête, des organes et du cerveau est presque terminée... C'est toujours la même vie qui se développe.

À quel moment l'embryon peut-il être considéré comme un être humain?

Les réponses ne sont pas unanimes. Rappelons simplement que l'œuf fécondé est assez autonome pour être greffé sur un autre utérus que celui de la mère et qu'il peut se développer sans perdre ses caractéristiques personnelles.

Le droit à la liberté

Sur le plan social, les femmes ont certainement des droits à faire reconnaître. Pendant longtemps, on leur a imposé des règles de conduite qui menaçaient leur capacité de prendre des décisions et de contrôler leur vie. Cela s'est produit sur le marché du travail comme à l'intérieur des maisons. Si la libération de la femme semble maintenant entrer dans l'histoire, cela ne garantit pas automatiquement à chacune la possibilité d'exercer sa liberté. Mais peut-on justifier l'avortement utilisant à titre d'argument le slogan : «Notre ventre nous appartient»? Le fœtus n'est pas un «ajout» quelconque, c'est une vie humaine en gestation.

Des femmes réclament l'avortement au nom de leur liberté. Elles veulent avoir un enfant, mais seulement quand elles le désirent et quand elles se sentent prêtes à assurer son éducation, pas avant. L'enfant n'est pas le bienvenu autrement. Cette conviction amène des femmes et des couples à utiliser les moyens contraceptifs, mais l'avortement ne peut pas être considéré comme un moyen contraceptif. Pourquoi? Quand l'œuf est fécondé, un processus biologique a commencé et la vie humaine se développe petit à petit. Le droit à la liberté, le droit de décider quand mettre un enfant au monde n'est cependant pas le seul droit dont il faut tenir compte.

Des hommes et des femmes réclament le droit à l'avortement au nom du droit à une vie sexuelle active et épanouissante. On peut se demander alors si le droit au plaisir peut éclipser le sens des responsabilités, de la portée de nos actes. S'il en est ainsi, cela voudrait dire que les seules limites de la liberté personnelle sont celles que le plaisir détermine.

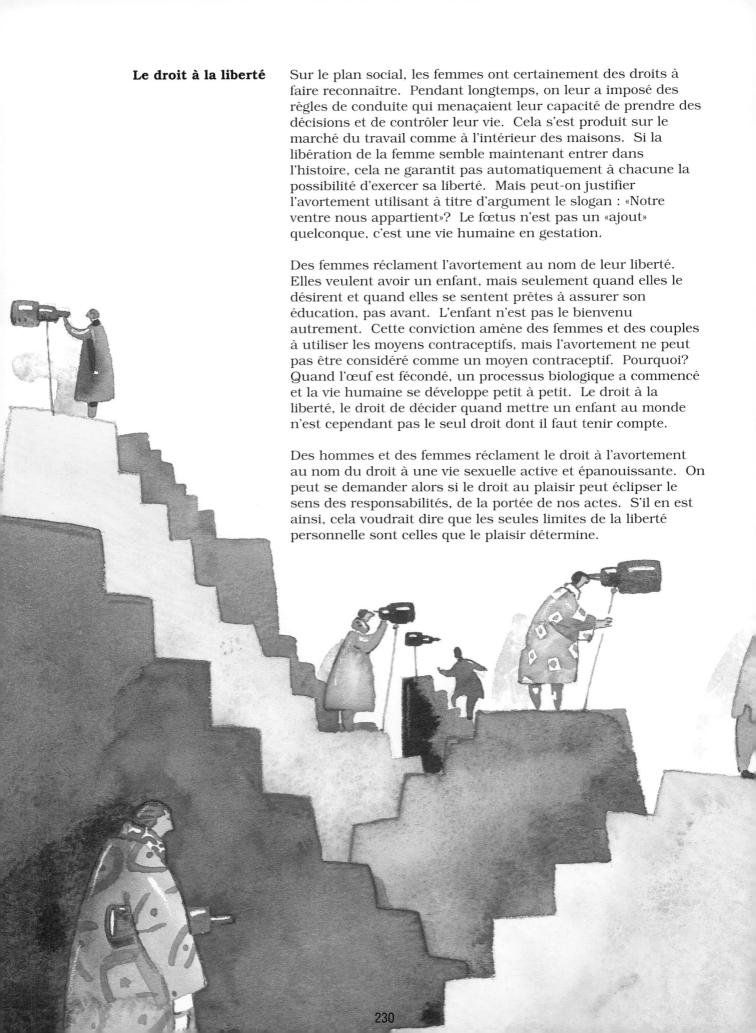

Autres solutions

Adoption Les témoignages du début permettent de dégager d'autres solutions aux grossesses non désirées. L'adoption permet à des couples qui le désirent d'avoir un enfant. On peut penser que cet enfant, ardemment désiré, aura des parents qui tenteront de répondre à tous ses besoins. Le bonheur est-il plus difficile à atteindre pour un enfant adopté? Rien n'est certain et des exemples contraires le prouvent. Du côté de la mère, l'adoption peut atténuer les remords, même si le désir de retrouver son enfant reste toujours vivant.

Garde La garde de l'enfant est une autre solution. Cette possibilité dépend beaucoup du soutien qu'offrent l'ami, le conjoint, la famille immédiate, le milieu social – par le biais des centres d'accueil, des écoles spécialisées, des services de consultation psychologique, par exemple.

La responsabilité est grande du côté des intervenants et intervenantes qui doivent tout faire pour trouver l'aide qui convient à la personne dans la situation difficile qu'elle traverse. Il est plus facile de prendre une bonne décision quand on est bien soutenue.

Points de repère

Valeurs
Le respect de la vie.
La protection de la santé.
Le respect de la liberté.
Le sens des responsabilités.
Le sens de la sexualité.

L'enseignement de l'Église catholique
L'Église croit fermement que la vie humaine, même faible et souffrante, est toujours un magnifique don du Dieu de bonté. Contre le pessimisme et l'égoïsme, l'Église prend parti pour la vie.

Comme le dit la Commission épiscopale française de la famille, «dès l'instant de la fécondation de l'ovule, un individu est constitué dans une unité structurée, et ses caractéristiques futures essentielles sont déjà déterminées [41].»

L'Église invite à respecter cet individu qui se constitue «comme» si c'était une personne humaine.

Le document conciliaire *Gaudium et Spes* (document 27, n° 51, 3) a la même conviction : «La vie doit être sauvegardée avec un soin extrême dès sa conception : l'avortement et l'infanticide sont des crimes abominables [42].»

L'Église invite donc à respecter la vie humaine.

Le 29 octobre 1983, le pape Jean-Paul II rappelait le même message devant l'Association médicale mondiale.

Le «droit de l'homme à la vie – depuis le moment de sa conception jusqu'à sa mort – est le droit premier et fondamental, comme la racine et la source de tous les autres droits [43].»

En avril 1986, la Conférence des évêques catholiques du Canada rappelait la nécessité du respect de la vie.

Le respect de toute vie humaine est, sans aucun doute, un critère sûr pour évaluer la qualité de notre propre humanité. C'est aussi une façon d'exprimer cette conviction chrétienne selon laquelle Dieu nous appelle à aimer les autres comme nous nous aimons nous-mêmes. Dès lors, tout doit être fait pour protéger et assurer la croissance de la vie humaine, du moment de la conception jusqu'à la mort; de plus, on doit tout mettre en œuvre pour promouvoir le plein épanouissement de chaque être humain. C'est pourquoi nous nous opposons à l'avortement, à la suppression volontaire d'une vie innocente et vulnérable [44].

**Les arguments
d'un théologien**

Dans son livre intitulé *Quel avenir?* [45], le théologien et moraliste Guy Durand résume quelques arguments qui permettent de mieux saisir le sens de l'enseignement de l'Église.

1. Comme on ne sait pas avec certitude si le fœtus est un être humain ou non, l'avortement ne peut se justifier moralement car le risque de tuer un être humain est réel. Le doute peut toujours être invoqué.

2. On ne peut pas mettre sur le même pied l'avortement et la contraception. Il y a une grande différence entre les deux puisque dans la contraception, il n'y a pas d'interruption de grossesse.

3. Le fœtus est une personne en puissance qui mérite le respect et la protection : l'avortement détruit «ce quelque chose de vivant qui, peut-être, n'est pas encore un homme et n'en possède pas [...] toute la valeur, la dignité et les droits, mais qui [...] se prépare tranquillement à être un jour [...] ce qu'il est déjà en puissance [...] [46].»

Car le respect de la vie de la mère ne peut être réduit à sa dimension biologique. Parler de vie de la mère c'est évoquer la «qualité» de cette vie, quelque difficile à apprécier que soit cette expression [47].

4. La vie de la mère et sa santé méritent le respect. Même si cela arrive rarement, il y a des cas où il faut choisir entre la vie de la mère et celle de l'enfant. Malgré les difficultés et l'incertitude dans laquelle on se trouve, il faut choisir, et le mieux possible selon les circonstances. Rien n'oblige à privilégier la vie du fœtus aux dépens de la vie de la mère quand il n'y a pas d'autres moyens de sauver les deux. On peut dire la même chose quand il s'agit de la santé psychologique de la mère.

5. En principe, les situations de détresse (dans les cas de viol, d'adultère, de malformation, etc.) ne peuvent pas justifier l'avortement. Ces situations très difficiles pourraient être moins pénibles si la société offrait un soutien adéquat. Mais si le traumatisme causé par le viol, l'adultère ou la malformation met en danger la santé physique de la mère, le recours à l'avortement pourrait alors être justifié. En pratique, les gouvernements devraient prendre tous les moyens afin d'aider les femmes ou les couples qui ont des problèmes de salaire, de logement ou d'éducation. Pour aider les enfants handicapés, il faudrait multiplier les centres spécialisés et fournir aux parents le soutien nécessaire. Chaque personne a la responsabilité morale de respecter et de protéger la mère célibataire.

6. Des motifs de bien-être sont parfois invoqués. Cependant, le respect de la vie fœtale l'emporte sur les inconvénients causés par la grossesse, que celle-ci amène un changement dans un plan de carrière ou qu'elle ait des répercussions sur le plan financier (compte en banque moins bien garni), par exemple.

Pour ces raisons, on peut dire que l'avortement n'est pas un droit, mais une mesure d'exception.

REPÈRES LÉGAUX

Le droit   Le 28 janvier 1988, la Cour suprême du Canada a déclaré inconstitutionnelles les dispositions du Code criminel du Canada sur l'avortement. Cela veut dire que depuis ce temps, l'avortement n'est pas considéré comme un acte criminel. Toutefois, il existe un régime juridique pour régir la pratique de l'avortement : comme pour toute autre intervention chirurgicale, les médecins doivent respecter certaines règles et suivre leur conscience.

Zoom sur le réel

Un problème à résoudre

En vous basant sur des points de repère, dites quelle conduite vous semble la meilleure dans le cas de Michelle.

Michelle est une excellente étudiante de seize ans. Elle est enceinte. La conseillère d'orientation l'a accueillie très positivement et lui a assuré qu'elle pourrait continuer de fréquenter l'école; mais elle est inquiète de la réaction des autres étudiants et étudiantes. Elle est aussi terriblement angoissée d'avoir à dire à ses parents qu'elle est enceinte. Elle craint qu'ils soient fâchés et déçus. Pourtant, elle sait qu'ils l'aiment beaucoup. Le père de l'enfant l'a vivement blessée en la déclarant seule responsable de sa grossesse, et en refusant de prendre toute responsabilité au sujet de l'enfant. Une des amies de Michelle lui a conseillé d'obtenir un avortement, faute de quoi elle gâcherait toute sa vie. Une autre amie, par contre, lui a conseillé l'adoption et lui a donné le nom d'une étudiante qui a offert son enfant en adoption l'an dernier [48].

Démarche

1. Quels sont les choix qui s'offrent à Michelle? Quelles conséquences entraînent-ils?

2. Quelles valeurs sont en jeu?

3. Que disent le droit, la médecine, la psychologie, l'enseignement de l'Église catholique et la théologie sur chacun des choix?

4. Quel est le sens de l'enseignement de l'Église?

5. Évaluez en bien et en mal chacun des choix identifiés. Sur quels points de repère vous appuyez-vous?

6. Analysez la situation.

   – Quelle est la situation de Michelle sur le plan des ressources matérielles et affectives?

   – Est-elle en mesure de répondre aux besoins de l'enfant?

   – Y a-t-il conflit de valeurs?

7. Quel choix serait le meilleur? Justifiez votre point de vue.

Avoir des enfants quand on les veut – La contraception

L'information sur les méthodes de régulation des naissances ou de contraception est maintenant largement diffusée.

Quelle méthode est la meilleure dans telle et telle circonstance? Le choix d'une méthode est-il anodin?

Des questions et des réactions

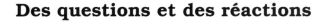

La pilule règle tous mes problèmes.

Je connais le moment de mon ovulation, je vais m'abstenir d'avoir des relations sexuelles à ce moment-là.

Un condom, ça suffit!

C'est le problème des filles, pas le mien.

Le condom, ça ne m'intéresse pas. La spontanéité est coupée.

Ça me gêne trop d'acheter des condoms à la pharmacie.

Je veux lui dire que je l'aime, mais pas en faisant l'amour tout de suite. La tendresse, c'est important aussi.

Même si je prends la pilule, j'exige qu'il mette un condom. Les MTS et le sida, ça me fait peur.

Analyse de la situation

Distinction   Le contrôle des naissances recouvre deux intentions différentes : empêcher la grossesse et retarder la grossesse. Dans le premier cas, on parle de contraception, tandis que dans le second, on parle de régulation des naissances.

Méthodes   On peut regrouper les diverses méthodes en quatre grandes catégories.

1. Les méthodes naturelles sont la continence, c'est-à-dire l'abstention de relations sexuelles génitales, et les méthodes cyclique et symptothermique, qui consistent en une continence périodique basée sur l'observation des variations dans le cycle menstruel de la femme. Un des avantages de ces méthodes est de permettre à la femme d'apprendre à mieux connaître le fonctionnement de son corps et d'impliquer l'homme dans la contraception.

2. Les méthodes qui empêchent la fécondation se divisent en deux groupes.

   a) Le premier groupe est celui des méthodes mécaniques, c'est-à-dire des méthodes qui empêchent la rencontre des spermatozoïdes et de l'ovule. Parmi les méthodes mécaniques, on trouve :

   – Le coït interrompu ou retrait avant éjaculation. Cette méthode exige une très grande maîtrise de ses réactions sexuelles et est insatisfaisante sur le plan psychologique. Il faut noter aussi que pendant la période de fertilité de la femme, une éjaculation au niveau de la vulve peut être fécondante et ce, même s'il n'y a pas de pénétration. Cette méthode est très peu sûre.

   – L'utilisation du condom. Celui-ci est un préservatif masculin qui consiste en un capuchon en caoutchouc qui retient le sperme et l'empêche d'entrer en contact avec les organes génitaux féminins. Il faut le placer sur le pénis en érection avant la pénétration. Le déroulement du rapport sexuel est donc modifié. Le condom protège du sida et des autres maladies transmissibles sexuellement.

   – Le diaphragme et les spermicides, qui sont des préservatifs féminins. Le diaphragme est une sorte de membrane de caoutchouc ou de plastique qui vient recouvrir le col de l'utérus. Il est prescrit par un médecin et doit être introduit dans le vagin avant chaque relation sexuelle. Les spermicides sont introduits dans le vagin quelques minutes avant la relation sexuelle. Dans les deux cas, le déroulement du rapport sexuel est modifié.

b) Le second groupe est composé des méthodes chimiques. La pilule anovulante, qui empêche la production des hormones responsables de l'ovulation, en fait partie. Celle-ci modifie le déroulement du cycle menstruel féminin. La pilule doit être prescrite par un médecin qui vérifie s'il y a des contre-indications. Des examens médicaux périodiques s'imposent afin de vérifier la tolérance de l'organisme. Les anovulants doivent être pris régulièrement. Dans ce cas, c'est la femme seule qui assume la responsabilité de la contraception.

3. Les méthodes de stérilisation sont, pour la femme, la ligature des trompes, qui requiert une intervention chirurgicale sous anesthésie générale et, pour l'homme, la vasectomie, qui ne nécessite qu'une anesthésie locale et qui consiste à ligaturer les canaux déférents. Dans les deux cas, le fait de se savoir stérile peut entraîner des problèmes psychologiques.

4. Les méthodes abortives, utilisées après la fécondation, empêchent la nidation, c'est-à-dire l'implantation et le développement du fœtus.

Le stérilet empêche l'embryon de s'implanter dans l'utérus au sixième jour après la fécondation. Il s'agit d'un petit objet de métal ou de plastique qui a la forme d'un anneau, d'un ressort, d'une spirale ou d'une boucle que le médecin introduit dans l'utérus. Seul le médecin peut retirer le stérilet. Certains scientifiques disent que le stérilet ne fait qu'empêcher la rencontre de l'ovule et des spermatozoïdes, de sorte qu'on ne pourrait pas parler de méthode abortive.

La pilule du lendemain est un traitement hormonal : les hormones administrées à de très fortes doses empêchent le développement de l'œuf fécondé.

La pensée magique Certaines personnes refusent d'utiliser des méthodes contraceptives sous prétexte qu'elles brisent la spontanéité. Elles préfèrent prendre des chances. D'autres s'imaginent que les grossesses non désirées n'arrivent qu'aux autres. La pensée magique est encore très présente. Cependant, l'utilisation de la contraception augmente avec l'âge et la maturité : on pèse davantage les conséquences de ses actes, on prend moins de risques.

Diverses motivations

Certaines personnes utilisent des méthodes contraceptives au nom de la liberté sexuelle : elles prétendent ainsi pouvoir faire ce qu'elles veulent, quand elles le veulent. D'autres les utilisent au nom de leur responsabilité personnelle et sociale : mettre un enfant au monde a des conséquences à long terme et qui dépassent les individus en cause.

Un choix signifiant

Dans la société actuelle, la pratique de la contraception ou de la régulation des naissances semble tout à fait ordinaire et même banale. Sur le plan social, cette généralisation est peut-être l'indice d'une peur profonde chez les individus : peur devant les incertitudes de l'avenir, peur d'avoir des enfants difficiles, peur de devoir divorcer, etc.

Sur le plan individuel, peut-on choisir une méthode contraceptive de façon superficielle? On peut répondre à cette question d'un point de vue physiologique : dans le cas de l'utilisation de la pilule, ce choix ne peut pas être anodin puisqu'il entraîne la modification du déroulement du cycle de la femme. De plus, les anovulants doivent être pris sous contrôle médical. On peut aussi répondre à cette question d'un point de vue psychologique : l'utilisation d'un moyen contraceptif amène à clarifier ses motivations profondes, à se situer face à l'exercice de la sexualité. C'est l'occasion de se demander : Pourquoi est-il important, actuellement, d'éviter d'avoir des enfants? Qu'est-ce que je cherche en faisant l'amour avec telle personne? Les croyants et les croyantes sont appelés à préciser leurs motivations à la lumière des exigences de l'amour dont parle l'Évangile. Le choix d'une méthode contraceptive implique donc profondément les personnes et comporte des enjeux importants.

Une décision responsable

L'union et la procréation sont liées l'une à l'autre. L'enfant est l'expression visible de l'unité d'un couple et de son amour, un amour qui veut durer, qui veut laisser des traces. Mais s'il y a un lien entre union et procréation, cela ne veut pas dire que chaque rencontre sexuelle doit être effectivement procréatrice. Cela veut dire qu'il y a une exigence pour un couple de s'interroger sur ses capacités et ses possibilités de mettre au monde un enfant dans les circonstances actuelles de sa vie. «Combien d'enfants pouvons-nous avoir?», se demande un couple engagé. «Pouvons-nous prendre le risque d'avoir un enfant?», se demandent des jeunes qui se fréquentent. Chaque décision doit être prise à la lumière de la conscience. Pour des jeunes qui n'ont pas encore de stabilité affective et matérielle, il est rare que l'arrivée d'un enfant soit la bienvenue. Dès lors, il est important d'exercer sa sexualité de manière responsable, c'est-à-dire d'agir selon ses convictions personnelles et non par peur de déplaire ou pour faire comme tout le monde.

La maîtrise des désirs

Entre un homme et une femme, il y a un attrait charnel qui est l'expression d'un besoin et d'un désir. On peut nier ses désirs comme on peut les laisser envahir son existence. C'est ainsi que certaines personnes revendiquent la liberté totale dans l'expression de la sexualité : tout est permis, tout est possible. Mais on peut également orienter ses désirs et les harmoniser. Dans le domaine sexuel, cela veut dire qu'on cherchera à unifier les besoins du corps et du cœur. Et on ne peut y arriver sans les maîtriser, c'est-à-dire en acceptant certaines limites imposées par le respect des volontés de l'autre, le respect de la démarche amoureuse, le respect de son idéal, le respect du sens qu'on donne à l'amour, etc. Parler de la maîtrise des désirs, c'est en même temps parler de liberté, de capacité de prendre en mains son existence sans subir la domination des pièges de la société de consommation, sans avoir peur d'être rejeté et ridiculisé, sans avoir envie de dominer les autres.

Les critères de choix

Le choix d'une méthode est lié au sens de la responsabilité face à soi-même et aux autres. On doit choisir en se basant sur l'efficacité de la méthode et sur le respect de son corps. Si la pilule entraîne des risques pour la santé, il vaut mieux l'écarter; si la grossesse doit être absolument évitée, on doit choisir le moyen le plus sûr. La responsabilité face aux autres amène à choisir :

– Un moyen qui favorise le respect de l'embryon. Peut-on avoir recours aux méthodes abortives?

– Un moyen qui engage la responsabilité des deux partenaires. Il est important que le choix soit fait par les deux partenaires et que ceux-ci s'impliquent concrètement.

– Un moyen qui assure le respect de l'autre. Le moyen choisi doit favoriser le respect mutuel et l'expression de l'amour dans la tendresse.

Les raisons qui justifient le recours à la contraception peuvent disparaître. C'est pourquoi le critère de la réversibilité est si important. Il serait dommage que des jeunes choisissent la stérilisation alors qu'ils et elles ne connaissent pas ce que leur réserve l'avenir. Et pourquoi aurait-on peur de choisir une méthode qui inclut des périodes de continence? Le couple peut exprimer autrement son attachement mutuel en laissant plus de place à la tendresse.

Points de repère

REPÈRES MORAUX

Valeurs La protection de la santé.
Le sens de la sexualité et de l'amour.
Le respect de la liberté de l'autre.
La maîtrise de ses désirs.
La responsabilité personnelle et sociale.

L'Écriture L'Écriture ne dit rien sur la contraception comme telle.
Cependant, les textes de la création mentionnent les deux
dimensions de l'amour qui sont l'union : *Pour le coup, c'est l'os
de mes os et la chair de ma chair! (Gn 2, 23)* et la procréation :
*Soyez féconds, multipliez, emplissez la terre et soumettez-la
(Gn 1, 28)*.

Ce sont ces deux dimensions qui confèrent à l'amour toute sa
valeur et sa dignité. Au moment où les textes de la Genèse ont
été écrits, de même qu'au temps du Christ, l'obligation de
remplir la terre était réelle. Il n'en est pas ainsi aujourd'hui : la
fécondité doit être exercée de manière responsable de façon à
respecter le bien de la société et celui des personnes. Et
l'Écriture reconnaît que l'être humain a été créé raisonnable,
c'est-à-dire capable de prendre en mains sa destinée et celle du
monde.

**L'enseignement de
l'Église catholique** L'Église reconnaît la nécessité de recourir à la régulation des
naissances pour exercer sa fécondité d'une manière
responsable.

Le document le plus important est l'encyclique *Humanæ vitæ*,
parue le 25 juillet 1968. Le pape Paul VI y condamne
l'avortement, la stérilisation et les moyens contraceptifs
artificiels, ces derniers ne pouvant être utilisés que dans un
but thérapeutique. Seules les méthodes naturelles sont
approuvées. Que penser de la position de l'Église?

Cet enseignement n'est pas une recette, mais le rappel d'un
idéal. En effet, Paul VI rappelle le lien étroit qui doit exister
entre l'union et la procréation et précise le sens de l'amour
mutuel qui rejette toute forme d'exploitation et d'abus. Il
rappelle aussi que les méthodes naturelles présentent divers
avantages : elles favorisent le respect de la femme et de son
rythme biologique; elles prévoient des périodes de continence
qui favorisent le dialogue et l'expression de l'amour autrement
que par le rapport sexuel; elles impliquent l'homme et la femme
et développent la maîtrise de soi.

L'approche pastorale Cependant, l'Église reconnaît qu'en certaines circonstances
(pour éviter le risque d'une grossesse non désirée par exemple)
une personne fait preuve d'un comportement plus responsable
en utilisant un moyen contraceptif plutôt que rien du tout.

Selon certains théologiens

Conscients des difficultés concrètes que pose l'enseignement de l'encyclique, des théologiens et théologiennes ont dégagé des lignes de conduite pour favoriser l'exercice responsable de la sexualité. Voyons quelles lignes de conduite propose Xavier Thévenot[49].

Pour faire un choix responsable, l'homme et la femme sont appelés à :

1. Voir si les motivations qui poussent à la contraception sont conformes à l'amour proposé par l'Évangile : Pourquoi vouloir limiter les naissances? Quels moyens prendre? Sommes-nous libres par rapport aux pressions sociales? Quel est le sens des relations sexuelles pour moi? pour nous?

2. Dialoguer avec son partenaire pour prendre la meilleure décision possible dans les circonstances.

3. Peser les pour et les contre de telle et telle méthode.

4. Accepter de poursuivre la réflexion et l'approfondissement de l'amour en tenant compte des situations parfois très complexes. Par exemple, la méthode cyclique nous paraît peut-être impossible à appliquer aujourd'hui pour toutes sortes de raisons physiques ou psychologiques, mais il n'est pas nécessaire pour autant de dire «jamais». Un jour, cette méthode s'avérera peut-être la meilleure. Qui sait?

5. Remettre son choix en cause de façon à s'adapter aux personnes et aux circonstances.

Zoom sur le réel

Des problèmes à résoudre

En vous basant sur des points de repère, dites quel moyen contraceptif vous semble le meilleur dans chacun des cas suivants :

a) Brigitte et Jean, deux étudiants de cinquième année du secondaire, se fréquentent depuis six mois. Ils appartiennent tous deux au groupe Jeunes du Monde : pour eux, la foi est une valeur importante. Ils s'aiment, n'ont pas de projet à long terme et trouvent que le temps est venu d'avoir des rapports sexuels. Ils veulent éviter toute grossesse. Quel moyen contraceptif pourraient-ils choisir? Pourquoi?

b) Jean et Yukiko sont mariés depuis quelques années et ils ne veulent pas d'enfants pour le moment. Cela modifierait leurs plans de carrière et leurs projets de voyage. Yukiko ne peut plus prendre la pilule pour des raisons de santé.

Démarche

1. Quels sont les choix qui s'offrent face à la contraception? Quelles conséquences entraînent-ils?

2. Quelles sont les valeurs en jeu?

3. Que disent la médecine, l'Écriture, l'enseignement de l'Église catholique, la théologie sur chacun de ces choix?

4. Quel est le sens de l'enseignement de l'Église?

5. Évaluez en bien et en mal chacun des choix identifiés. Sur quels points de repère vous appuyez-vous?

6. Analysez la situation.

   – Quelle est la situation de chacun des couples présentés?

   – Quelles sont leurs motivations?

   – Y a-t-il conflit de valeurs?

7. Quel choix favoriserait le mieux-être des personnes? Justifiez votre point de vue.

Des atteintes à la vie

Il y a des moyens directs et indirects de porter atteinte à sa vie. L'usage abusif des drogues et de l'alcool, les comportements sexuels susceptibles d'augmenter les risques de contracter le virus du sida compromettent la durée et la qualité de la vie. Au milieu de la grandeur et des merveilles de la vie, il y a les maladies, les cataclysmes, les tragédies. Comment se situer face à toutes ces réalités? Quelle est notre responsabilité morale?

Les drogues et l'alcool

La science médicale a mis au point certaines drogues qui améliorent la qualité de la vie : elles soulagent des douleurs et permettent à des personnes de fonctionner de façon satisfaisante. Le lithium, par exemple, est une drogue thérapeutique utilisée pour soigner les états maniaco-dépressifs. Ce médicament permet aux personnes souffrant de cette maladie de vivre à peu près normalement. Sans cette drogue, elles passeraient le plus clair de leur temps dans des hôpitaux psychiatriques.

Utilisées à des fins non thérapeutiques, les drogues peuvent servir de moyens d'évasion. L'alcool et les drogues de toutes sortes (tranquillisants, stupéfiants, stimulants) ouvrent les portes de paradis artificiels. Cependant, leurs effets passagers entraînent l'accoutumance et la dépendance. Les drogues sont également utilisées à des fins non thérapeutiques dans le monde des sports et plus spécialement dans les sports de compétition. Plus de sept cents substances, dont certaines très dangereuses, sont utilisées et ce, malgré des règlements de plus en plus sévères. Par ailleurs, on ne peut pas oublier que 60 % des toxicomanes utilisant des seringues sont séropositifs. Dans ce groupe, près de 20 % sont atteints ou atteintes du sida. Serait-ce le prix à payer pour parvenir au bonheur? La qualité de vie est-elle compromise?

Des expériences, des solutions

Retour à la vie

Profiter de la vie, je pensais que ça voulait dire «tripper au max». Finalement, c'était l'enfer. Le pire, c'est qu'à ce moment-là je ne m'en rendais même pas compte parce que je ne pouvais pas m'imaginer vivre autrement. J'avais terriblement mal. Je pensais que j'étais folle, que j'étais la seule au monde à penser comme ça.

La drogue m'a permis d'échapper à la folie ou au suicide pendant un bon bout de temps. C'était un bon moyen pour fuir tout ce qui se passait autour de moi. Jusqu'au jour où elle a fini par détruire jusqu'à la dernière petite parcelle d'espoir qui me restait. Je me sentais tellement seule et vide. Je n'en pouvais plus. C'est à ce moment-là que je suis allée à ma première rencontre de narcotiques anonymes.

Là enfin, pour la première fois de ma vie, je me suis sentie à ma place. J'ai eu la sensation d'avoir trouvé du monde comme moi qui pouvait me comprendre sans me prendre pour une folle. J'ai enfin compris que je suis atteinte de la maladie de la dépendance. À ce moment-là, je savais que j'avais des problèmes de comportement. Je n'aimais pas ma façon d'agir et de penser, mais j'étais incapable de changer ça toute seule. Quand je suis entrée dans une salle de réunion, après avoir vu et entendu ce qui s'y passait, après avoir vu des gars tatoués, des hommes portant des cravates, du monde «straight» et des jeunes un peu plus marginaux que moi, je me suis dit : «Pourquoi ne pas essayer aujourd'hui, juste pour voir? Si ça marche pour eux, pourquoi pas pour moi?» De toute façon, c'était la seule solution qui me restait à part l'hôpital, la prison ou la morgue...

Depuis ce jour-là, je n'ai pas «consommé». Ça fait maintenant dix mois et quelques jours. En assistant à plusieurs réunions, j'ai rencontré beaucoup de gens et j'ai fini par trouver du monde avec qui je peux parler des vraies «affaires» en ayant confiance, ce que je ne pouvais pas faire avant. Avec ces personnes, j'apprends tous les jours à me connaître et j'essaie de faire des choses pour moi. Juste pour me sentir bien. J'apprends à «dealer» avec ce qui se passe autour de moi et à devenir plus tolérante. J'essaie d'être vraie. Avec le programme des douze étapes que m'offrent les N.A., je pense pouvoir arriver un jour à me sentir bien de plus en plus souvent. J'ai l'intention de réaliser tous les projets que j'ai en tête et de jouir de la vie au maximum.

Françoise [50]

Je suis sobre depuis maintenant deux ans. Je fais partie des alcooliques anonymes, un groupe qui me soutient et me permet de garder espoir. La vie n'était pas très rose pour moi, et surtout pour ma famille. Chaque fois que la tension augmentait, j'ouvrais une bouteille en me disant qu'un verre ne me ferait pas de tort. Le verre devenait la bouteille et le tort, je le faisais moi-même. Mais j'étais trop aveugle pour m'en rendre compte, trop fier pour me l'avouer. La boisson me rendait violent et méprisant. Mes enfants avaient honte et ils n'invitaient plus leurs amis à la maison. J'ai vécu dans ces conditions pendant des années, jusqu'au jour où mon patron a menacé de me congédier. J'ai pris les grands moyens et, malgré les difficultés, je me sens plus heureux. Vive les A.A.!

Jean-François

ZOOM

- L'usage des drogues et de l'alcool est-il parfois un moyen de régler certains problèmes?

- Quelles seraient les autres solutions possibles?

Confidentiel...

Selon toi, les personnes qui consomment de façon régulière des drogues et de l'alcool sont-elles plus heureuses?

Analyse de la situation

Un soulagement psychique

Les raisons pour lesquelles des personnes consomment des drogues et de l'alcool sont nombreuses. La recherche d'un soulagement psychique en est une : l'alcool et la drogue permettent d'évacuer certaines tensions. Cependant, si les sources de tension ne sont pas bien identifiées et contrôlées, le besoin de boire ou de se droguer s'accroît. Les quantités augmentent vite et tous les prétextes sont bons pour satisfaire ce nouveau besoin. Un second motif est le désir de fuir la vie, c'est-à-dire d'échapper aux responsabilités quotidiennes. Les difficultés de la vie sont trop grandes et les compensations, trop petites. On cherche à oublier un passé trop lourd et trop malheureux, une enfance privée d'affection, une mauvaise estime de soi, une timidité maladive. Il arrive aussi que certaines personnes se droguent ou boivent parce qu'elles ont peur de s'affirmer : anxieuses, elles recherchent dans la drogue et dans l'alcool l'audace dont elles ont besoin pour s'intégrer dans un groupe. Enfin, l'absence de raisons de vivre peut être une autre raison de «consommer» : c'est l'expérience du vide, de l'absurdité de la vie.

Conséquences possibles

L'abus des drogues et de l'alcool provoque l'isolement, la fuite de la réalité, la perte d'intérêt pour le travail ou pour les études, la difficulté d'aimer, la dépression, la perte de la maîtrise de soi, la dépendance. Une trop grande consommation entraîne des malaises physiques, au foie par exemple, des problèmes affectifs et professionnels. Il est souvent difficile pour les alcooliques et les toxicomanes de conserver leurs emplois.

Points de repère

REPÈRES MORAUX

Valeurs

Le respect de la vie.
La protection de la santé.
Le sens des responsabilités.

L'enseignement de l'Église catholique

L'enseignement de l'Église sur l'usage des drogues et de l'alcool est donné à l'intérieur de la réflexion sur le respect de la vie humaine. L'utilisation des drogues à des fins non thérapeutiques va à l'encontre du maintien de la santé de la personne.

REPÈRES LÉGAUX

Le droit

Des dispositions du Code criminel condamnent la possession et la vente des drogues et l'usage inapproprié de l'alcool.

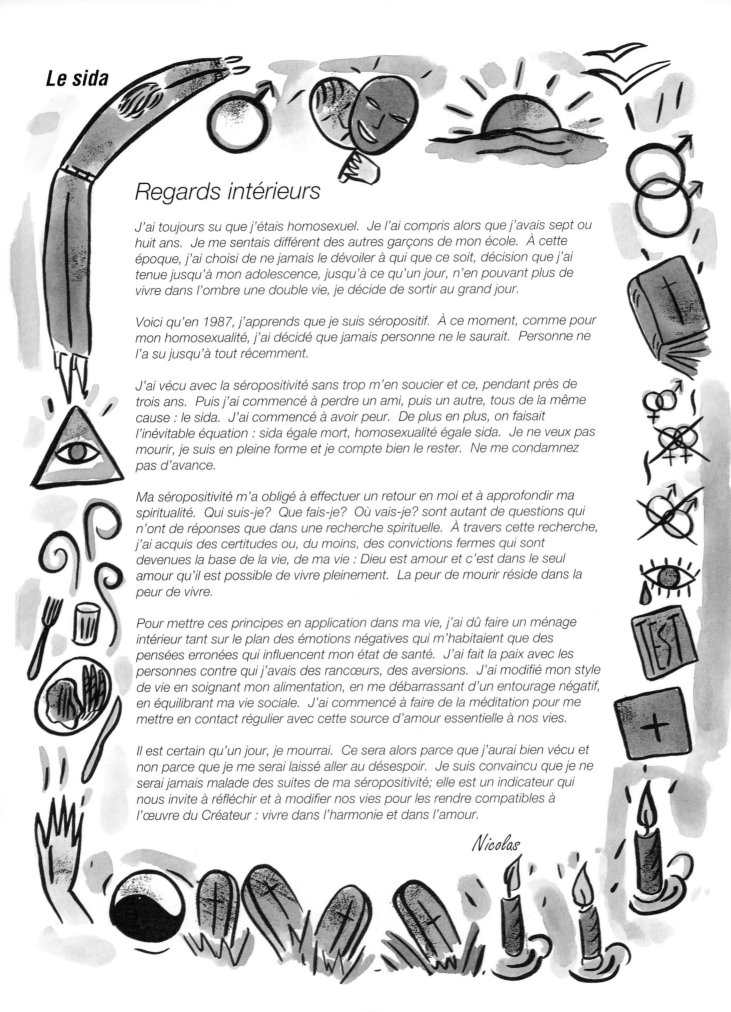

Le sida

Regards intérieurs

J'ai toujours su que j'étais homosexuel. Je l'ai compris alors que j'avais sept ou huit ans. Je me sentais différent des autres garçons de mon école. À cette époque, j'ai choisi de ne jamais le dévoiler à qui que ce soit, décision que j'ai tenue jusqu'à mon adolescence, jusqu'à ce qu'un jour, n'en pouvant plus de vivre dans l'ombre une double vie, je décide de sortir au grand jour.

Voici qu'en 1987, j'apprends que je suis séropositif. À ce moment, comme pour mon homosexualité, j'ai décidé que jamais personne ne le saurait. Personne ne l'a su jusqu'à tout récemment.

J'ai vécu avec la séropositivité sans trop m'en soucier et ce, pendant près de trois ans. Puis j'ai commencé à perdre un ami, puis un autre, tous de la même cause : le sida. J'ai commencé à avoir peur. De plus en plus, on faisait l'inévitable équation : sida égale mort, homosexualité égale sida. Je ne veux pas mourir, je suis en pleine forme et je compte bien le rester. Ne me condamnez pas d'avance.

Ma séropositivité m'a obligé à effectuer un retour en moi et à approfondir ma spiritualité. Qui suis-je? Que fais-je? Où vais-je? sont autant de questions qui n'ont de réponses que dans une recherche spirituelle. À travers cette recherche, j'ai acquis des certitudes ou, du moins, des convictions fermes qui sont devenues la base de la vie, de ma vie : Dieu est amour et c'est dans le seul amour qu'il est possible de vivre pleinement. La peur de mourir réside dans la peur de vivre.

Pour mettre ces principes en application dans ma vie, j'ai dû faire un ménage intérieur tant sur le plan des émotions négatives qui m'habitaient que des pensées erronées qui influencent mon état de santé. J'ai fait la paix avec les personnes contre qui j'avais des rancœurs, des aversions. J'ai modifié mon style de vie en soignant mon alimentation, en me débarrassant d'un entourage négatif, en équilibrant ma vie sociale. J'ai commencé à faire de la méditation pour me mettre en contact régulier avec cette source d'amour essentielle à nos vies.

Il est certain qu'un jour, je mourrai. Ce sera alors parce que j'aurai bien vécu et non parce que je me serai laissé aller au désespoir. Je suis convaincu que je ne serai jamais malade des suites de ma séropositivité; elle est un indicateur qui nous invite à réfléchir et à modifier nos vies pour les rendre compatibles à l'œuvre du Créateur : vivre dans l'harmonie et dans l'amour.

Nicolas

Analyse de la situation

Virus   Le virus d'immunodéficience humaine (VIH) est très petit et attaque les cellules du système immunitaire. L'organisme ne peut plus se défendre contre les maladies et devient la victime de toutes les infections qui peuvent venir l'attaquer.

Il est à noter que certaines personnes porteuses du VIH ne présentent pas immédiatement les symptômes apparentés au sida, même si les anticorps au VIH se développent dans les semaines qui suivent le contact. Toutefois, la séroconversion n'est dépistable qu'après trois à six mois. Il semblerait que la période d'incubation du virus varie selon les individus et différents facteurs sociologiques ou psychologiques.

Transmission   Le virus du sida se transmet de trois façons.

– Par les **rapports sexuels**. Le virus est présent dans les globules blancs des sécrétions sexuelles d'une personne séropositive. Il pénètre dans l'organisme par les muqueuses vaginales ou anales ou encore par contact direct des sécrétions corporelles, avec des éraflures ou des lésions buccales, par exemple.

– Par le **sang**. Un contrôle sévère du sang des personnes donneuses a permis de réduire les risques de transmission du VIH par les transfusions ou par les traitements par des produits sanguins. Les personnes qui utilisent les drogues par voie intraveineuse et qui partagent leurs seringues s'exposent à des risques très élevés.

– Par le **placenta**. Une mère séropositive peut, dans 30 à 40 % des cas, contaminer l'enfant qu'elle porte.

Même si le virus ne semble transmissible que par les voies indiquées ci-dessus, la prévention et le dépistage sont essentiels.

Prévention   L'utilisation adéquate du préservatif masculin par les personnes atteintes ou ayant des comportements à risque, et qui ne veulent pas ou ne peuvent pas rester continentes est un moyen de prévention relativement efficace.

L'utilisation de seringues jetables par les toxicomanes peut contribuer à réduire les risques de transmission du virus.

Par ailleurs, la maladie étant largement liée à des comportements dits à risque, il importe de changer son mode de vie pour éviter de contracter le virus. La liberté ne peut s'exercer sans responsabilité personnelle et sociale. Les personnes atteintes ne peuvent pas cacher cette réalité à leurs partenaires. C'est une question de vie et de mort.

Points de repère

Valeurs Le respect de la vie et de la qualité de la vie.
La protection de la santé.
Le respect de la dignité humaine.
Le sens des responsabilités.

L'Écriture En ce qui a trait à l'attitude et à la conduite que nous devons avoir face à une personne atteinte du sida, Jésus nous invite à accueillir et à nous approcher de ceux et celles qui ont besoin d'attention.

En vérité je vous le dis, dans la mesure où vous l'avez fait à l'un de ces plus petits de mes frères, c'est à moi que vous l'avez fait.
(Mt 25, 40)

L'enseignement de l'Église catholique L'allocution présentée par Mgr Jean-Claude Turcotte dans le cadre de la Journée internationale du sida (1er décembre 1992) met l'accent sur l'accueil des personnes atteintes et les comportements responsables.

L'Église et le sida[51]

Ré-humaniser les manifestations de l'amour

La recherche médicale est indispensable pour vaincre le sida, mais le sont tout autant l'éducation à l'amour, de même que l'éducation au respect de soi et des autres. Pour vaincre le sida, il ne suffit pas de protéger les relations sexuelles ou de distribuer gratuitement des seringues parfaitement aseptisées. Il faut réhabiliter et ré-humaniser les manifestations de l'amour. Il faut réhabiliter et ré-humaniser le respect et l'estime que l'on se doit à soi-même et que l'on doit aux autres. Il faut éduquer à la maîtrise de soi, non pas pour empêcher l'amour mais pour le rendre possible. La tâche est urgente. Elle exigera beaucoup de nous.

Agir comme le Christ

Les personnes atteintes du sida sont nos frères et nos sœurs en humanité. Ce sont des êtres à aimer, à respecter, à soutenir, à accompagner tout au long du dur chemin qu'ils ont à franchir et du drame qu'ils ont à vivre. Si nous estimons être des disciples du Christ, il n'y a qu'une attitude à adopter à leur égard : celle dont le Christ a donné l'exemple.

Le Christ n'est pas venu juger, il est venu sauver. Il n'est pas venu accuser, il est venu pardonner. Il ne s'est pas éloigné des malades, il s'est fait proche d'eux. Il n'a pas baissé les bras devant la maladie, il a lutté contre elle. Il n'a pas repoussé loin de lui ceux et celles dont la vie semblait détruite et perdue, il leur a offert une nouvelle vie. Jamais il n'est resté indifférent devant une personne blessée, angoissée, brisée. Il savait s'arrêter, établir des liens de confiance. Il apportait la lumière et la chaleur de son amitié. Il redonnait le goût de se relever. Si désespérée que pouvait apparaître la situation de celui ou celle qu'il rencontrait, il était porteur d'espérance. L'Église doit penser et agir comme le Christ. Je crois que dans la situation présente, l'action de l'Église devrait porter sur trois tâches particulières.

La première est de combattre énergiquement tout ce qui conduit, d'une manière ou d'une autre, à juger négativement les personnes atteintes du sida et à les mettre à l'écart. Il importe qu'on le sache et qu'on le dise : le sida n'est pas un péché qui colle à la peau mais une maladie. Une maladie qui, aujourd'hui, atteint de nombreux innocents. Parmi les maladies, aucune ne mérite le qualificatif de honteuse ou infamante. Pas plus le sida que les autres. Quant à la responsabilité des personnes qui ont posé des actes qui ont conduit à la transmission de cette maladie, comment pourrions-nous en juger? Dieu seul est juge des consciences!

La deuxième tâche que je reconnais à l'Église est de favoriser une approche globale des malades. Il me semble que l'Église peut avoir, à cet égard, un rôle bénéfique à jouer, donnant l'exemple d'une attention à tous les besoins d'un malade atteint du sida, favorisant son insertion dans la société, l'aidant à percevoir la valeur de son existence blessée, favorisant les contacts avec les membres de sa famille et assurant son accompagnement jusqu'au dernier jour de sa vie.

La troisième tâche que l'Église doit assumer est évidemment d'ordre spirituel. Toute personne gravement malade est rapidement conduite à se poser des questions existentielles fondamentales : Quel est le sens de ma vie? Pourquoi suis-je ainsi frappé? Quelle a été la valeur de ma vie? Que m'arrivera-t-il au terme de ma vie? Ces questions, la personne atteinte du sida se les pose dans un contexte particulièrement dramatique.

Le rôle des chrétiens et des chrétiennes qui accompagnent les victimes du VIH est d'accomplir tout ce qui est en leur pouvoir pour qu'aux heures extrêmement difficiles qu'ils vivent, les malades puissent demeurer conscients de leur dignité, de leur valeur personnelle et de la valeur de leur existence blessée. Leur rôle est aussi de veiller à ce que les malades soient invités à se tourner vers Dieu et, si tel est leur désir, qu'elles puissent entendre les paroles d'espérance que l'Évangile proclame. Leur rôle consiste également à implorer pour le malade la grâce de percevoir que la souffrance peut devenir un creuset qui unit à la Pâque du Christ.

Aux malades du sida, comme à tous les malades et comme à chacun et chacune d'entre nous, l'Église redit le message évangélique. Nous sommes aimés de Dieu. La vie est une Pâque. Au-delà de la mort, la vie éternelle nous a été promise. Dès maintenant nous pouvons participer à la victoire du Ressuscité sur la souffrance, l'angoisse et la mort. Notre foi au Christ, que nous appelons le Vivant, nous entraîne dans une lutte pour la vie et contre la mort. Solidaires de toutes les personnes de bonne volonté, nous combattons tout ce qui défigure la vie. Solidaires de tous les scientifiques et de tous les professionnels de la santé, nous encourageons vivement la recherche qui, dans le plus grand respect des personnes malades, permettra de vaincre le VIH.

La lutte que nous menons ici-bas n'est pas vaine. Elle donne un sens à notre existence. Elle donne du poids à chacun des instants qu'il nous est donné de passer sur terre. Et elle nous prépare à consentir un jour à donner notre vie, comme le Christ l'a fait, pour la retrouver, toute neuve... auprès de Dieu.

La souffrance et la mort

La mort est un des signes de nos limites humaines. Le fait de n'avoir pas toujours vécu et le fait de devoir mourir sont comme des marques inscrites dans notre corps qui nous disent que la vie est un don. Parfois, ce n'est pas tant notre mort qui pose problème, mais plutôt celle des personnes qu'on aime. La conscience de notre mort peut-elle donner une autre dimension à notre vie?

La réalité de la souffrance est évidente. Les journaux en parlent en termes de guerre, de pauvreté, de violence, d'injustice. On peut en identifier des traces dans notre vie : les échecs, les maladies, les ruptures, les déceptions sont des exemples de la réalité de la souffrance.

Qu'est-ce qu'on peut faire face à la mort qui vient? Qu'est-ce qu'on peut faire pour arrêter la souffrance physique et morale? Certaines personnes parlent d'euthanasie et de suicide, alors que d'autres cherchent des moyens de vivre «avec» la souffrance. Quels choix favorisent le mieux-être des personnes?

La souffrance vue de l'intérieur

La souffrance peut être physique; les médecins cherchent alors à la soulager par tous les moyens possibles. Les souffrances morale et psychologique, tout aussi douloureuses que la souffrance physique, sont subjectives car ce qui fait souffrir une personne peut en laisser une autre indifférente. Il est difficile parfois de comprendre la peine qui afflige nos amis et amies ou nos parents. On se surprend parfois à leur dire : «Oublie tout ça, fais un effort», prêtant à la volonté un pouvoir de guérison.

Face à la souffrance, plusieurs attitudes sont possibles : le rejet ou le refus de la réalité, la résignation ou la révolte. Dans *Comment parler de la souffrance?*[52], André Fossion fait une réflexion sur les conduites que peut adopter une personne qui souffre. Cette réflexion nous permet de mieux saisir l'expérience intérieure de la personne qui souffre.

La souffrance peut-elle être une expérience positive?

Un changement

L'expérience de la souffrance est celle d'un changement provoqué par quelque chose d'extérieur à soi, comme la perte d'un emploi ou quelque chose d'intérieur à soi, comme la maladie ou l'âge. De façon douloureuse parfois, la personne qui souffre prend conscience que le monde n'est pas un paradis, qu'il n'est pas parfait. Passer d'un état de richesse à un état de pauvreté, d'un état d'indépendance à un état de dépendance demande beaucoup de courage. Le changement renvoie la personne à elle-même et la place devant la responsabilité de reprendre sa vie en mains. La souffrance, parce qu'elle provoque un repli sur soi, permet une intimité avec soi-même.

Cela est vrai de la douleur physique qui montre combien notre corps est notre vie elle-même et non seulement un simple objet froid dans un monde indifférent. Cela est encore plus vrai de la souffrance morale, à la suite par exemple de la perte d'un être aimé, qui nous révèle la texture de ce que nous sommes à travers ce que nous aimons [...][53]

La rencontre de l'autre

La souffrance qui arrive et contrarie des désirs légitimes comme la santé, la richesse, la réussite, la gloire ou la maîtrise de sa vie, ouvre à la possibilité d'avouer sa douleur à l'autre, à quelqu'un qui est prêt à écouter sans porter de jugement. Raconter sa peine et partager sa souffrance, aide à sortir de l'illusion, à faire face à la réalité et même à trouver le sens qu'une telle épreuve peut avoir dans sa vie. Parler libère de l'angoisse comme en fait foi la popularité des émissions de ligne ouverte, des centres d'écoute et des services téléphoniques d'aide morale. Dans les hôpitaux, les services de soins palliatifs répondent à ce besoin de parler : une équipe multidisciplinaire composée de psychologues, de pasteurs et d'agentes de pastorale, de musicologues, se mettent au service des malades en phase terminale.

L'expérience de la souffrance, aussi difficile soit-elle, peut faire vivre des moments d'ouverture profonde à l'autre. C'est ainsi qu'une expérience de solitude peut devenir une expérience de solidarité : on fait confiance à l'autre, ce qui permet de traverser l'épreuve avec quelqu'un, avec espoir. N'avez-vous pas déjà parlé des heures au téléphone pour vous vider le cœur?

Un combat contre le mal

Sur le plan personnel, faire face à la souffrance ne signifie pas s'y complaire ou se résigner d'avance. L'expression «On n'y peut rien» rend tout combat inutile. Faire face à la souffrance, c'est faire la vérité et cette attitude combat la révolte qui pousse quelqu'un à accuser les autres de son malheur. Dans un sursaut de révolte, on accuse plutôt que d'assumer ses responsabilités et de faire l'effort de reprendre sa vie en mains. L'ouverture à l'autre peut donner le courage de lutter contre la souffrance. Vous connaissez peut-être des personnes qui ont vaincu le cancer ou regagné l'estime d'elles-mêmes. Pas facile!

Sur le plan social, on fait face à la souffrance en menant des luttes contre ce qui fait souffrir et mourir. La recherche médicale a permis de mettre au point des médicaments qui soulagent la douleur physique; des campagnes de financement s'organisent pour soulager la misère; des programmes sociaux cherchent à combattre la pauvreté et la violence; des «téléthons» font appel à la générosité des gens. Tous ces efforts tentent de briser l'indifférence collective en ouvrant la conscience des gens et en éveillant le sens des responsabilités. Ce travail de solidarité n'est jamais terminé.

La compassion

Celui ou celle qui écoute et encourage souffre avec l'autre, devient solidaire : rien de ce que l'autre vit ne laisse indifférent ou indifférente. Lutter ensemble contre la souffrance, c'est partager des peines, c'est vivre la compassion. Chaque jour, une femme âgée et malade rend visite à sa fille à l'hôpital : le don d'elle-même, cette capacité qui vient de l'amour, importe plus que sa vie. Sa propre souffrance et sa propre mort sont moins importantes que son amour.

Le sens de la mort

Elisabeth Kübler-Ross, cette femme médecin qui fut la première à mettre sur pied des services pour les malades en phase terminale, présente la mort comme la dernière étape de la croissance humaine. Arrivée au terme, chaque personne a quelque chose d'important à vivre pour partir en paix avec elle-même et avec ceux et celles qu'elle aime. Escamoter cette étape, c'est priver inutilement la personne de sa conscience, l'empêcher de faire ses adieux, de régler certains problèmes, de mettre de l'ordre dans sa vie. Accepter l'éventualité de notre mort, c'est nous ouvrir à la possibilité de vivre autrement en accordant aux choses leur juste importance, en contrôlant nos ambitions, en ne perdant pas de vue nos amours et nos amitiés. Il suffit d'écouter des personnes qui vivent un deuil pour entendre leurs regrets, celui de ne pas avoir pris le temps d'être avec l'autre ou de lui avoir dit tout son amour, par exemple.

La mort est la clef qui ouvre la porte de la vie. C'est en acceptant la finitude de l'existence individuelle qu'on peut trouver la force et le courage de rejeter ces rôles et attentes extrinsèques et consacrer chaque jour de sa vie, si longue qu'elle soit, à croître aussi pleinement que possible. Il faut apprendre à utiliser ses ressources intérieures, à se définir selon son propre système d'évaluation intérieur plutôt que d'essayer de se conformer à un rôle stéréotypé quelconque.

C'est pour une part la dénégation de la mort qui fait mener aux gens ces vies vides et sans but; car en vivant comme si on allait vivre toujours, il est trop facile de mettre à plus tard ce qu'on sait devoir faire. On vit dans l'attente du lendemain ou avec le souvenir du passé et entre temps chaque jour se perd. Celui qui, au contraire, comprend que le jour auquel il s'éveille pourrait être le dernier prend le temps de croître ce jour-là, de devenir lui-même et de rejoindre les autres [54].

La réalité de la mort donne du prix et de la valeur à la vie présente. N'est-ce pas l'expérience que font les personnes qui survivent à un accident ou à une maladie très grave? Elles ne vivent plus de la même manière, elles «changent leurs priorités», comme elles le disent.

Face à une personne qui va mourir, il est important de répondre aux questions posées, de dire la vérité. Puisque le temps qu'il lui reste à vivre est limité, elle a le droit de savoir comment l'utiliser, comment le mettre à profit. Les médecins ont parfois de la difficulté à répondre aux questions des personnes qui vont mourir. Ils ou elles ont peur de déclencher l'angoisse, la dépression ou le désespoir alors que d'autres, en dévoilant aux malades leur fin prochaine, leur permettent de continuer de diriger leur vie dans les limites qui sont maintenant les leurs. Le problème de la vérité face à la personne malade est d'abord le problème d'une vérité face à soi-même : quand une personne aimée est souffrante, on préfère parfois ignorer soi-même la réalité et se taire.

Jésus et la souffrance

Parler de la souffrance dans le monde et surtout de la souffrance des victimes innocentes (les enfants qui meurent d'un cancer ou de la famine, par exemple) peut conduire à questionner le Dieu Amour. Comment penser que Dieu puisse tolérer le mal? On implore parfois son intervention directe en le mettant au défi : «Si tu existes, fais quelque chose!» Ce défi lancé à Dieu, si soulageant soit-il, n'est-il pas une autre façon de remettre à un autre la responsabilité de diriger notre vie, de renoncer à notre liberté?

Dans son enseignement, et malgré les innombrables souffrances physiques et morales dont il était témoin, Jésus a continué de présenter Dieu comme un Dieu Amour, un Dieu qui accueille sans conditions. La parabole du fils prodigue et celle des ouvriers de la vigne en sont des exemples.

Dans sa vie personnelle, Jésus a été victime du mal. Lui, l'innocent, a connu le rejet et la trahison et Dieu n'est jamais intervenu en sa faveur d'une manière magique. Il ne l'a pas soustrait à ses épreuves. Jésus le priait et vivait ses temps d'épreuve avec son Père, de connivence avec lui.

Face à la souffrance et au mal, qu'a fait Jésus? L'Évangile révèle que Jésus n'a pas gardé le silence : il s'est engagé à enrayer le mal, à le combattre par le bien qu'il répandait. Là non plus, Jésus n'a pas attendu la baguette magique de Dieu, il a pris ses responsabilités d'homme. Qu'a-t-il fait précisément?

Jésus fait face à la souffrance

À travers son enseignement, on reconnaît la clairvoyance de Jésus. Il voit que le bien et le mal sont au cœur de la personne, que les deux se côtoient, comme le dit la parabole de l'ivraie et du bon grain (Mt 13, 30).

Le récit des tentations montre Jésus aux prises avec le tentateur qui lui propose de combler immédiatement ses désirs.

Jésus résiste à la tentation de la faim. En cela, il ressemble à l'être humain qui doit attendre et vivre avec le manque... de santé, d'argent, de sécurité, de plaisir.

Le diable lui dit : «Si tu es Fils de Dieu, dis à cette pierre qu'elle devienne du pain.» Et Jésus lui répondit : «Il est écrit : Ce n'est pas de pain seul que vivra l'homme.» (Lc 4, 3-4)

Jésus résiste à la tentation du pouvoir absolu sur les autres. Il choisit de rester vulnérable. Et en cela il ressemble à l'être humain qui doit faire face à ses limites personnelles telles l'échec, la honte, la maladie, l'abandon. Il montre en même temps que la souffrance fait partie de la condition humaine.

L'emmenant plus haut, le diable lui montra en un instant tous les royaumes de l'univers et lui dit : «Je te donnerai tout ce pouvoir et la gloire de ces royaumes, car elle m'a été livrée, et je la donne à qui je veux. Toi donc, si tu te prosternes devant moi, elle t'appartiendra tout entière.» Et Jésus lui dit : «Il est écrit : Tu adoreras le Seigneur ton Dieu, et à lui seul tu rendras un culte.» (Lc 4, 5-8)

Jésus renonce au pouvoir de maîtrise sur sa propre vie. Il reçoit la vie comme un don et non comme un dû.

Puis il le mena à Jérusalem, le plaça sur le pinacle du Temple et lui dit : «Si tu es Fils de Dieu, jette-toi d'ici en bas; car il est écrit : Il donnera pour toi des ordres à ses anges, afin qu'ils te gardent. Et encore : Sur leurs mains, ils te porteront, de peur que tu ne heurtes du pied quelque pierre.» Mais Jésus lui répondit : «Il est dit : Tu ne tenteras pas le Seigneur, ton Dieu.» Ayant ainsi épuisé toute tentation, le diable s'éloigna de lui jusqu'au moment favorable. (Lc 4, 9-13)

Jésus lutte contre la souffrance

Jésus dénonce la souffrance et pendant toute sa vie publique, il lutte contre le mal sous toutes ses formes. Pierre parle de Jésus comme de celui *qui a passé en faisant le bien et en guérissant tous ceux qui étaient tombés au pouvoir du diable; car Dieu était avec lui (Ac 10, 38).*

Il veut renverser le mal, triompher de ce qui fait souffrir et rend malheureux : *Moi, je suis venu pour qu'on ait la vie et qu'on l'ait surabondante (Jn 10, 10).*

Pour ce faire, Jésus doit s'opposer à certaines coutumes, comme de ne pas parler aux femmes, de ne pas s'approcher des personnes atteintes de la lèpre, de ne pas fréquenter les pêcheurs et pêcheresses, etc. Il va résister de toutes ses forces à ces règles qui plongent les victimes dans une souffrance continuelle. Il renonce du même coup à se laisser dominer par les autres et par la peur. Il affirme sa liberté intérieure qui le préserve de toute forme d'aliénation.

Jésus se montre compatissant

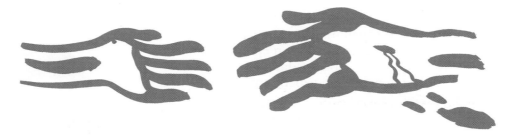

Le combat que Jésus menait l'a rendu vulnérable et sa mort en croix résulte de son amour et de sa compassion pour toute l'humanité souffrante. Sur la croix, il révèle le sens des paroles qu'il avait dites au dernier repas : «Ceci est mon corps livré pour vous». Jésus donne sa vie plutôt que de renoncer à aimer. Il peut mourir, mais son amour demeure, semble-t-il nous dire. Il exprime sa compassion en pardonnant à ses bourreaux : il compatit pour ainsi dire à leur ignorance, à leur misère intérieure.

Jésus enseigne la compassion à travers la très belle parabole du bon Samaritain qui, face à la souffrance de l'autre, ne s'est pas fermé les yeux. En mettant le blessé sur sa monture et en le conduisant à l'hôtellerie, il lutte contre le mal et entre dans sa misère.

Aujourd'hui, des croyants et des croyantes joignent leurs efforts à tous ceux et celles qui luttent contre la souffrance. On les retrouve dans les hôpitaux, dans les centres de soins de longue durée, dans les services de soins palliatifs, dans les centres d'écoute. Leur compassion permet à des personnes de faire face à leurs souffrances et de mener une lutte constructive.

Un homme descendait de Jérusalem à Jéricho, et il tomba au milieu de brigands qui, après l'avoir dépouillé et roué de coups, s'en allèrent, le laissant à demi mort. Un prêtre vint à descendre par ce chemin-là; il le vit et passa outre. Pareillement un lévite, survenant en ce lieu, le vit et passa outre. Mais un Samaritain, qui était en voyage, arriva près de lui, le vit et fut pris de pitié. Il s'approcha, banda ses plaies, y versant de l'huile et du vin, puis le chargea sur sa propre monture, le mena à l'hôtellerie et prit soin de lui. Le lendemain, il tira deux deniers et les donna à l'hôtelier, en disant : «Prends soin de lui, et ce que tu auras dépensé en plus, je te le rembourserai, moi, à mon retour.» (Lc 10, 30-35)

Confidentiel...

As-tu déjà vécu une expérience semblable à celle dont parle la parabole du bon Samaritain?

Jésus et la mort

La mort n'est pas la fin de tout. La résurrection nous est promise comme Jésus l'a annoncé à ses disciples :

Et quand je serai allé et que je vous aurai préparé une place, à nouveau je viendrai et je vous prendrai près de moi, afin que, là où je suis, vous aussi, vous soyez.
(Jn 14, 3)

La mort de Jésus n'est pas la fin de l'amour qui l'a animé toute sa vie. D'autres maintenant vont continuer, d'autres qui vivent aujourd'hui dans toutes les «Galilée» de la terre, là où des hommes et des femmes ont besoin d'être ramenés à la vie. Jour après jour, et au-delà des apparences, la vie continue de l'emporter sur la mort, la fraternité sur la haine, le respect sur le mépris, la justice sur l'injustice.

Au-delà de la mort

Dans un très beau texte, le psychanalyste Michel Dansereau raconte comment l'amour de son épouse, signe de l'amour de Dieu, continue de circuler dans sa vie [55]. La mort n'arrête pas tout, à la condition cependant que l'on partage cet amour, qu'on le répande.

J'aimerais vous confier les dernières paroles que m'a dites ma compagne de vie avant de mourir, il y a maintenant trois ans : «Toi mon Michel je t'aime, c'est seulement ça qui est important». Ému et bouleversé, j'ai enregistré cette phrase sans en comprendre immédiatement toute la portée. Ce n'est que brisé, dans la solitude qui a suivi, que ces mots me sont revenus dans leur grande simplicité. Ils ont été une consolation inépuisable en se chargeant du sens qu'avait eu sa vie à mon endroit, durant plus de trente-et-un ans. Ma propre vie se chargeait du même sens : il n'y avait que ça d'important!

Elle m'avait préparé à sa mort par plusieurs opérations qu'elle avait acceptées avec courage, où j'ai finalement compris comment son corps nous avait appris à nous détacher de la matière. Elle avait sacrifié un sein, puis ses cheveux étaient tombés, elle devait devenir aveugle pour un temps, et chaque fois l'évidence m'apparaissait que rien d'essentiel en elle n'était touché. Je ne l'en aimais que davantage. Les cicatrices elles-mêmes avaient quelque chose d'émouvant, comme les blessures d'une combattante vaillante qui défend sa vie et celle des siens. Elle aurait pu perdre un bras, une jambe, un poumon, et effectivement elle a tout donné : son corps était perdu pour moi, mais j'avais la révélation que l'essentiel de son être ne se réduisait à aucun de ses organes perdus. Le corps souffrant jusqu'à sa limite conduisait, en toute humilité, à la reconnaissance de l'esprit qui l'habite. Il était une source irremplaçable d'une quête de sens, d'une quête spirituelle, et ce bien qu'il donnait, personne ne pouvait me le ravir (Jn 16, 22).

Dans le travail de deuil qui s'ensuivit, alors qu'on se reproche mille et une choses qu'on a faites, ou pire, qu'on aurait dû faire à l'être aimé, ses paroles me sont revenues comme un baume : «Je t'aime, c'est seulement ça qui est important». Aucune séparation, aucune perte ne pouvait les amoindrir, aucune faute n'était retenue. [...] Je réalisais à quel point j'avais tout reçu de cette femme et le beau poème d'Aragon me revenait souvent en tête :

Que serais-je sans toi qui vins à ma rencontre...
Que serais-je sans toi qu'un cœur au bois dormant...
[...]

Son influence sur moi excluait tout esprit de domination, toute passivité. «Je t'aime» m'était donné dans un indicatif présent, j'allais dire un présent éternel; c'était un appel qu'il dépendait désormais de moi d'assumer en répondant activement à l'amour par l'amour; c'était un bien qui ne pouvait que s'accroître dans la mesure où je réussirais à le faire partager. Et ce qui m'étonne encore, au-delà du médium qui se confondrait avec le message, c'est que cette influence se soit exercée aussi modestement en tant que la messagère avait accepté de s'effacer, puisqu'elle est morte, au profit du message : en faveur de cette bonne nouvelle que j'étais aimé, que j'étais aimable!

Ce que j'entends maintenant dans ces mots et qui défilent devant mes yeux, c'est ma mère qui m'a aimé, mon père, ma sœur, mes frères, mes enfants, mes petits-enfants dans une continuité admirable. Serais-je présomptueux de voir dans mon épouse la manière privilégiée qu'a prise l'élégance de Dieu pour me dire concrètement son désir d'amour? J'ai toujours senti dans notre union, mais d'une façon tellement plus confuse et à laquelle je ne répondais pas toujours très adéquatement, cette Présence qui était toujours offerte [...]. C'est au creux de la solitude que cet Esprit m'est apparu plus clairement et que j'ai compris la réflexion de Lavelle : «Celui qui semble toujours seul n'est jamais seul. Il a trouvé en lui une lumière qui l'éclaire, une source qui l'alimente». C'est dans cette vie de l'Esprit qui sépare et unit à la fois que l'amour de Dieu se découvre sans repentance. Il ne saurait éternellement séparer ce qu'il a lui-même uni. Il est ma seule espérance que me soit un jour rendue «la fleur qui plaisait tant à mon coeur désolé» (G. Nerval).

Voici la demeure de Dieu avec les hommes. Il aura sa demeure avec eux [...]. Il essuiera toute larme de leurs yeux : de mort, il n'y en aura plus, de pleur, de cri et de peine, il n'y en aura plus, car l'ancien monde s'en est allé. (Ap 21, 3-4)

ZOOM

- En vous inspirant des textes présentés, dites quel est le sens de la mort.
- Quel est le sens de la résurrection de Jésus?

Quelques enjeux - 2

La société de consommation et le monde de la publicité nous plongent dans un monde d'illusions : on voit des gens jeunes et beaux qui annoncent des produits-miracles, qui déambulent dans la richesse et la gloire comme si le paradis était une réalité. Tout ce beau monde et tout le plaisir qui l'accompagne tentent de nous convaincre, avec beaucoup de succès d'ailleurs, que nos besoins peuvent toujours être satisfaits, que la souffrance n'existe pas, que nous pouvons poursuivre nos rêves de non-souffrance et même d'immortalité. Cependant, la réalité est tout autre puisque la souffrance et la mort nous atteignent profondément.

Quelles réactions peut-on avoir quand la souffrance survient et nous touche?

On peut l'accepter et y faire face, mais sans s'y résigner pour autant. Une saine lutte s'engage : on s'ouvre aux autres et c'est ensemble qu'on essaie de renverser la situation.

On peut s'y résigner et abdiquer devant le combat à livrer. On perd d'avance.

On peut fuir et chercher à précipiter l'inévitable.

On peut se révolter et la violence, qu'elle se manifeste en paroles ou en actes, a bien des chances de triompher.

Quelles réactions peut-on avoir face à la souffrance de l'autre? On peut refuser la réalité. On n'ose pas lui dire la vérité. On fait semblant qu'il n'y a rien, que la maladie n'est pas terminale, que la perte d'un emploi ne peut entraîner la dépression, que tout ira bien. On se protège, on a peur d'avoir mal.

On peut fuir la souffrance de l'autre en restant indifférent ou indifférente. On ne réagit pas aux appels à l'aide, on se ferme.

Quelle conduite est la meilleure dans telle et telle circonstance?

L'euthanasie

L'euthanasie... ce mot cache plusieurs significations et une clarification s'impose. Il soulève aussi des questions fondamentales qui prennent tout leur sens quand la vie nous met en contact avec une personne qui entre, souffrante, dans ses derniers moments.

Que faire si elle réclame l'arrêt direct ou indirect de ses souffrances? L'angoisse, la peine, la compassion ou la peur peuvent nous saisir à la gorge tant le sens de la vie, de la mort et de la souffrance sont remises en question. En quoi consiste l'euthanasie? Qu'en pensez-vous?

Des points de vue

Il y a deux façons d'envisager l'euthanasie : sous l'angle de l'indifférent et sous l'angle du croyant. C'est fondamental. Dans le premier cas, l'euthanasie est acceptable si la personne en a clairement manifesté le désir avant et si elle a exprimé, très sincèrement, qu'elle ne croyait pas à l'au-delà. Malgré les dangers (quelqu'un pourrait avoir intérêt à ce qu'une personne meure), elle peut être considérée comme un moindre mal. Dans le cas des croyants, c'est tout à fait inadmissible. Dieu est le seul maître de la vie et de la mort, et intervenir pour abréger la vie serait une faute grave. Cependant, je ne suis pas opposé au soulagement de la douleur et la médecine peut parfaitement réduire le mal.

Léo Fraikin, quatre-vingt-deux ans [56]

Vivre suppose qu'on est sa propre personne, c'est-à-dire qu'on a le contrôle de soi-même. Quand on est victime d'une machine et prisonnier de son corps, cela est cruel et inhumain. On devrait alors avoir le choix entre la vie et la mort.

Anne

Je crois que tout être humain a le droit de mourir dignement, à la condition que sa décision ne nuise pas aux autres et qu'elle soit faite en toute conscience. Cependant, il ne faut pas abuser de ce droit : on ne peut prendre une décision à la place d'une autre personne ou décider alors qu'on n'est pas pleinement conscient des conséquences de ses gestes. Dans le premier cas, il suffirait d'extrapoler pour démontrer qu'en tuant les handicapés mentaux ou physiques, et éventuellement les porteurs de «mauvais» gènes, il n'y aurait sur la terre que des êtres parfaits.

Serge

C'est trop facile d'échapper à la souffrance par la mort. Il faut lutter jusqu'au bout.

Sophie-Catherine

La vie a un caractère sacré, d'un point de vue naturel et non religieux, et l'euthanasie est un crime contre la nature, au même titre que l'avortement. Tout ce qui est contre-nature, je ne peux pas l'accepter. S'il s'agissait seulement de prendre un risque en allégeant la souffrance, à ce moment-là, ça pourrait se discuter. Mais de plein gré, poser un geste qui va faire mourir quelqu'un, je suis carrément contre, c'est comme tuer un fœtus ou marcher sur une fleur, car tout ce qui est vivant mérite le respect. L'euthanasie est un meurtre, même si elle est faite dans un but de compassion. Cette façon de faire comporte des risques d'abus et d'erreurs et, légalisée, l'euthanasie pourrait conduire à supprimer des malades qui nous gênent, comme autrefois on enfermait des gens dans des asiles psychiatriques sans aucun recours. Tout être vivant mérite d'être aimé : tuer quelqu'un, même par compassion, c'est contraire à l'amour.

Pauline Beaudry Beaulnes, soixante-six ans [57]

Les médecins sont là pour protéger et sauver notre vie et non pour y mettre fin! Avec l'euthanasie, on renverse la vapeur... on revient aux temps des barbares alors qu'on tuait les personnes âgées, les infirmes et les malades. Permettre l'euthanasie est indigne d'une société comme la nôtre. On en tue un par-ci, une par-là, encore un autre et une quatrième pour arriver à son quota de la semaine. C'est bien ce qui pourrait arriver si on légalisait l'euthanasie. Imaginez la lourdeur de l'acte à poser, et si c'était une erreur, et si...!

Jacques

ZOOM

- Lequel des billets traduit le mieux votre opinion sur l'euthanasie?

- Selon vous, l'euthanasie est-elle la seule solution face à la souffrance? Pourquoi?

Confidentiel...

Si quelqu'un que tu aimes te demandait l'euthanasie, que ferais-tu?

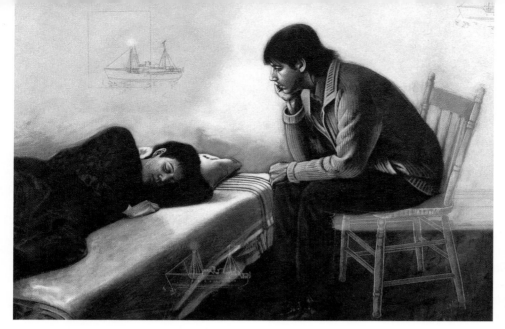

Jacques Payette
Le sommeil sur l'eau, 1986
Crayon et acrylique sur toile
153 cm x 178 cm
Coll. Prêt d'œuvre d'art, Québec
Michel Tétreault Art International

Marcel Boisvert, médecin

«J'avais hâte que vous arriviez. J'ai tellement mal! Je n'en peux plus. Si je dois endurer ce mal-là jusqu'à la fin, je veux une piqûre pour en finir. C'est pas humain, docteur...» Elle ne m'a jamais plus parlé de «piqûre pour en finir». Dans les jours qui suivirent, j'ai passé plusieurs heures à son chevet, lui demandant de décrire son mal, de le définir le mieux possible. Après avoir recueilli les données physiologiques, j'ai commencé à la connaître : son mari, ses trois enfants, ses frères et ses sœurs, son lieu de naissance, ses études et son travail, ses loisirs préférés. Et puis ses valeurs, ses croyances, ses espoirs et ses désespoirs. Nous sommes devenus presque amis, moi demeurant quand même «un de ses médecins». Trois jours plus tard, avec un peu de morphine, un anti-inflammatoire, de la radiothérapie et beaucoup, beaucoup d'explications, elle redevient la femme stoïque, joviale, qu'elle a toujours été, analysant plutôt froidement ses vingt-cinq pour cent de douleur résiduelle à la mobilisation, douleur qu'elle n'aime pas, certes, mais qui ne l'angoisse plus...

Après cinq autres jours, elle déambule, souriante et pratiquement sans douleur, avec le support d'un corset orthopédique. La «piqûre» pour en finir n'était pas une demande d'euthanasie, mais un appel angoissé pour un soulagement à ses insupportables douleurs. Juste avant son congé, quelques lésions hépatiques sont décelées à la sonographie. Selon son désir, maintes fois répété, de tout savoir, elle en est informée.

Pendant les mois qui suivent, elle se soumet à la chimiothérapie en dépit des effets secondaires désastreux : «C'est plus pour ma famille que pour moi», me dit-elle lors d'une de nos multiples rencontres en oncologie. Elle développe une profonde amitié envers une de nos infirmières à domicile. «Sans votre équipe, je ne sais pas ce que moi et ma famille serions devenues.» Quatre mois plus tard... elle a perdu quinze kilos. Son beau visage, demeuré digne, est décharné et anguleux. Les yeux sont creusés. Avec son mari et ses enfants, elle décide d'arrêter la chimiothérapie tout en continuant de prendre ses inhibiteurs hormonaux. Toute sortie est un fardeau et sans l'aide de ses deux filles se relayant à ses côtés, demeurer à la maison serait déjà un casse-tête. Au bout de deux autres mois, elle demande à être hospitalisée «pour voir s'il n'y a pas quelque chose à faire pour me donner un peu d'énergie.» En secret, elle me dit que c'est pour donner un peu de repos à sa famille.

Elle ne se lève plus sans aide, tolère à peine quelques heures par jour dans un fauteuil. La lecture ne l'intéresse plus. Même la musique qu'elle préfère l'énerve, la fatigue. Sa famille respecte tacitement son goût pour le silence, mais dans une chambre à quatre...

«La médecine n'a rien à vous offrir, lui dit son médecin, sauf la "palliation"...

– Mais j'en profite déjà, docteur, de la "palliation".»

Elle espérait de l'autonomie, mais c'est impossible.

Un matin, en venant la voir, je croise le prêtre qui lui apporte la communion :

«Madame F. est si faible, il n'y a rien à faire?

– Non, lui dis-je, le foie est fini.»

***

«Hier soir, docteur, mon mari est venu. On a parlé longtemps. Je lui ai demandé s'il pouvait comprendre que, même si je l'aime plus que lorsqu'on s'est marié, il y a trente-cinq ans, je voudrais mourir le plus tôt possible. Les larmes dans les yeux, il a serré mes mains entre les siennes...

– Docteur, quand on est trop faible pour tenir un verre en styromousse à moitié plein d'eau, sans l'échapper, quand on ne peut se tourner un peu dans le lit sans aide, quand parler est un effort, ce n'est pas ça la vie. Même mes facultés... j'ai peine à faire des phrases qui se tiennent. Mon mari serait d'accord pour une cérémonie de départ. Un prêtre pour l'extrême-onction, un médecin pour "l'extrême-injection", mon mari et mes enfants autour de moi. La cérémonie du baptême, la cérémonie du départ. Pourquoi pas?

– C'est si lourd que ça à porter...?

– Pour moi, oui docteur. Ce n'est pas la douleur, votre équipe y a bien vu et vous savez combien je vous suis reconnaissante. C'est la vie, c'est la dignité. Sans un minimum d'autonomie, il n'y a pas de dignité et sans dignité, il n'y a pas de vie.

– Et votre Dieu, dans tout cela...?

– Je suis croyante, pratiquante, vous le savez. Mes croyances, mes valeurs sont une chose. La religion, c'en est une autre. La religion, c'est dans la tête : une organisation de personnes qui font et défont des règles, des rituels. Mes croyances sont dans mon cœur. Le Dieu auquel je crois ne m'en veut pas de vouloir mettre fin à ma souffrance.

– Vous, vous me demandez l'euthanasie... vous n'êtes plus capable de voir dans votre maladie un défi personnel à relever...»

Long et douloureux silence, de grosses larmes coulent sur chacune de ses joues.

«Votre franchise me torture, docteur, mais je l'apprécie. Je ne vous avais pas compris sous cet angle, auparavant. Acceptez ma franchise aussi : si les oncologues pratiquent l'acharnement thérapeutique, vous est-il venu à l'esprit que ce que vous faites, avec moi, est peut-être de l'acharnement moral? Vous tenez à tout prix à ce que je trouve un sens à la vie alors que je n'en vois plus. Je suis lucide, j'ai passé le cap des soixante ans et il ne me reste que quelques semaines, non pas à vivre mais à souffrir. Pourquoi tenez-vous tant à ce que je souffre?»

Quelque temps plus tard.

«Ma femme n'a pas dormi de la fin de semaine. Avez-vous quelque chose de plus fort pour qu'elle se repose au moins un peu?

[...]

– On s'est fait nos adieux, docteur. Elle est prête à partir et moi, à la laisser partir. Nos enfants aussi ne veulent plus la voir souffrir. Nous prions ensemble pour que Dieu l'exauce et vienne la chercher.

– Nous allons continuer d'augmenter la dose de sédatifs, mais ça ne fonctionne pas toujours, à cause de la tolérance. Je comprends ce que vous désirez, mais il m'est interdit de prescrire des doses dix fois trop grandes. Et même si je le faisais, le pharmacien est obligé de demander des explications et a le droit de ne pas remplir la prescription.... On se retrouve à la case de départ.»

Quelques jours plus tard.

«Je vous remercie pour tout ce que l'équipe de soins palliatifs a fait pour ma femme et pour ma famille. Aussi pénible que ce fut, je n'ose même pas imaginer comment les choses se seraient déroulées sans vos infirmières à domicile. J'ai appris deux choses : quand une famille regarde la mort en face, il en résulte une force d'amour que je n'aurais jamais soupçonnée. J'ai aussi appris qu'au-delà d'un certain point, la souffrance démolit davantage qu'elle ne fait grandir.»

***

Madame F. est morte entourée de son mari et de ses enfants, deux pénibles semaines plus tard qu'elle ne l'avait souhaité [58].

Analyse de la situation

Définitions

Le mot euthanasie vient du grec *euthanatos*, qui signifie «mort douce et sans souffrance». L'euthanasie est l'usage de procédés qui hâtent ou provoquent la mort, ceci dans le dessein d'abréger les souffrances d'un ou d'une malade incurable.

En 1963, le moraliste Ignace Lepp donne une définition de l'euthanasie qui recouvre ses divers aspects : «la mort donnée à autrui, avec ou sans son consentement, pour hâter la fin de ses souffrances [59].»

La définition donnée par la Commission de réforme du droit du Canada va dans le même sens : «l'euthanasie est l'acte de mettre fin à la vie d'une personne, par compassion, lorsqu'un processus de mort est déjà en cours ou lorsque les souffrances sont devenues insupportables [60].»

Il est important de noter que toutes les définitions laissent transparaître la même motivation : celle de mettre fin à des souffrances. Au cœur de toutes les demandes d'euthanasie, on reconnaît le motif de la compassion : «Nos enfants aussi ne veulent plus la voir souffrir.»

Distinctions

Les définitions données peuvent rester ambiguës et embrouiller les discussions si on ne distingue pas clairement l'euthanasie de la cessation des traitements [61].

1. L'euthanasie

Si je dois endurer ce mal-là jusqu'à la fin, je veux une piqûre pour en finir.

Dans ce cas, le but est de provoquer directement la mort pour mettre fin aux souffrances. La demande est faite par la personne malade elle-même ou par personne interposée.

Un prêtre pour l'extrême-onction, un médecin pour «l'extrême-injection», mon mari et mes enfants autour de moi. La cérémonie du baptême, la cérémonie du départ.

Ma femme n'a pas dormi de la fin de semaine. Avez-vous quelque chose de plus fort pour qu'elle se repose au moins un peu?

Le fait de prendre des narcotiques puissants pour soulager la douleur ou diminuer l'état de conscience du malade, tout en sachant que ces substances vont probablement hâter le processus de la mort n'est pas de l'euthanasie au sens strict. En effet, le but poursuivi est de soulager la douleur et non de provoquer directement la mort.

Je comprends ce que vous désirez, mais il m'est interdit de prescrire des doses dix fois trop grandes.

2. Dans le cas de **la cessation des traitements**, on peut distinguer trois volets.

a) Le refus de recourir à des techniques artificielles plus ou moins complexes ou extraordinaires et qui servent à maintenir la personne en vie ou à retarder le moment de sa mort. La demande peut être faite par la personne malade (testament de vie) ou indépendamment de sa volonté (mort cérébrale, coma dépassé, etc.).

Avec son mari et ses enfants, elle décide d'arrêter la chimiothérapie tout en continuant de prendre ses inhibiteurs hormonaux.

b) L'interruption des traitements (par exemple, une chimiothérapie sans espoir) qui ne sert pas les intérêts de la personne malade, mais sans pour autant refuser les autres soins médicaux (médicaments).

En ne luttant pas pour maintenir une vie végétative, on laisse la mort se produire sans la provoquer.

c) L'omission des traitements en raison de l'état du malade ou à sa demande.

La question de l'euthanasie aujourd'hui

Pourquoi la question de l'euthanasie revient-elle aujourd'hui? Comment expliquer que des médecins soient placés devant un tel dilemme? En ce qui concerne les dimensions sociale et personnelle de notre vie, quels sont les éléments qui peuvent expliquer les demandes d'euthanasie?

1. La dimension sociale

– Le développement de la science biomédicale et de la technologie a fait en sorte que la médecine a maintenant des moyens de prolonger la vie des malades, de les maintenir en vie grâce à des moyens artificiels et de proposer des solutions aux problèmes de la santé.

– Le vieillissement de la population fait que les besoins de soins augmentent. Des personnes âgées souffrent moralement et psychologiquement de l'ennui, du sentiment d'inutilité, de la souffrance, de la dépendance, du poids imposé aux familles. Découragées et fatiguées, certaines personnes âgées voudraient recourir à l'euthanasie, comme l'attestent des faits rapportés dans des journaux.

– Une autre raison expliquant le désir de pouvoir recourir à l'euthanasie est la rareté des ressources et les coûts que cela entraîne. Les appareils coûtent cher et les salaires des techniciens et des techniciennes aussi. À qui peut-on offrir des secours extraordinaires? À qui doit-on les refuser? Ceci nous amène à poser la question suivante : Qui pourra vivre quand tout le monde ne pourra pas vivre?

2. La dimension personnelle

Docteur, quand on est trop faible pour tenir un verre en styromousse à moitié plein d'eau, sans l'échapper, quand on ne peut pas se tourner un peu dans le lit sans aide, quand parler est un effort, ce n'est pas ça la vie. Même mes facultés... j'ai peine à faire des phrases qui se tiennent.

La douleur, le mal, la peur, l'angoisse, la solitude sont des mots qui peuvent provoquer en nous le refus, ou du moins la crainte, de la mort.

Au nom de la qualité de vie ou au nom de la liberté, on cherche à raccourcir le temps d'attente : l'euthanasie apparaît comme une solution.

J'avais hâte que vous arriviez. J'ai tellement mal! Je n'en peux plus.

Je voudrais mourir le plus tôt possible.

Les douleurs physiques et morales conduisent à demander la mort.

Ce n'est pas la douleur, votre équipe y a bien vu et vous savez combien je vous suis reconnaissante. C'est la vie, c'est la dignité. Sans un minimum d'autonomie, il n'y a pas de dignité et sans dignité, il n'y a pas de vie.

Certaines souffrances laissent la liberté de penser, la capacité de diriger sa vie et et de communiquer avec les autres alors que d'autres brisent la qualité de vie. Des médecins rencontrent des personnes malades qui, épuisées, demandent l'euthanasie.

Le cri de la vie se fait entendre à travers nos angoisses et nos fragilités. La question de l'euthanasie se pose au moment où on ne s'y attend pas toujours, comme le rapporte une accompagnatrice auprès d'enfants mourants.

Un cri, des questions

Je me souviendrai longtemps du cri d'un enfant en fin de vie; j'avais l'impression que ce cri résonnait dans tout le corridor, mais il se répercutait d'abord en moi. Je me sentais tellement dépouillée, inutile, désarmée et c'est justement à ce moment que je me suis mise à penser : Pourquoi ne pas en finir?... Et je suis restée avec cette réflexion troublante : N'est-ce pas à ma propre souffrance intérieure que je voulais mettre un terme? Je me permets de dire tout cela parce que mon expérience d'accompagnatrice auprès des enfants me conduit à penser que l'euthanasie, c'est fondamentalement une interrogation entre soi et soi. Autrement dit, c'est d'abord et avant tout une question qui émerge des profondeurs et qu'on ne peut court-circuiter si on veut être vrai avec les diverses instances que l'euthanasie vient troubler en soi. [...]

En définitive, l'euthanasie ça ébranle notre sentiment de toute-puissance qui donne l'illusion d'un pouvoir illimité sur la vie et la mort. En ce sens, on s'aperçoit bien vite que le piédestal sur lequel on a l'impression d'élever notre invulnérabilité n'est au fond qu'un socle d'argile...

Finalement, je m'aperçois de plus en plus que l'euthanasie vient chercher en moi la conception que j'ai de la vie et de la mort.

Thérèse Miron [62]

Comme l'illustre cette expérience, l'euthanasie vient remettre en question des réalités fondamentales : la conception de la vie et de la mort, le sens de la qualité de vie, et des souffrances, la dignité humaine, la liberté pour ce qui a trait à notre pouvoir sur la vie, des valeurs comme l'amour, la responsabilité.

Ces questions sont encore plus difficiles à résoudre quand elles naissent dans un contexte émotif : «Mon père souffre et me prie de le soulager»; «Malades, mes grands-parents veulent arrêter de prendre leurs médicaments pour en finir»; «Je ne peux pas supporter la souffrance des enfants. J'ai peur de devoir traverser des douleurs semblables.»

Quels sont les arguments favorables à l'euthanasie?

Quels sont les arguments défavorables à l'euthanasie?

Des arguments favorables

Sur les plans personnel et social, certaines raisons rendent l'euthanasie favorable. Nous présentons celles qui sont le plus souvent invoquées.

1. Le refus de l'acharnement thérapeutique

Faites tout pour le sauver.

Un désir d'immortalité! Les médecins sont vus comme des dieux qui, au moyen des ressources médicales, peuvent faire reculer la mort. Ils font des miracles, comme le disent plusieurs. Les découvertes se multiplient et la ténacité des chercheurs et des chercheuses est admirable.

Cependant, la ténacité a un côté négatif quand elle se transforme en acharnement thérapeutique. Les traitements, parfois disproportionnés en regard des résultats espérés, sont poursuivis parce qu'on veut voir si le traitement fonctionne, parce que les médecins refusent de voir leurs patients et patientes mourir ou n'arrivent pas à faire comprendre à la famille que la mort est inévitable.

Comment savoir si le traitement est justifié ou non? La médecine est un art et non une science exacte, de sorte que plusieurs interprétations, plusieurs façons de juger un cas sont possibles. Certaines personnes n'ont-elles pas survécu grâce à la ténacité de leurs médecins?

2. Le respect des volontés de la personne malade

Le respect de l'autonomie de la personne devient de plus en plus important. Mais il arrive qu'en entrant à l'hôpital, il soit difficile de faire respecter ses volontés. Voilà pourquoi des personnes font maintenant un «testament biologique» dans lequel elles inscrivent leurs volontés, l'euthanasie par exemple, quant à la manière de mourir.

Cependant, ce testament n'a pas de statut légal : c'est un plaidoyer en faveur du contrôle personnel sur sa mort, et son interprétation est difficile pour le personnel médical. Étant donné qu'il est fait par anticipation, on peut se demander s'il manque un consentement éclairé sur la situation réelle au moment où il devrait s'appliquer. Une législation québécoise récente permet de désigner une personne habilitée à appliquer nos volontés et à agir selon nos désirs si nous devenons incapables de le faire.

3. La dignité du mourir et de la mort

La mort retardée grâce à des machines ou d'autres techniques fait peur. Voir une personne branchée à toutes sortes de machines et totalement dépendante nous amène inévitablement à nous poser des questions : La personne malade devient-elle une chose, un objet d'étude entre les mains de la médecine et de la science? Pourquoi prolonger les souffrances et repousser le moment de la mort? La mort n'est-elle pas naturelle?

L'euthanasie semble être une solution qui répond au désir de mourir d'une façon plus digne et moins compliquée.

4. Le désir de ne pas être un fardeau pour autrui

Plusieurs personnes malades craignent de devenir un fardeau pour leur famille ou la société. Ce sont des personnes âgées qui ne veulent pas obliger leurs enfants à prendre soin d'elles et des jeunes qui se voient condamnés à vivre branchés à des appareils pendant de nombreuses années. La peur de la dépendance est grande chez les uns et les autres compte tenu de la souffrance intérieure qu'elle fait naître. Une demande d'euthanasie peut surgir de cette incapacité de vivre plus longtemps dans de pareilles conditions.

5. La rareté de plus en plus grande des ressources

La question de la rareté des ressources crée des problèmes en ce qui a trait à la justice. Les milieux hospitaliers doivent déterminer quelles sont leurs priorités quant à l'accès aux traitements. Leur choix est influencé par des valeurs. À qui doit-on accorder la priorité? Aux personnes âgées qui méritent une reconnaissance ou aux enfants qui ont toute la vie devant eux? À partir de quels critères peut-on faire ces choix?

Des arguments défavorables   Les personnes qui s'opposent à l'euthanasie invoquent plusieurs raisons, dont voici les principales :

1. **La diminution de l'importance accordée à la vie humaine**

   Il est nécessaire de protéger la vie et de lui reconnaître une valeur première. Recourir à l'euthanasie, c'est en quelque sorte ne pas accorder à la vie l'importance et la valeur qu'elle devrait avoir.

2. **Les abus**

   L'acceptation de l'euthanasie peut ouvrir la porte à toutes sortes d'abus. Certains intervenants ou intervenantes pourraient fortement suggérer l'euthanasie à des personnes malades qui risquent de devenir un fardeau pour les autres, l'imposer aux personnes handicapées ou âgées, donner à d'autres valeurs que la vie humaine une plus grande importance.

3. **Le rôle du médecin**

   La responsabilité première du médecin est de travailler à maintenir la personne en vie, à protéger la vie et sa qualité, malgré la réalité de la mort. Avec l'euthanasie, la relation médecin-malade pourrait devenir moins transparente et susciter des questions : Comment savoir si mon médecin travaille à protéger ma vie? Comment puis-je lui faire confiance? L'inquiétude pourrait s'installer, particulièrement chez les personnes plus vulnérables comme les personnes âgées ou handicapées.

4. **Le refus de la condition humaine**

   L'euthanasie est une tentative d'éliminer la souffrance. Mais la condition humaine est faite de difficultés et de joies, de succès et d'échecs. La souffrance donne parfois l'occasion de se développer, de croître intérieurement. Certaines personnes, effrayées à l'idée de souffrir trop longtemps, pourraient être tentées de recourir à l'euthanasie, passant ainsi à côté d'une étape importante de leur vie.

5. **La priorité accordée aux intérêts d'ordre économique**

   Favoriser l'euthanasie pour des raisons d'ordre économique traduit une perception très matérialiste de la personne humaine. Seuls ceux et celles qui peuvent payer pour des soins de santé y auraient droit. Quant aux autres, la solution de l'euthanasie leur serait imposée. C'est ainsi qu'on privilégie les personnes bien nanties économiquement au risque d'en sacrifier d'autres dont la richesse se situe à un autre niveau.

Autres solutions

D'autres solutions peuvent être proposées à ceux et celles qui voient dans l'euthanasie un moyen d'éliminer la souffrance.

1. **Le soulagement de la douleur**

   L'emploi des analgésiques ne présente pas autant d'inconvénients qu'autrefois. Des médicaments parviennent à soulager, mais également à prévenir les douleurs intenses et quasi insupportables des malades en phase terminale, tout en leur permettant de conserver leur lucidité.

2. **L'accompagnement**

   Les intervenants et intervenantes des services de soins palliatifs partent du principe fondamental qu'être mourant ou mourante fait partie d'un processus normal, universel, que ce processus soit le résultat ou non de la maladie.

   Ces soins, qui protègent la qualité de la vie, ne cherchent ni à abréger ni à prolonger les jours. Ils s'emploient à diminuer ou éliminer la souffrance des gens et à les aider à bien finir leur vie. Ils aident les malades et leurs familles à répondre à leurs besoins sur les plans physique, psychologique et spirituel.

3. **Le sommeil artificiel**

   Il ne faut jamais priver la personne mourante de sa lucidité et de sa conscience sauf dans des situations très très exceptionnelles. Mais dans les cas où les malades manifestent le désir de dormir, peut-il être acceptable de les plonger dans un sommeil artificiel si celui-ci, en plus de les soustraire au mal, a comme conséquence de précipiter la mort?

   L'idéal, c'est de calmer la douleur sans abréger les jours de la personne malade, tout en lui assurant une bonne qualité de vie. Mais il arrive que des médicaments entraînent des complications pulmonaires qui font mourir la personne malade plus vite. Peut-on prendre un tel risque?

Trois jours plus tard, avec un peu de morphine, un anti-inflammatoire, de la radiothérapie et beaucoup, beaucoup d'explications, elle redevient la femme stoïque, joviale, qu'elle a toujours été.

Sans votre équipe, je ne sais pas ce que moi et ma famille serions devenues.

Points de repère

REPÈRES MORAUX

Valeurs

Le respect de la vie et de la qualité de la vie.
Le respect de la dignité de la personne.
Le respect de la liberté de la personne malade.
Le sens de la souffrance et de la mort.

L'enseignement de l'Église catholique

La Sacrée congrégation pour la Doctrine de la Foi publiait, le 5 mai 1980 une déclaration dont voici l'essentiel :

> *Il faut le dire une nouvelle fois avec fermeté, rien ni personne ne peut autoriser que l'on donne la mort à un être humain innocent, fœtus ou embryon, enfant ou adulte, vieillard, malade incurable ou agonisant. Personne ne peut demander ce geste homicide pour soi ou pour un autre confié à sa responsabilité, ni même y consentir, explicitement ou non. Aucune autorité ne peut légitimement l'imposer, ni même l'autoriser. Il y a là une violation d'une loi divine, offense à la dignité de la personne humaine, crime contre la vie, attentat contre l'humanité[63].*

L'Église se déclare en désaccord avec l'euthanasie, mais n'encourage pas l'acharnement thérapeutique.

> *Il est toujours permis de se contenter des moyens normaux que la médecine peut offrir. On ne peut donc imposer à personne l'obligation de recourir à une technique... très onéreuse. Son refus n'équivaut pas à un suicide; il y a là plutôt acceptation de la condition humaine, souci d'épargner la mise en œuvre d'un dispositif médical disproportionné aux résultats que l'on peut en attendre, enfin, volonté de ne pas imposer des charges trop lourdes à la famille et à la collectivité.*
>
> *Si la vie est un don de Dieu, la mort est inéluctable; il faut donc, sans en prévenir l'heure, savoir l'accepter en toute responsabilité et dignité[64].*

Le devoir de recevoir des soins n'implique pas le recours à des moyens thérapeutiques inutiles, disproportionnés ou imposant une charge extrême aux malades ou à leur entourage. Il est légitime de s'abstenir de traitements qui apporteraient peu de bénéfices au regard des désagréments, des contraintes, des effets nocifs ou des privations qu'ils entraîneraient. On pourra interrompre des traitements lorsque les résultats sont décevants. Un tel comportement vaut autant pour la personne malade que pour ceux et celles qui seraient amenés à décider en son nom, au cas où elle serait devenue incapable d'exprimer sa volonté. Il va sans dire que cette question renvoie à la notion de qualité de la vie par opposition à la longueur de la vie.

La responsabilité morale

L'autonomie de la personne malade, c'est-à-dire son droit à l'information et sa participation aux décisions qui la concernent, doit être préservée. Concrètement, cela signifie que les intervenants et intervenantes doivent lui faire connaître la vérité sur son cas, lui demander son consentement pour toutes les procédures qui la concernent, respecter son droit à la confidentialité, à la vie intime et privée et respecter ses dernières volontés.

La protection des faibles doit être assurée. L'Évangile invite à protéger les plus faibles en leur fournissant le soutien dont ils et elles ont besoin.

En résumé

Toute personne a le droit et le devoir, en cas de maladie grave, de recevoir les soins nécessaires pour conserver la vie et la santé. L'Évangile invite à respecter la liberté de la personne et, conséquemment, le consentement aux traitements médicaux comme à l'expérimentation est essentiel.

REPÈRES LÉGAUX

1. En ce qui a trait à l'euthanasie.

Le droit

Aucune disposition du Code criminel canadien ne traite spécifiquement de l'euthanasie. Dans la mesure où elle laisse entendre qu'une personne met délibérément un terme à la vie, l'euthanasie sera assimilée, pour les fins de droit criminel, à un meurtre ou à un suicide.

Les codes de déontologie

Tant que la législation en fera un crime, tous les codes de déontologie désapprouveront l'euthanasie.

2. En ce qui concerne la cessation des traitements.

Le droit

En 1992, Nancy B., soignée par le docteur Danièle Marceau de l'Hôtel-Dieu de Québec, demande à être débranchée de son appareil respiratoire. Le juge Jacques Dufour de la Cour supérieure du Québec, après l'examen de la situation et une visite à la patiente, a rendu un jugement en ces termes :

> *La demanderesse, qui est âgée de vingt-cinq ans, est atteinte de paralysie motrice causée par le syndrome de Guillain et Barré, ce qui la confine à un lit d'hôpital. Il y a près de deux ans et demi, on a dû procéder à une intubation et la brancher sur un respirateur. Ce traitement de soutien respiratoire est essentiel à sa vie. La demanderesse, dont les facultés intellectuelles sont intactes, a été informée de l'irréversibilité de sa maladie et elle demande que le traitement de soutien respiratoire soit interrompu.*

En vertu de l'Article 19.1 C.C., nul ne peut être soumis à des soins sans son consentement. Le législateur inclut dans le mot «soins» un examen, un prélèvement, un traitement ainsi que toute autre intervention. La terminologie utilisée à l'Article 19.1 C.C. est donc assez large pour comprendre la technique qui consiste à brancher une personne sur un respirateur. Les tribunaux ont par ailleurs précisé que le consentement du patient devait être libre et éclairé. Nos lois civiles permettent donc à la demanderesse d'exiger la cessation du traitement de soutien respiratoire qu'on lui administre. Toutefois, il faut également considérer les dispositions du Code criminel. L'Article 217 C.Cr. qui prévoit que celui qui entreprend l'accomplissement d'un acte ne peut l'interrompre si une vie humaine est mise en danger, doit être lu conjointement avec les Articles 45 et 219 C.Cr. afin de lui donner un sens plus logique. L'interprétation qui en résulte ne permet pas de qualifier de déraisonnable ou d'insouciante et de déréglée la conduite d'un médecin qui interrompt le traitement de soutien respiratoire de son patient pour permettre à la nature de suivre son cours. La personne qui ferait cesser un tel traitement ne commettrait en aucune façon une quelconque forme d'homicide ou d'aide au suicide. Si le décès de la demanderesse devait survenir, ce ne serait que le fait de la nature [65].

Zoom sur le réel

Un problème à résoudre

Vous accompagnez le docteur Marcel Boisvert et vous êtes témoin de la demande d'euthanasie de sa patiente. Si la décision vous revenait, que feriez-vous? Pourquoi?

Démarche

1. Quels sont les choix possibles pour soulager ou faire cesser les souffrances d'une personne malade? Quelles conséquences entraînent-ils?

2. Quelles sont les valeurs en jeu?

3. Que disent le droit, les codes de déontologie, l'enseignement de l'Église catholique sur chacun de ces choix?

4. Quel est le sens de l'enseignement de l'Église?

5. Évaluez en bien et en mal chacun des choix identifiés. Sur quels points de repère vous appuyez-vous?

6. Analysez la situation.

   – Quelle est la situation physique et morale de la malade?

   – Que demandent la malade et sa famille?

   – Quelles sont les motivations des personnes?

   – Y a-t-il conflit de valeurs?

7. Quel choix favorise le mieux-être de la personne malade et de sa famille? Justifiez votre point de vue.

Le suicide

Le suicide est un sujet difficile à traiter, une réalité qui fait peur, un mystère qui laisse sans paroles. La mort effraie à cause de son caractère décisif : on ne revient pas en arrière. La mort par le suicide est d'autant plus dramatique qu'elle est le fruit d'une décision personnelle qui a des répercussions sur le plan social. Vous vous souviendrez toujours d'un ou d'une jeune que vous avez connu et qui, dépassé par certains événements ou accablé par une trop grande souffrance, a préféré tout quitter. Son geste était-il bien pesé et sa décision, bien éclairée? Était-il en mesure de faire un choix libre, c'est-à-dire sans contrainte? Que faire, que dire si une amie, un copain ou une simple connaissance en situation de détresse vient vous consulter?

Des réactions

Le suicide fait peur à tout le monde. Si l'un ou l'une de mes amis songeait à se suicider, j'essaierais de lui faire comprendre qu'il n'est pas seul, que je l'aime et que tous ses amis l'aiment. Je lui dirais d'arrêter de regarder le passé et de regarder vers l'avenir. Ce n'est pas nous qui devons décider de notre mort. On ne doit pas avoir peur de la mort, mais on ne doit pas non plus aller vers elle. Si mon ami était suicidaire, je lui dirais que le suicide est un geste égoïste, qu'il ne pense pas à la peine qu'il nous ferait à tous.

Marie-Do

J'ai déjà rencontré des gens qui voulaient se suicider et certains sont passés aux actes. C'est quelque chose de très sombre et de macabre. Je ne connaissais pas bien les victimes, mais si jamais un ou une de mes amis tentait de le faire, je ne le laisserais sûrement pas tomber. L'adolescence est une période difficile, mais il faut persévérer puisqu'un jour nous serons des adultes. Il faut passer à travers les moments les plus difficiles et penser que le suicide ne permet pas de revenir en arrière, de redevenir en vie. C'est trop radical.

Fleur

J'ai des amis qui m'ont déjà parlé de leur idée de s'enlever la vie. Je dois avouer que sur le coup, on reste béat, on ne sait pas quoi leur dire, on ne sait pas comment les écouter. Si j'étais confrontée à nouveau, je crois que je saurais comment réagir. J'ai réfléchi depuis et j'ai trouvé des arguments plus forts en faveur de la vie que du suicide. Je dirais d'abord à cet ami que je l'aime, qu'il n'est pas seul, que je suis là, moi! Je lui dirais qu'il est jeune, qu'il a encore toute une vie devant lui. J'oserais lui dire qu'il doit apprendre à faire face aux problèmes et à se tourner vers l'avenir.

Cléo

Écoute, laisse-moi parler et on verra ensuite. Pour toi, la vie est dégoûtante et ne vaut pas la peine d'être vécue? Je pourrais bien invoquer de multiples raisons religieuses qui te feraient changer d'idée si tu étais croyant, mais je ne sais pas si tu l'es. Laissons cet aspect de côté. Tu te sens rejeté et non aimé, tu es écœuré de tout ce qui t'arrive? C'est normal, puisque tu traverses en ce moment une période difficile de ta vie et en cela tu ressembles à bien des personnes. Pense que tu as des tas d'amis qui veulent t'aider. L'important, c'est que tu te fasses plaisir pour pouvoir oublier les petits inconvénients et obstacles que la vie te réserve. Même si ceux-ci semblent gros, il y a toujours une manière de les régler, il faut juste un peu de détermination et de persévérance. Et n'oublie surtout pas, qu'après la pluie vient le beau temps, qu'après l'hiver vient le printemps, puis l'été. Alors, repenses-y sérieusement!

Jean-François

ZOOM

- Lequel des billets traduit le mieux votre opinion sur le suicide? Justifiez votre choix.

- Quel sentiment éveille en vous le mot suicide?

Analyse de la situation

Définition

Le suicide se définit comme l'action de se donner volontairement la mort. Il est la manifestation du refus de poursuivre une vie qui semble ne plus avoir de valeur.

Le suicide est aussi un geste éminemment personnel, posé par un individu pour apporter une solution définitive à un problème existentiel auquel il ne voit pas d'autre issue que la mort volontaire[66].

Le suicide est un geste personnel, c'est-à-dire pensé, planifié, exécuté par la personne qui sait que la mort peut en résulter. Il s'agit d'une solution définitive puisque l'issue du geste est mortelle, même si l'intention de la personne n'était peut-être que de lancer un SOS. Le suicide est souvent la manifestation d'un problème existentiel, c'est-à-dire qu'il est provoqué par une série de malaises pour lesquels il ne semble pas y avoir d'autre issue que la mort. La personne en détresse écarte tout autre choix. Elle met un terme à une vie qui ne lui convient plus.

Le monde intérieur

Ceux et celles qui font le projet de s'enlever la vie et qui le mettent à exécution laissent parfois des messages. Dans *Adieu la vie...*[67], quelques-uns de ces messages et certaines caractéristiques du monde intérieur des personnes qui se suicident sont analysés.

Le sentiment de culpabilité

Les messages montrent de façon claire que ces personnes se sentent souvent coupables

– envers elles-mêmes : elles se croient incapables d'atteindre le moindre bonheur;

– envers les proches : elles se sentent inaptes à répondre aux attentes de leurs parents ou de leurs amis;

– envers la société : elle se sentent incapables d'assumer leurs responsabilités, de contribuer au bien-être social;

– envers un être supérieur : elles se sentent mal face à leur décision de se suicider, le suicide étant contraire à leur conception de la vie comme don de Dieu.

Le sens de la vie

La recherche du sens de la vie est universelle. Les buts particuliers qu'on se fixe orientent des manières de vivre et leur atteinte apporte une satisfaction. À travers les messages laissés, on peut identifier les sens donnés à la vie.

1. La vie est identifiée à une personne aimée : «Mon amour est toute ma vie». Quand cette personne n'est plus (décès ou abandon), il y a perte de son identité personnelle et en même temps de toute raison de vivre.

2. La vie est un don reçu de Dieu et/ou des parents. Par conséquent, il y a une obligation de réussir sa vie. Quand les échecs arrivent ou quand les choses ne tournent pas comme cela est souhaité, la culpabilité grandit et enlève le goût de vivre.

3. La vie se résume à un ensemble de désirs. Par exemple : «Il n'y a pas de vie sans amour». Si le désir d'aimer et d'être aimé ne peut être comblé, le sentiment d'être incapable de faire quelque chose de sa vie prend le dessus en même temps que l'inutilité de la vie. Certaines personnes reprochent même aux autres la vie qu'elles mènent, les rendant responsables de leur malheur. Un désir de vengeance fait son chemin, petit à petit.

Des motifs — Quand le sens de sa vie est remis en question, par la perte d'une personne aimée ou à la suite d'un échec professionnel, on cherche des solutions pour retrouver l'équilibre, le goût de vivre. Pour certaines personnes, le suicide apparaît l'unique façon de mettre un terme à une situation difficile. Quels sont leurs motifs?

1. Le deuil

Je l'aime. Quelle raison ai-je de vivre si je ne peux l'avoir, il était toute ma vie. [...] Sans lui, il ne me sert à rien de vivre plus longtemps. [...] Tu as tout pris de moi ainsi que ma vie, car je ne peux pas vivre sans toi, tu es l'homme qu'il me faut pour être heureuse, je t'aimais plus que moi-même, tu étais ma seule raison de vivre[68].

Une personne qui était le centre de l'existence pour une autre personne, vient de mourir. Il s'ensuit une perte d'intérêt pour tout ce qui ne rappelle pas le souvenir de la personne défunte. La perte de la personne qui était au centre de sa vie équivaut à une perte du sens de la vie. La perte totale d'intérêt peut aussi survenir quand la maladie brise la santé ou quand un échec menace une position sociale.

2. La fuite

J'étais complètement dépassée par la vie : je n'avais pas l'énergie pour m'organiser une vie indépendante, je paralysais devant les gens et les choses [...]. La peur m'envahissait et me tenaillait. [...] La vie ne prenait pas de sens au fond de moi-même pour moi seule. [...] La paralysie me reprend et toute la vie s'éteint à l'intérieur de moi[69].

Certaines personnes, dont celles qui souffrent de dépression, ressentent le besoin de se débarrasser de quelque chose et même de la vie dans son ensemble. Elles perdent la capacité d'aimer et de s'apprécier elles-mêmes. La décision de se suicider, bien que difficile à prendre, leur procure une certaine paix intérieure qui déjoue l'entourage.

Dans un dépliant intitulé *Un cri d'alerte... il faut en parler*, le ministère des Affaires sociales met en garde contre cette fausse paix.

> *La prudence est de rigueur car certains signes peuvent être trompeurs. La personne suicidaire qui prend la décision de se tuer peut sembler soulagée, heureuse, voire même euphorique. L'entourage peut alors penser que la crise est terminée. Il faut garder à l'esprit qu'une bonne humeur soudaine peut représenter un signe avant-coureur d'une tentative de suicide.*

3. La vengeance

La personne entretient un goût de se venger en donnant des remords aux gens les plus proches. Le suicide devient alors une punition.

Je ne veux plus vivre. Je suis trop malheureuse, je suis dans un tunnel noir et je ne vois aucune lueur. Je ne suis plus capable de vivre. [...] Votre père a détruit ma vie par sa boisson. [...] Je ne le veux pas auprès de mon tombeau. Je ne veux pas le voir verser des larmes en hypocrite[70].

4. Le châtiment

La personne veut se punir parce qu'elle éprouve trop de honte : on trouve ici une dévalorisation de soi, un désir de quitter sa vie et non la vie en général. La personne veut se punir parce qu'elle a commis une faute bien précise et sa culpabilité est insoutenable. Elle veut se punir parce que les autres jugent qu'elle a commis une faute, peu importe qu'elle l'admette ou non. Un sentiment d'indignité l'envahit et cela devient intolérable. La personne veut se punir parce qu'elle a été jugée par la société. Qu'elle ait été condamnée ou acquittée, son délit l'empêche de vivre.

J'ai perdu le goût de vivre depuis environ six mois lorsque j'ai tenté d'entrer à la Mutual Life. J'ai été refusé à cause d'un mauvais dossier [...]. Ceci m'a porté un dur coup dont je ne me suis pas remis. [...] Je suis dans cet état car je n'ai pas eu le courage d'affronter la vie avec mes responsabilités qui en fait n'étaient pas grand chose, mais étant malade je n'ai pas su m'y adapter[71].

5. L'appel

La personne appelle à l'aide et réclame de l'attention. Il y a là une manifestation d'un désir de vivre alors que la personne ne sait plus comment vivre. En général, c'est un appel pour avoir de l'affection qui est traversé de part en part par une souffrance intérieure indescriptible.

Aidez-moi à trouver quelqu'un qui me donne de l'amitié. Je suis trop seul et trop sensible et trop renfermé pour retourner dans une agence de rencontres en qui je n'ai aucune confiance. D'ailleurs, personne ne peux m'aimer dans mes conditions[72].

Mourir ou changer de vie?

Si les motifs sont clairs, les intentions des personnes ne le sont pas toujours : on note une certaine confusion entre le désir de mettre un terme au genre de vie qu'elles mènent présentement et le désir de mourir comme tel. En fait, elles veulent quitter **leur** vie, mais pas nécessairement **la** vie. À travers les messages laissés par les personnes qui se suicident, on peut dégager certaines de leurs intentions.

1. Survivre dans la mémoire des autres.

Te souviens-tu?

Elles ne veulent pas être oubliées complètement. Elles veulent même que les proches développent à leur égard une image positive. Dans leurs messages, elles rappellent les bons souvenirs, les bons moments passés ensemble.

2. Améliorer leur situation présente.

Je n'en peux plus!

La mort leur apparaît comme un salut et une libération : elle les sauve de la destruction et les soulage de leur souffrance.

3. Trouver le repos et la paix pour toujours.

Un peu de repos...

Les souffrances de la vie étant insupportables, elles cherchent un lieu pour se libérer des tensions qui menacent leur équilibre personnel.

4. Trouver une vie après leur mort.

Je crois en une vie après la mort.

Elles croient en une vie après la mort, une vie de qualité supérieure. Elles partent rejoindre des parents ou des amis qui sont déjà morts. Certaines personnes espèrent recevoir le pardon de Dieu.

5. Acquérir une puissance particulière.

Je serai là!

La mort les rendra capables, pensent-elles, d'assurer une présence bienfaisante à leurs proches, présence qu'elles ne pouvaient leur assurer de leur vivant.

Autres solutions

Les billets présentés au début de cette réflexion permettent de dégager d'autres solutions face à une souffrance devenue difficile à supporter : l'ouverture aux autres et l'aide professionnelle sont au nombre de ces solutions. Selon les circonstances, divers moyens d'affronter la souffrance peuvent être envisagés : mettre fin à une relation destructive, changer de travail ou de lieu de travail, suivre une thérapie afin de trouver la racine du mal, demander la collaboration de la famille ou des proches, analyser les ressources du milieu, etc.

Points de repère

REPÈRES MORAUX

Valeurs

Le respect de la vie et de la qualité de la vie.
La dignité de la personne.
L'amour de soi.
La vérité face à soi.
La solidarité.

L'Écriture

Tu ne tueras pas. Il est interdit de tuer et, par conséquent, de se tuer. L'Évangile invite à l'amour de soi et des autres. Le suicide est un acte d'agression contre soi-même. La vie est un don de Dieu. Nul ne peut de son plein gré s'enlever la vie.

L'Écriture invite les intervenants et intervenantes à compatir à la souffrance des personnes suicidantes, à devenir solidaires de ceux et celles qui souffrent.

La responsabilité morale

Toute personne a le droit et le devoir de recevoir les soins nécessaires pour conserver la vie et la santé. Par conséquent, les intervenants et intervenantes ont la responsabilité morale de connaître la situation des personnes suicidantes, c'est-à-dire leur milieu culturel, leurs croyances, leurs valeurs, leurs expériences pour mieux saisir les problèmes et proposer une aide appropriée. Ils doivent de plus clarifier avec elles les raisons qui les poussent à vouloir se suicider et exprimer leur propre perception de la situation pour les amener à faire la vérité. Enfin, les intervenants et intervenantes doivent leur proposer des ressources professionnelles.

L'Évangile invite à ne pas porter de jugement et à accueillir les personnes, à leur donner tout l'appui nécessaire pour les aider à retrouver l'estime d'elles-mêmes, à poser des questions pour éclairer leur conscience et à les aider à clarifier leur situation.

Zoom sur le réel

Des problèmes à résoudre

En vous basant sur des points de repère, dites si le suicide vous semble la seule solution possible dans chacun des cas suivants.

a) La police vient de trouver le corps d'un homme de quatre-vingt-trois ans, mort depuis deux jours. À ses côtés, il y avait un fusil et sur la table, un message.

Ma colonne vertébrale me fait tellement mal que marcher est une épreuve. Une opération pourrait peut-être m'aider, mais les médecins ne me donnent aucune garantie. Ma vue diminue très rapidement. Bientôt, demain peut-être, je devrai cesser de conduire. Je suis devenu un danger public! Je n'ai vu personne depuis des jours. Mes enfants sont occupés et ils doivent s'occuper de leurs propres enfants. Je me sens seul, terriblement seul. Et ma chère Mado à qui je suis si infidèle! Je t'avais pourtant promis de ne jamais te «placer», mais je n'étais plus capable. Tu requiers des soins qui dépassent mes capacités physiques et ta mémoire est chose du passé : tu ne te souviens plus de qui je suis, de quel jour on est, où tu demeures. Tout se confond dans ton cerveau et je suis triste pour mourir de te voir ainsi. Je peux partir sans inquiétude. Et je crois que tout le monde aura ainsi moins de problèmes.

b) Un jeune père de famille vient de s'enlever la vie de façon violente. Quelques séances de thérapie avaient laissé croire à ses proches que la dépression était bel et bien contrôlée. Il avait glissé quelques mots sur son projet de suicide à des collègues de travail, mais ceux-ci et celles-ci ne l'avaient pas pris au sérieux, préférant oublier leur malaise et lui offrir une bière de temps en temps. Il a laissé un mot sur son bureau.

Vous serez mieux sans moi, je ne vous casserai plus les pieds avec mes problèmes, vous trouverez un candidat beaucoup plus compétent, ma femme, un meilleur mari et mes enfants, un meilleur père. Je ne suis plus intéressé à essayer quoi que ce soit, personne ne peut m'aider, je suis incapable de tolérer votre énergie de vivre.

Démarche

1. Quels sont les choix qui s'offrent aux personnes mentionnées pour soulager ou faire cesser leurs souffrances? Quelles conséquences entraînent-ils?

2. Quelles sont les valeurs en jeu?

3. Que disent le droit, la psychologie, l'enseignement de l'Église catholique, l'Écriture, la responsabilité morale sur chacun de ces choix?

4. Quel est le sens de l'enseignement de l'Église?

5. Évaluez en bien et en mal chacun des choix identifiés. Sur quels points de repères vous appuyez-vous?

6. Analysez la situation des personnes.

    – Quelle est leur situation affective?

    – Quel est leur état physique?

    – Quels sont les motifs ou les causes qui poussent ces personnes à choisir le suicide?

    – Y a-t-il des conflits de valeurs?

7. Quelle solution favoriserait le mieux-être des personnes? Justifiez votre point de vue.

Le cri de la vie

Micheline nous dit pourquoi elle choisit la vie malgré toutes les difficultés rencontrées.

Je connais beaucoup de personnes handicapées qui, un jour ou l'autre, se sont fait dire par des personnes en santé : «Moi, à ta place, j'aimerais mieux être mort». Certaines vont jusqu'à dire : «Moi, à ta place, je me serais tué».

Je ne commenterai pas ici cette pseudo-compassion ni la fausse compréhension que cachent ces phrases. Il y en aurait trop à dire.

Il est vrai que j'ai été habitée, à certains moments très pénibles de ma vie, par le désir de mourir. À ces moments où la douleur et la fièvre semblaient avoir pris possession de mon corps à tout jamais, à ces moments où je me sentais si lasse et si seule, j'ai même caressé le désir de mettre fin à mes jours.

Mais toujours, j'ai choisi de vivre. Parce que je suis en vie et que j'aime me sentir en vie.

Je n'aime pas cette sensation tiède et fade de me promener dans la vie sans que la vie m'affecte. Je rencontre très souvent des êtres humains dont le feu intérieur est presque éteint. Ils sont des morts qui parlent, qui marchent, qui mangent et qui regardent la télé. Que leur est-il arrivé pour que la vie ne soit devenue qu'une longue suite de gestes et d'occupations en noir et blanc, pour tuer le temps présent tout en rêvant d'un futur en couleurs que leur procurerait quelque «loto» de la vie?

J'aime rencontrer des gens passionnés. Je ne regarde plus les «bibittes» de la même façon depuis que j'ai entendu parler cet amoureux des insectes qui a donné toute sa collection à l'Insectarium de Montréal. Il m'a donné le goût de les observer, ces moustiques qui atterrissent dans mon assiette quand je suis en camping. J'aime jaser avec cet homme de soixante-douze ans qui s'occupe avec tendresse de son petit terrain de camping parce qu'il aime la nature et le monde qui aime la nature. «Ça le garde en santé», dit sa femme.

J'aime sentir la vie. J'aime sentir bouger mes bras et mes jambes. J'aime sentir la brise sur ma peau. J'aime entendre cette mésange perchée sur la branche et qui semble me faire la conversation. J'aime sentir mon ventre se contracter parce que j'ai peur ou parce que je suis émue.

À un moment de ma vie, il m'a semblé continuer à vivre parce que mes deux chats étaient là et avaient besoin de moi. Maintenant, je sais que je choisis la vie parce que j'aime mes deux chats, mon chien, mais surtout parce que j'aime Réjeanne, Denise, Vincent, Marie-Hélène et Jean-Marc et que plusieurs autres personnes sont très importantes pour moi.

Pourquoi arrêter de vivre parce que la vie est dure, souffrante, injuste? Ça me rappelle l'histoire de Marc, que j'ai rencontré dernièrement, assis dans un fauteuil roulant, un «halo» lui supportant le cou, quadriplégique. Il s'était cassé le cou en plongeant dans une piscine. Il n'avait pas encore vingt-cinq ans. Avant son accident, Marc occupait son temps entre ses appareils de «body-building» et les sorties avec les filles. Selon ses dires, il n'était jamais content de ce qu'il avait, et en voulait toujours plus. Marc se rappelle très bien l'accident, il n'a pas perdu connaissance au moment de l'impact. Il se revoit flottant sous l'eau, incapable de bouger. Il me raconte comment des hommes l'on sorti de l'eau et comment, dès sa première bouffée d'air, encore tout ruisselant d'eau, il était heureux d'être en vie, de voir le soleil et de voir les êtres humains autour de lui. Marc gardait, même quelques mois après l'accident, cette lumière au coin de l'œil de celui qui vient de découvrir comment il aime la vie.

Faut-il perdre pour goûter? Ou puis-je goûter tout ce que j'ai avant de perdre? La vie implique des troubles, de la douleur, de la souffrance, des pertes. Le handicap physique n'est peut-être pas le pire des coups durs. Certains êtres dont le corps, le cœur et/ou l'intelligence ont été écorchés, maltraités, abusés, alors qu'ils étaient à la merci de parents incapables de les aimer et de les respecter, sont parfois si handicapés intérieurement que même adultes, ils doivent travailler très fort pour arriver à s'approcher de la vie avec confiance.

Chacun a ses défis et ses combats.

Je veux toute ma vie continuer à découvrir et à apprendre. Je ne peux pas régler tous les problèmes du monde, les guerres, la pollution, l'injustice, la famine, les haines, etc. Je peux, dans ce petit coin où je suis, prendre soin de mon jardin, de ma maison, des personnes autour de moi; je peux, dans ce vaste univers, m'occuper de cette petite cellule que je suis et où je suis pour qu'elle respire le plus possible la santé. Et quand mon chat ronronne sous les caresses de ma main, il me semble que c'est tout l'univers qui esquisse un sourire.

Et probablement qu'à la prochaine impasse, pleine de douleur et de désespoir, je penserai à la mort, repos et solution. Et je sais que je choisirai de continuer à vivre jusqu'à cent deux ans!

Écrit sur une table de camping, à Sainte-Justine, le 8 août 1992.

Micheline Piotte

Vous me demandez quel est le suprême bonheur ici-bas? C'est d'écouter la chanson d'une petite fille qui s'éloigne après avoir demandé son chemin.

(Li Tai Po)

Avec d'autres yeux

La vie pour un Occidental évoque en général l'idée d'un continuum, une sorte de trajectoire avec un commencement (la naissance, la Création) et une fin (la mort, la Parousie), un événement qui n'aura lieu qu'une fois.

Pour certaines personnes qui se disent incroyantes, la mort signifie le point final de l'aventure humaine. Pour la grande majorité, elle marque le début d'une vie nouvelle, c'est-à-dire la résurrection et la vie éternelle pour les chrétiens et chrétiennes ou encore, pour un certain nombre de personnes qui ont été marquées par les religions asiatiques, la réincarnation. Mais pour la personne occidentale, qu'elle soit croyante ou incroyante, la vie est un don inestimable, unique, et la mort, l'entrée dans une expérience exaltante (vision chrétienne) ou encore dans le néant (vision athée).

Ce regard positif de l'Occident sur la vie et la mort renvoie l'écho de la Bible : *Et Dieu vit que cela était bon*, de même que celui du Nouveau Testament : *[Il] les conduira aux sources des eaux de la vie. Et Dieu essuiera toute larme de leurs yeux (Ap 7, 17).*

L'Asie voit les choses autrement. Pour les hindous et les bouddhistes, la vie et la mort font partie du *Samsara*, la roue de la vie, le cycle perpétuel du devenir. Les existences se succèdent, au rythme des réincarnations, jusqu'à ce que se produise la *moksha*, pour les hindous ou le *nirvāna*, pour les bouddhistes, c'est-à-dire la Libération ou le Réveil du cauchemar de l'existence. Car tant qu'on demeure dans l'illusion que le moi, celui que j'aperçois dans le miroir, est réel au sens de fondement permanent de tout ce qui est et qui passe, on ne peut s'évader du cycle des réincarnations :

Celui qui voit les choses ainsi, ô moines, dit le Bouddha, est un sage, un noble auditeur de la parole; il se détourne de la corporéité, des sensations et des représentations, des formations et de la connaissance. En s'en détournant, il s'affranchit du désir, et par la destruction du désir il atteint la délivrance. Dans le délivré s'éveille la connaissance de sa délivrance. La renaissance est anéantie, la sainteté accomplie, le devoir rempli. Il n'y a plus pour lui de retour en ce monde : telle est la vérité qu'il connaît.[a]

Autre aspect important qu'on découvre dans de nombreuses religions, africaines, amérindiennes, chinoises : il n'y a pas de coupure entre la vie et la mort, ni de différence radicale entre l'univers des vivants et celui des morts. Il y a plutôt transposition de l'une à l'autre. Une cloison très mince, presque transparente, permet aux vivants de rester en communication étroite avec les morts. Dans les maisons chinoises, on garde, dans un coin, la tablette des ancêtres où sont inscrits les noms des membres disparus. Chaque jour, la famille s'y rassemble et leur apporte, symboliquement, un peu de nourriture.

De même dans la Chine traditionnelle, selon les rites funéraires bouddhiques, on brûlait divers objets représentant les biens de la personne défunte (fac-similés en papier de sa maison, du mobilier, d'argent) ainsi que des talismans-suppliques à l'intention du dieu destinataire. «Ainsi le défunt retrouvera dans l'autre monde sa maison toute meublée», écrit un témoin des années 1930 [b].

Toujours dans l'univers chinois, on cite le célèbre sage taoiste Zhuangzi (Tchouang-tseu) qui avait perdu sa femme. Un ami le trouva chantant et dansant devant sa maison. Quelque peu scandalisé, il lui dit :

Cette femme a vécu avec toi, elle t'a donné des enfants, elle a vieilli et la voilà morte. Ne pourrais-tu pas de te contenter de la pleurer au lieu de chanter et de jouer du tambour? Tu n'exagères pas un peu?

Et le philosophe de lui répondre :

Pas du tout. Sur le coup, je n'ai pu m'empêcher d'être affecté. Mais à la réflexion, je constate qu'au départ elle n'avait pas la vie... Puis les forces de la nature sont entrées en action et elle a pris forme. Elle est née et maintenant la naissance s'est transformée en mort. Comme pour le cycle des quatre saisons, printemps, été, automne, hiver. Maintenant, elle repose dans la grande demeure de l'univers. Si je me mettais à pleurer et à me lamenter, je ne ferais que démontrer mon ignorance de la destinée humaine [c].

Ce sens de la continuité et du parallèle entre l'univers des vivants et celui des morts se retrouve dans les cultures autochtones d'Afrique et d'Amérique. La relation entre les humains et les animaux se prolonge au-delà de la mort. Un Montagnais, par exemple, expliquera comment un chasseur, «obligé» de tuer un animal pour nourrir sa famille, lui demande pardon, en chantant, avant de le tuer et lui exprime sa gratitude, en dansant, pour le don qu'il lui fait de sa vie.

Jacques Langlais

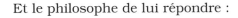

a   LANGLAIS, Jacques, *Le Bouddha et les deux bouddhismes*, Montréal, Fides, Coll. «Regards scientifiques sur les religions», Tome 2, 1975, p. 154.
b   LANGLAIS, Jacques, *Les Jésuites du Québec en Chine (1918-1955)*, Québec, Les Presses de l'Université Laval, 1979, Coll. «Travaux du laboratoire d'histoire religieuse de l'Université de Montréal», Tome 4, p. 217 et 231.
c   CHAN, Wing-Tsit, *A Source Book in Chinese Philosophy*, Princeton, Princeton University, Press, 1963, p. 493. Adaptation française par Jacques Langlais de la traduction anglaise.

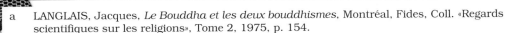

Pistes de lecture

PIOTTE, Micheline, *Au-delà du mur*, Montréal, vlb éditeur, 1988, 170 pages.

Dans ce livre, Micheline Piotte raconte comment elle a gardé et sauvegardé son goût de vivre. Un témoignage vrai et touchant.

MAILLET, Antonine *et al.*, *Comme un cri du cœur : témoignages*, Montréal, Les Éditions L'Essentiel Inc., 1992, 160 pages.

Six personnalités ont accepté d'exprimer leur passion de vivre et comment celle-ci est née.

Notes

1   *Les plus beaux poèmes pour les enfants*, Paris, Saint-Germain-des-Prés : Cherche-midi, 1982, p. 154.
2   POITRAS, Yvon *et al.*, *Au bonheur de vivre!*, Montréal, Éditions Paulines et Médiaspaul, 1992, p. 180.
3   Cité dans LACOURT, Jacques, *Croire en Dieu. Est-ce possible aujourd'hui?*, Paris, Éditions Droguet et Ardant, 1991, p. 38.
4   RILKE, Rainer-Maria, *Lettres à un jeune poète*, Paris, Éditions Bernard Grasset, 1937, p. 61.
5   MAILLET, Antonine *et al.*, *Comme un cri du cœur : témoignages*, Montréal, Les Éditions L'essentiel Inc., 1992, p. 33.
6   *Ibid.*, p. 87.
7   *Ibid.*, p. 98-99.
8   *Ibid.*, p. 132.
9   *Ibid.*, p. 55.
10 LACOURT, Jacques, *op. cit.*
11 *Ibid.*, p. 14.
12 *Ibid.*, p. 19.
13 *Ibid.*, p. 21.
14 *Ibid.*
15 *Ibid.*, p. 22.
16 *Ibid.*, p. 34.
17 *Ibid.*, p. 35.
18 *Ibid.*, p. 36.
19 *Ibid.*, p. 41.
20 *Ibid.*, p. 14.
21 Extraits de «Engagements de Développement et Paix au tiers monde», *Solidarité*, vol. 16, n° 4, mars-avril 1992, p. 5-8.
22 *Le père Joseph Wresinski. Une vie, notre vie*, Pierrelaye, ATD Quart Monde, 1989, p. 27.
23 «Le bonheur», *Fêtes et saisons*, n° 443, mars 1990, p. 25.
24 BEAUCHAMP André et Julien HARVEY, *Repères pour demain*, Montréal, Les Éditions Bellarmin, 1987, p. 48.
25 Le texte qui suit s'inspire de BEAUCHAMP, André, «L'environnement», *Revue Notre-Dame*, n° 4, avril 1989, p. 7-8.
26 Cité dans *Repères pour demain*, *op. cit.*, p. 132, d'après «Environnement», *Développement*, ACDI, juin 1986, p. 1.
27 Adapté de COLOMBO, Umberto, «Les facettes multiples d'une saine gestion de l'eau», *La Presse*, cahier spécial «L'eau, l'obsession du XXIᵉ siècle», 30 mai 1992, p. 17.
28 BEAUCHAMP, André et Julien HARVEY, *op. cit.*
29 PIE XII, *Doc. Cathol.*, n° 1227, 10 juin 1956, voir col. 743-750.
30 *Instructions sur le respect de la vie humaine naissante et la dignité de la procréation*, Montréal, Les Éditions Paulines, 1987, p. 35.
31 *Ibid.*, p. 5.

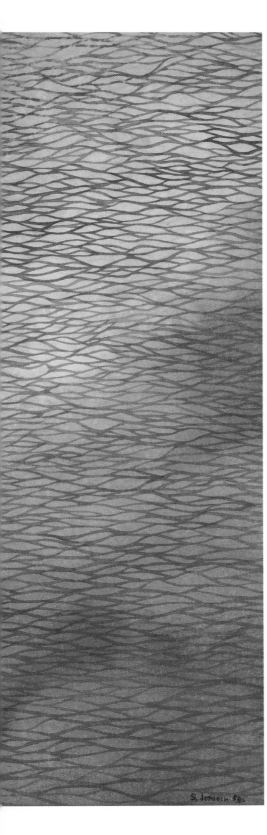

33 BEAUCHAMP, André, *Mères célibataires au contact des Sœurs de Miséricorde*, Montréal, Les Éditions Bellarmin, 1988. p. 79.

34 *Ibid.*, p. 23.

35 *Ibid.*, p. 30.

36 *Ibid.*, p. 45.

37 CONFÉRENCE DES ÉVÊQUES CATHOLIQUES DU CANADA, *Le don de la vie, le droit à la vie*, Ottawa, Les Éditions de la C.E.C.C., 1988, p. 10. © Concacan Inc., 1988. Extraits utilisés avec la permission de la C.E.C.C.

38 *Ibid.*

39 *Ibid.*

40 *Ibid.*, p. 12-13.

41 STRAPPAZZON, Valentin, *Questions sur l'Église et sa morale*, Paris, Centurion, 1992, p. 121.

42 Cité dans REY-MERMET, Théodule, *op. cit.*, p. 272.

43 *Ibid.*

44 CONFÉRENCE DES ÉVÊQUES CATHOLIQUES DU CANADA, *Aimer et respecter la vie*, Ottawa, Les Éditions de la C.E.C.C., 1986. © Concacan Inc., 1988. Extraits utilisés avec la permission de la C.E.C.C.

45 DURAND, Guy, *Quel avenir?*, Ottawa, Les Éditions Leméac, 1978, 260 p.

46 Guy Durand cite MARCOTTE M., *L'avortement libre*, Montréal, Les Éditions Bellarmin, 1973, p. 111-112.

47 DURAND, Guy, *op. cit.*, p. 46.

48 *Le don de la vie, le droit à la vie*, *loc. cit.*, p. 8.

49 La réflexion qui suit s'inspire de THÉVENOT, Xavier, *Repères éthiques pour un monde nouveau*, Paris, Les Éditions Salvator, 1991, p. 75-83.

50 Narcotiques Anonymes est un organisme entièrement autonome. Il n'est affilié à aucun groupe politique ou mouvement religieux.

51 Ces extraits de l'allocution de Mgr Jean-Claude Turcotte, présentée dans le cadre de la Journée internationale du sida, sont tirés de «L'Église de Montréal», 10 décembre 1992, p. 1179-1183.

52 FOSSION, André *et al.*, *Comment parler de la souffrance?*, Bruxelles, Les Éditions Lumen Vitae, 1984, p. 20 à 29. Avec la permission des Éditions L.V.

53 DANSEREAU, Michel, «Les sources de la quête spirituelle aujourd'hui», *Critère*, n° 32, automne 1981, p. 63.

54 KÜBLER-ROSS, Elisabeth, *La mort : dernière étape de la croissance*, Monaco, Éditions du Rocher, 1985, p. 213.

55 DANSEREAU, Michel, *loc. cit.*, p. 75-77.

56 Adapté de MAILLET, Suzanne, «L'euthanasie. Qu'en pensent les personnes âgées?», *Frontières*, vol. 3, n° 1, printemps 1990, p. 34-35.

57 *Ibid.*

58 Adapté de BOISVERT, Marcel, «Une histoire vraie», *Frontières*, vol. 3, n° 1, printemps 1990, p. 11-14.

59 Cité par DURAND, Guy, *op. cit.*, p. 242.

60 Cité par DESCHAMPS, Pierre, «L'euthanasie doit-elle être légalisée?», *Frontières*, vol. 3, n° 1, printemps 1990, p. 41.

61 La réflexion qui suit s'inspire de DURAND, Guy, *op. cit.*, p. 241-256.

62 MIRON, Thérèse, «L'euthanasie ça fait mal en dedans», *Frontières*, vol. 3, n° 1, printemps 1990, p. 37.

63 Cité dans REY-MERMET, Théodule, *op. cit.*, p. 285.

64 *Ibid.*

65 *Recueil de Jurisprudence du Québec*, 1992, p. 361.

66 VOLANT, Éric *et al.*, *Adieu la vie...*, Montréal, Les Éditions Bellarmin, 1990, p. 123.

67 La réflexion qui s'inspire de cet ouvrage.

68 *Ibid.*, p. 86.

69 *Ibid.*, p. 83.

70 *Ibid.*, p. 97.

71 *Ibid.*, p. 91.

72 *Ibid.*, p. 102.

Glossaire

Aberration : idée, façon d'agir contraire à la raison, au bon sens.

Absolutisme : exercice sans contrôle du pouvoir politique.

Acharnement : ardeur vive et longtemps soutenue.

Adultère : le fait, pour une personne mariée, d'avoir volontairement des rapports sexuels avec quelqu'un d'autre que son conjoint.

Affliction : peine morale, douleur profonde.

Analgésique : qui diminue ou supprime la douleur.

Baals : nom de divinités méditerranéennes.

Bidonville : agglomération d'habitations précaires, construites en matériaux de récupération, en particulier de vieux bidons, et qui se trouvent à la périphérie de certaines villes.

Biosphère : partie de l'écorce terrestre et de l'atmosphère où il existe une vie organique.

Chimiothérapie : traitement par les substances chimiques, notamment antibiotiques et anticancéreuses.

Claustrophobie : angoisse éprouvée dans un lieu clos.

Concile : assemblée d'évêques et de théologiens de l'Église catholique réunis pour régler des questions concernant le dogme, la liturgie et la discipline ecclésiastiques.

Consanguinité : parenté du côté du père. Parenté proche entre conjoints.

Déontologie : morale professionnelle, théorie des devoirs et des droits dans l'exercice d'une profession.

Déportation : peine d'exil, afflictive et infamante, appliquée autrefois aux crimes politiques.

Dictatorial : impérieux, tranchant.

Dilemme : situation qui donne à choisir impérativement entre deux partis, chacun entraînant des conséquences graves.

Dualité : coexistence de deux principes différents.

Écosystème : ensemble écologique constitué par un milieu (sol, eau, etc.) et des êtres vivants, entre lesquels existent des relations énergétiques, trophiques, etc.

Embryon : vertébré aux premiers stades de son développement, qui suivent la fécondation.

Encyclique : lettre adressée par un pape aux évêques, au clergé et aux fidèles de tous les pays ou d'un pays déterminé, à propos d'un problème de doctrine ou d'actualité.

Entrave : ce qui gêne, ce qui asservit.

Eugénique : partie de la génétique appliquée qui vise à l'amélioration de l'espèce humaine.

Exégèse : critique et interprétation philologique, historique, etc. des textes, en particulier de la Bible.

Génétique : science qui étudie les lois de l'hérédité.

Hémoroïsse : ce terme, qui ne se trouve pas dans les dictionnaires, désigne probablement une femme souffrant d'hémorragie utérine.

Hépatite : affection inflammatoire du foie.

Hiérarchie : répartition des éléments d'une série selon une gradation établie en fonction de normes déterminées.

Hystérectomie : ablation, totale ou partielle, de l'utérus.

Inceste : relation sexuelles entre personnes dont le degré de parenté interdit le mariage.

Indigent : qui est dans l'indigence, très pauvre.

Inhibiteur : qui produit l'inhibition, c'est-à-dire la suspension temporaire ou définitive de l'activité d'un organe, d'un tissu ou d'une cellule.

Iniquité : corruption des mœurs, péché.

Intégrité : état d'une chose à laquelle il ne manque rien. Probité irréprochable.

Intubation : introduction d'un tube ou d'une sonde dans un conduit naturel, notamment dans la trachée, pour assurer la liberté des voies aériennes au cours d'une anesthésie.

Junte militaire : directoire d'origine insurrectionnelle gouvernant certains pays, notamment d'Amérique latine.

Longanimité : patience dans le malheur.

Monarchie : forme de gouvernement d'un État dans laquelle le pouvoir est détenu par un seul chef, le plus souvent un roi héréditaire.

Narcisse : personnage mythologique épris de son image.

Narcissisme : admiration plus ou moins exclusive de sa propre personne.

Narcotique : substance dont l'absorption provoque l'engourdissement intellectuel, la résolution musculaire et l'affaiblissement de la sensibilité, en agissant sur le système nerveux central.

Nazisme : mouvement, régime et doctrine nazis.

Nidation : implantation de l'œuf fécondé des mammifères sur la muqueuse utérine, au début de la gestation.

Noviciat : état de novice dans un ordre religieux.

Novice : personne qui est encore peu expérimentée dans une activité, un métier.

Œcuménisme : mouvement visant à l'union de toutes les Églises chrétiennes en une seule.

Palliatif : qui pallie, dont l'efficacité n'est qu'apparente.

Papouasie : partie sud-est de la Nouvelle-Guinée.

Précepte : formule énonçant une règle, un principe d'action.

Prédication : action de prêcher.

Problématique : ensemble de problèmes concernant un sujet.

Psychique : qui concerne l'âme, l'esprit, la pensée en tant que principe qui régit la nature humaine et son activité.

Stoïque : qui rappelle la fermeté d'âme prônée par les stoïciens.

Thérapeutique : relatif au traitement, à la guérison des maladies.

Torah : nom donné par les Juifs à la loi mosaïque.

Tortionnaire : personne qui torture quelqu'un.

Totalitaire : se dit d'un régime, d'un État dans lequel la totalité des pouvoirs appartient à un parti unique qui ne tolère aucune opposition.

Zygote : cellule issue de la fécondation du gamète femelle par le gamète mâle.

Au cœur de la morale

Le mot morale renvoie à plusieurs réalités : les règles de conduite que se donnent une personne, un groupe ou une société; l'état général de la vie mentale d'une personne; la leçon qu'on tire d'une histoire, d'une expérience, d'un événement. Toute vie a une dimension morale que l'on peut reconnaître à des indices intérieurs et extérieurs tels que les sentiments, les questions, la portée morale de nos actes.

Définition de la morale

La morale a deux volets :

1. c'est l'ensemble des règles de conduite qui s'imposent à chaque personne dans la société où elle vit;

2. c'est une réflexion systématique sur les problèmes que pose la conduite des humains dans leur vie personnelle et sociale.

Le double but de la morale

Le but de la morale est de chercher :

1. ce qui favorise l'épanouissement de la personne selon ses diverses caractéristiques;

2. les meilleures conditions de l'harmonie sociale et les moyens d'assurer la vie sur la planète.

Les capacités de la personne

La réflexion morale vise à favoriser l'épanouissement de la personne, compte tenu de ses principales capacités, de sa créativité, de sa complexité comme être doté d'une vie corporelle, intellectuelle, affective, spirituelle, vivant en relation avec les autres.

La dimension de la morale

La morale comporte trois dimensions :

1. une dimension normative qui se rapporte aux lois qui dictent les manières de nous conduire en société;

2. une dimension personnelle qui se rapporte au contexte dans lequel se déroule tel événement;

3. une dimension universelle qui se rapporte aux valeurs jugées fondamentales pour assurer les droits de tous et toutes, aux principes moraux et aux responsabilités universelles envers l'humanité.

Les points d'appui de la morale

L'existence humaine a une dimension morale parce que la personne est un être conscient, libre et responsable.

La morale dans la pensée judéo-chrétienne

L'Ancien Testament propose une morale basée sur l'amour de Dieu et sur l'amour des autres. Le Nouveau Testament propose une morale basée sur l'amour de Dieu et des autres et qui va jusqu'à l'amour des ennemis. Les points de repère moraux fournis par le Nouveau Testament sont les Béatitudes, les discours sur la justice nouvelle et sur le Jugement dernier.

Jésus et la personne humaine

Jésus reconnaît la dignité de la personne, son ouverture à Dieu et aux autres, son besoin de salut, la réalité de ses limites.

La conception de la liberté

La liberté n'est pas le rejet de toute contrainte, le refus d'assumer la responsabilité de ses actes ou encore de voir la réalité en face. Son exercice n'a rien à voir avec un comportement capricieux et irresponsable.

La conquête des libertés

L'être humain doit lutter pour briser les chaînes qui l'empêchent d'agir en toute liberté, c'est-à-dire sans contrainte intérieure et extérieure.

Les niveaux de la liberté

Il existe différents niveaux de la liberté :

1. le niveau physique est celui de la capacité et de la possibilité d'agir. Pour être libre, une personne doit avoir les talents, les attitudes et les conditions pour agir;

2. le niveau social, qui comprend les aspects civiques, politiques et économiques, est également essentiel à l'exercice de la liberté;

3. le niveau moral est caractérisé par la liberté de choix;

4. le niveau théologal est présent chez ceux et celles qui cherchent à vivre leur liberté selon les valeurs proposées par Jésus, c'est-à-dire l'amour de Dieu et des autres.

L'espace de la liberté

Toutes les manières d'exercer la liberté ne permettent pas l'épanouissement de la personne. Les êtres humains doivent tenir compte du fait qu'ils et elles vivent en interrelation, qu'ils sont appelés à se développer et à créer leurs conditions de vie, ils ont une responsabilité sociale.

Jésus, un homme libre

Jésus a relevé les défis de la liberté humaine. L'Écriture présente les choix qu'il a faits dans les circonstances qui étaient les siennes.

1. Face au pouvoir de la loi : Jésus présente l'amour comme prioritaire et ne craint pas de modifier certaines prescriptions qui en minimisent l'importance.

2. Face à la domination du savoir : Jésus critique la domination des savants qui, du haut de leur savoir, briment la liberté de pensée et de conscience des gens.

3. Face à certaines valeurs préconisées : Jésus se fait proche des pauvres et critique même les gens qui exercent le pouvoir.

4. Face à l'avoir : pour Jésus, la richesse n'est pas un critère pour déterminer la valeur des gens.

À la suite de Jésus

La manière de vivre la liberté proposée pas Jésus favorise l'épanouissement de la personne. Les chrétiens et les chrétiennes d'aujourd'hui vivent en tenant compte du fait qu'ils sont des êtres de relation, capables de se développer et de créer de meilleures conditions de vie, qu'ils prennent à cœur leur responsabllité sociale. C'est en se faisant proches des autres, c'est en dénonçant tout ce qui brime la liberté des autres que les chrétiens et chrétiennes font la volonté de Dieu, qu'ils connaissent la paix et la joie dont parle Paul dans sa lettre aux Galates.

À la suite de Jésus, la foi plonge les chrétiens et les chrétiennes au milieu des défis contemporains et ne les prive pas des doutes et des inquiétudes qui se mêlent aux décisions à prendre.

L'amour, un besoin fondamental

Toute personne humaine, qu'il s'agisse d'un enfant, d'un adulte ou d'une personne âgée, éprouve le besoin d'aimer et d'être aimée. La rencontre de l'autre, à la fois extraordinaire et mystérieuse, nous place devant nos différences mutuelles, notre dualité. Cette force, ce désir intérieur qui pousse vers l'autre comporte des pièges, celui de la complémentarité immédiate et de l'intolérance. Entre deux personnes qui s'aiment et qui se donnent l'une à l'autre, une parole est nécessaire pour qu'elles puissent exprimer leurs besoins, leur plaisir, leurs joies et leurs peines.

L'amour, art et mystère

On ne peut pas expliquer les raisons pour lesquelles telle personne est attirée par telle autre. C'est une expérience intérieure. L'amour se manifeste et se reconnaît à des signes tels la tendresse, le respect et l'attention portée à l'autre. Mais une relation évolue et traverse certaines étapes : l'idéalisation, le regard critique, l'adaptation à la réalité.

Selon l'Écriture

L'Écriture parle d'un Dieu Amour qui se fait connaître par Jésus. À travers ses paroles et ses actes, Jésus révèle sa compassion, sa tolérance et son accueil, sa justice et sa fidélité, sa tendresse et sa miséricorde, le service des autres, et cela, jusqu'au don total de lui-même.

Aujourd'hui, des personnes suivent ses traces et traduisent, dans différents milieux, le même amour.

Quelques enjeux

Certaines questions peuvent être posées en ce qui concerne différentes manifestations de l'agir sexuel : que penser de la masturbation, des relations sexuelles précoces, de la prostitution? Que faire dans les cas de viol? D'autres questions ont trait aux différentes formes de vie commune : la cohabitation, le mariage – civil ou religieux – de même qu'à la rupture. L'orientation sexuelle suscite elle aussi bien des interrogations.

Comment résoudre ces questions? Il est important de suivre une démarche afin de rester le plus objectif ou objective possible.

Dans un premier temps, il s'agit de dégager les choix qui s'offrent à la personne devant la questions posée et les conséquences qui en découlent. Dans un deuxième temps, on examine ce que pensent et ce que disent le droit, les sciences humaines, l'enseignement de l'Église, la théologie et l'approche pastorale relativement à ces choix. Dans un troisième temps, on évalue quel choix est le meilleur dans telle circonstance. On justifie son point de vue.

Les points de repère qui permettent d'évaluer les choix se réfèrent tous à des valeurs fondamentales telles la vie, l'amour, la liberté, la vérité et la dignité de la personne.

Le sens de la vie

Les merveilles de la nature et le mystère de l'être humain permettent de dire que la vie est fascinante. Certaines personnes n'arrêtent pas de s'en étonner alors que d'autres s'interrogent et parviennent plus difficilement à trouver un sens à leur vie.

La souffrance et la mort suscitent des questions, particulièrement dans un monde où la recherche du plaisir prend tellement d'importance.

Selon l'Écriture

Tous les aspects de la vie humaine intéressent Jésus. Et partout, il veut faire triompher la vie. Il guérit les malades, nourrit les foules, pardonne aux pécheurs, invite à l'amour mutuel. À son contact, tous ces gens se mettent à retrouver le goût de vivre : Jésus devient pour elles *le chemin, la vérité et la vie,* comme le dit saint Jean.

Pour Jésus, le respect de la vie est primordial et passe avant même la pratique religieuse.

La souffrance et la mort

Jésus fait face à la réalité de la souffrance et lutte contre toutes les formes de mal. Il compatit à la douleur de ceux et celles qui souffrent. À l'approche de la mort, sa foi en son Père ne le dispense pas de la douleur, mais elle lui permet de vivre ses souffrances avec lui, c'est-à-dire en sa présence.

Quelques enjeux

Aujourd'hui, des questions se posent relativement à la survie de la planète et au contrôle de la vie. Quelles décisions prendre face à la fécondation *in vitro*, à l'avortement, à l'utilisation de moyens contraceptifs? On constate également qu'il y a de nombreuses atteintes à la vie; la drogue, l'alcool et le sida en sont des exemples. Que faire? Et quand la douleur physique ou morale devient trop intense, certaines personnes optent pour le suicide, tandis que d'autres implorent différentes autorités de leur accorder la possibilité de recourir à l'euthanasie.

La démarche proposée dans le troisième chapitre et les points de repère présentés à l'intérieur de la démarche pourraient permettre à beaucoup d'entre vous de prendre une bonne décision.

Activités de synthèse

Chapitre 1

Dans un quartier de votre ville, des gens vivent dans une extrême pauvreté et la violence fait des siennes. Les responsables municipaux et paroissiaux se réunissent et essaient de trouver des solutions qui impliquent l'ensemble des citoyens et citoyennes de la ville. Les moyens trouvés ne font pas l'unanimité : nouveaux règlements, cueillette de vêtements, programmes de loisirs, surveillance accrue, repas à prix modiques, etc. Il se trouve des personnes pour dire que chacun et chacune doit s'arranger pour se débrouiller avec ses affaires, que chacun est responsable de son domaine et rien d'autre. La discussion se poursuit tard dans la soirée...

1. Les personnes qui se réunissent font-elles une réflexion morale? Pourquoi?

2. Trouver des solutions à des problèmes correspond-il aux buts que poursuit la morale? Expliquez-le en vos mots.

3. Pouvez-vous dire que l'Évangile appelle à se préoccuper du problème de la pauvreté?

4. Vous discutez avec des gens qui ne veulent pas s'impliquer dans la recherche de solutions à ce problème. Quels arguments apporteriez-vous pour les convaincre?

5. Pouvez-vous dire que des résolutions seront adoptées en fin de soirée? Si oui, celles-ci seront-elles automatiquement respectées par tous et toutes? Quels en seraient les points d'appui?

Chapitre 2

Au milieu des années soixante, un garçon, Pierre, vient au monde lourdement handicapé. Paralysé, il parle très difficilement et doit dépendre de sa famille. Il passe des journées assis dans son fauteuil roulant, observant ses frères et ses sœurs lorsqu'ils font leurs travaux scolaires. Personne ne peut soupçonner qu'il comprend quoi que ce soit. Un beau jour, un crayon entre les lèvres, il parvient à écrire son nom et le mot «bonjour». Avec de l'aide, il développe son talent d'écriture, entre en communication avec les autres et participe aux décisions relatives à sa vie. Ses écrits permettent de voir quelles luttes intérieures il a menées, comment il est passé de la révolte à l'acceptation. Il mentionne son attachement à Jésus de Nazareth, lui qui s'est affranchi de la domination du pouvoir, de l'avoir et du savoir : «Moi aussi, j'ai dû me libérer de bien des formes d'esclavage.» Malgré ses limites, il est devenu heureux.

1. À quel niveau de liberté Pierre est-il parvenu? Justifiez votre réponse.

2. Quelles chaînes a-t-il dû briser pour y parvenir?

3. Quels choix pouvait-il faire en ce qui concerne son développement personnel et ses relations avec les autres?

4. Quelles conséquences pouvaient découler de ces choix?

5. Sa manière d'exercer sa liberté favorise-t-elle son épanouissement personnel? Justifiez votre réponse.

Activités de synthèse

Chapitre 3

Hélène et Patrick sont en cinquième secondaire. Le respect et la liberté sont importants pour eux. Les deux ne manquent jamais la messe de Noël ni celle de Pâques. Ils se fréquentent depuis quatre mois. Le plus souvent possible, ils se retrouvent dans l'appartement de Patrick et se demandent s'ils devraient avoir une relation sexuelle.

En vous appuyant sur le sens humain et chrétien de la sexualité, sur l'opinion des sciences humaines et de l'enseignement de l'Église, que leur conseilleriez-vous? Justifiez votre réponse.

Chapitre 4

Un de vos bons amis devient gravement malade. Les médecins n'ont pas beaucoup d'espoir de le guérir. Il refuse sa condition qui est appelée à se détériorer rapidement. Il ne peut pas s'imaginer perdant son indépendance et son autonomie. L'idée de l'euthanasie fait son chemin. Il vous consulte.

En vous appuyant sur le sens de la vie et de la souffrance, que lui diriez-vous, vous qui êtes de foi catholique?

Source des citations bibliques

La Bible de Jérusalem, Paris, Les Éditions du Cerf, 1986, 1848 pages.

Source des illustrations

Sylvie Deronzier : Les pictogrammes des rubriques «Zoom» et «Sur le bonheur».
12, 14, 17, 21, 23, 24, 25, 30, 42, 53, 54-55, 56, 63, 66-67, 69, 71, 73, 75, 76, 77, 78, 80-81, 88, 95, 99, 106-107, 108-109, 114-115, 122, 123, 124, 127, 131, 139, 141, 145, 146, 147, 157, 161, 166, 172, 177, 190-191, 192-193, 209, 211, 215, 226, 236, 237, 248, 252, 258-259, 267, 278, 279.

Stéphane Jorisch : 22, 33, 38, 39, 40, 47, 86-87, 90, 91, 92, 93, 98, 103, 125, 128, 129, 134, 181, 186-187, 200, 201, 230, 245, 256, 257, 275, 286-287.

Pierre-Paul Pariseau : 6-7, 44-45, 100-101, 121, 132, 136, 184-185, 188-189, 284-285.

Source des photos

Les abréviations h, c, b, g, d, indiquent la position de la photo dans la page (haut, centre, bas, gauche, droite; par exemple, cg : centre gauche).

9h : Misha Erwitt/Sygma/Publiphoto. 9b : Ron Kocsis/Publiphoto. 10 : Mauritius/Cupak/Réflexion.
11g : Misha Erwitt/Sygma/Publiphoto. 11(de haut en bas) : USIS/Sipa Press/Ponopresse. ACAT. Berry/ Liaison/Ponopresse. TOPHAM/Ponopresse. Amnistie internationale. De la Haye/Sipa Press/Ponopresse.
Les Ami-e-s de la Terre de Montréal. 13g : Collège Sainte-Anne de Lachine. 13d : Sean O'Neill/Réflexion.
16 : G. Zimbel/Publiphoto. 23 : IMS/CHMURA/Camera Press/Ponopresse. 26 : A. Dejean/Sygma/ Publiphoto.
31 : Aline Chèvrefils/Les Franciscains. 34 : Enzo Vecchio/Sipa Press/Ponopresse. 35 : B.S.I.P. Dequest/Publiphoto.
36 : G. Erpicum/ATD Quart Monde. 37 : Imapress/Ponopresse. 41 : Fils de la Charité. 43 : Images/ Micino Gonzales/Ponopresse. 48-49 : FOC/Réflexion. 50-51b : Collège Sainte-Anne de Lachine.
51c : Stephen Whalen/Réflexion. 52-53 : Julien Lama/Publiphoto. 58 : Patrick Piel/ Gamma/Ponopresse.
62 : Mauritius/E. Gebhart/Réflexion. 70 : Tom McCarthy/Ponopresse. 72 : Gil Jacques/Réflexion.
73hg : Collège Sainte-Anne de Lachine. 73 : Bob Burch/Réflexion. 74 : Jean-Luc Le Brun. 82-83 : Stock Imagery/ Réflexion. 85 : Juan Etcheveria/Gamma/Ponopresse. 94 : Jérôme Martineau. 96 : Père Yves Girard.
97 : M. Ponomareff/Ponopresse. 104-105 : Peter Brooker/Rex Features/Ponopresse. 117 : Mauritius/Réflexion.
118 : Philippe Royer/Publiphoto. 119 : Mauritius/Réflexion. 120 : Damian Walker/Camera Press London/Ponopresse.
126 : Anna/Camera Press/Ponopresse. 130 : Luc Vidal/Ponopresse. 133 : Marc Deville/Gamma/Ponopresse.
135 : M. Ponomareff/Ponopresse. 137-138 : Georges Madore. 140 : Mauritius/Réflexion. 148 : M. Allard/Ponopresse.
149 : Horizon/Mike Langford/Réflexion. 150 : Marco Weber/Ponopresse. 151 : Alma McGoldbrick/Camera Press London/Ponopresse. 164h : J.-C. Teysaier/Publiphoto. 164b : Mauritius/Cupak/Réflexion.
165 : Camera Press/Ponopresse. 168 : Tom McCarthy/Ponopresse. 170 : Jean-Paul Nacinet/Publiphoto.
171 : Camera Press/Ponopresse. 176 : Marcel Allard/Ponopresse. 177g : D. Fineman/Sygma/Publiphoto.
177d : John Annerino/Sygma/Publiphoto. 194g : Wlademar Panow/Gamma/Ponopresse.
194hd : Saunier/Figaro/Ponopresse. 194cd : Christophe Lepetit/Fovea-Sequoia/Ponopresse.
194bd : David Edwards/Ponopresse. 195hg : P. Pilloud/Jacana/Publiphoto. 195cg et bg : Rémi Amann/ Sygma/Publiphoto. 195hd : Jacana/Publiphoto. 195cd et bd : F. Winner/Jacana/Publiphoto.
196h : Tom McCarthy/Ponopresse. 196b : Rick Colls/Ponopresse. 197 : Sheila Naiman/Réflexion.
198-199 : Edimedia/Publiphoto. 203 : Développement et Paix. 204-205 : ATD Quart Monde. 206 : Sylvain Giguère.
207 : Père Paul Hamel. 208 : Images/Ponopresse. 210h : Tom McCarthy/Ponopresse.
210b : Pierre Beaudoin/Ponopresse. 212 : M. Ponomareff/Ponopresse. 213h : Ferry/Liaison/Ponopresse.
213b : M. Ponomareff/Ponopresse. 214h : Simon Parent/Ponopresse. 214b : C.T.K./Gamma/Ponopresse.
217h : Jean Grinsky/Réflexion. 217b et 219 : Gamma/Ponopresse. 220 : J.P. Laffont/Sygma/Publiphoto.
225 : P. Hattenberger/Publiphoto. 229 : Rex Features/Ponopresse. 231 : Nicole Durand-Lutzy.
234 : Marcel Allard/Ponopresse. 240 : Melanie Carr/Viesti/Réflexion. 252 : K.W. Gruber/Mauritius/Réflexion.
254 : P. Baeza/Publiphoto. 255 : Edimedia/Publiphoto. 260 : Greg Nikas/Viesti/Réflexion.
272 : Melanie Carr/Viesti/Réflexion. 282 : Michelle Garratt/Camera Press London/Ponopresse. 283 : Micheline Piotte.